VIE

DE

S. NICOLAS DE TOLENTINO

DE L'ORDRE DES ERMITES DE SAINT-AUGUSTIN

PAR LE

P. Antonin Tonna-Barthet, O. S. A.

Société de Saint-Augustin,

DESCLÉE DE BROUWER ET Cie

1896.

VIE

DE

S. NICOLAS DE TOLENTINO

8° K
2811

Praecepta / ideo in
Patris mei / ejus dile-
servavi / ctione
semper / maneo

SANCTE NICOLAE DE TOLENTINO O.P.N.

APOTHÉOSE DE SAINT NICOLAS DE TOLENTINO.

VIE

DE

S. NICOLAS DE TOLENTINO

DE L'ORDRE DES ERMITES DE St AUGUSTIN

PAR LE

P. Antonin Tonna-Barthet, O. S. A.

ILLUSTRÉ DE 25 GRAVURES.

Société de Saint-Augustin,

DESCLÉE, DE BROUWER ET Cie.

1896

PROTESTATION.

PLEINEMENT soumis aux prescriptions d'Urbain VIII, touchant les causes des saints, je déclare que, dans cette « Vie de saint Nicolas de Tolentino », par les qualificatifs de *saint* et de *miraculeux*, je n'entends nullement préjuger les décisions infaillibles de notre Mère la Sainte Église.

FR. ANTONIN M. TONNA-BARTHET, O. S. A.

PERMIS D'IMPRIMER.

† FR. SÉBASTIEN MARTINELLI,

Prieur-Général des Ermites de Saint-Augustin.

Rome, via del Santo Uffizio,
ce 28 Juillet 1896.

AU RÉVÉRENDISSIME PÈRE
SÉBASTIEN MARTINELLI
Prieur Général des Ermites de Saint-Augustin.

RÉVÉRENDISSIME PÈRE,

IL est naturel que je vous dédie cet ouvrage. C'est vous qui m'avez incité à l'entreprendre et encouragé à le poursuivre. La main qui a planté l'arbre a seule le droit d'en cueillir les premiers fruits.

Puisse ce livre dissiper dans quelques esprits des illusions funestes et des préventions injustes contre la vie religieuse! Puisse-t-il réveiller dans quelques âmes, avec l'amour du devoir, les consolations si douces de la foi!... Je pourrai me flatter alors que mes humbles travaux auront quelque utilité pour la cause de l'Église.

Bénissez donc le livre et son auteur, et agréez l'hommage du profond respect avec lequel je suis,

De votre Paternité Révérendissime,

le très humble et très obéissant serviteur et fils,

FR. ANTONIN M. TONNA-BARTHET, O. S. A.

N ntes, Rue du Quatorze-Juillet, le 12 juin 1896.

PRÉFACE.

*L*E *principe et la source de toute sainteté, c'est le Christ. L'homme n'est saint qu'à condition d'imiter l'Homme-Dieu dans sa vie d'action et dans sa vie de souffrance ; mais quiconque, selon la mesure de la grâce reçue, et autant que le comporte la faible nature humaine, aura fidèlement imité les vertus et les souffrances du Sauveur, sera rendu, dès cette vie, participant de sa vie divine, participant de sa puissance, et achèvera l'œuvre de la Rédemption du monde. Toute sainteté procède donc de ce type divin, qui seul ayant pu proportionner la réparation au péché, seul aussi a mérité d'être proposé pour modèle de perfection à l'humanité rachetée. La règle de toute sainteté est contenue dans ces mots :* « Fais selon le modèle qui t'a été révélé sur la montagne (1). »

Saint Nicolas de Tolentino fut un de ces parfaits

---

1. Fac secundum exemplar quod tibi in monte monstratum est.

(*Exod. XXV, 40.*)

imitateurs de Jésus-Christ. Né dans une classe supérieure de la société, il eut à choisir entre la vie douce et molle de ce monde et les austérités du cloître. La dernière place dans la maison de son Dieu lui parut préférable et plus sûre.

Deux phases bien distinctes marquent l'existence de notre Saint : nous les suivrons dans la composition de ce livre. Dans la première, nous verrons le jeune enfant atteindre une perfection bien au-dessus de son âge, le novice et le religieux donnant l'exemple de toutes les vertus du cloître et les pratiquant sans relâche. La seconde nous présentera le religieux, apôtre infatigable, plein de vigilance, de sollicitude et d'abnégation.

Dans le cloître, la vie de saint Nicolas est un prodige d'austérité. Le démon veut le détourner de l'oraison, et a recours aux moyens les plus violents. Dieu assiste son fidèle serviteur et le comble de faveurs signalées : les miracles se succédant aux miracles, font de saint Nicolas de Tolentino le plus grand Thaumaturge *de l'Église catholique (1). S. Nicolas ne vit que pour le Ciel, sa vie est en quelque sorte une extase continuelle, ses fréquentes maladies, qui le tiennent cloué sur son lit de souffrances, augmen-*

1. Eugène IV, *Apud Cornel. Curt.*

tent en lui le désir de voir le jour de sa délivrance. Aussi, lorsque la Sainte Vierge lui apparaît pour lui annoncer qu'il touchait aux derniers jours de sa vie, Nicolas était prêt, et il meurt, non seulement résigné, mais heureux d'abandonner cette terre remplie de misères et de dangers.

Pour bien connaître saint Nicolas, il faut remonter aux actes du procès de canonisation. Là, on entend parler ses frères, ses disciples, ses amis ; et dans leurs discours sans apprêts, ils peignent sur le vif leur frère et leur maître vénéré. Quand on a eu la rare fortune d'avoir entre les mains ces précieux documents ; quand on les a étudiés avec un soin minutieux, on apprécie comme il faut le rôle de saint Nicolas.

La vie de saint Nicolas de Tolentino a été écrite en latin, en espagnol, en italien, en allemand, en anglais et probablement en plusieurs autres langues. Les travaux que nous avons préférés appartiennent presque tous aux XIVe, XVe et XVIe siècles. Malheureusement, ces anciens auteurs se bornent à enregistrer les faits sans commentaire ni aucune explication, sans même observer la précision du chroniqueur. Nous avons essayé de transformer ces travaux en une histoire proprement dite. Nous n'osons nous flatter d'avoir réussi.

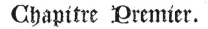

Chapitre Premier.

ENFANCE DE SAINT NICOLAS.

Piété de ses parents. — Voyage à Bari. — Naissance de saint Nicolas. — Il reçoit dès l'enfance l'amour de l'Office divin et des cérémonies de l'Eglise. — Venez à moi. — Sa charité envers les pauvres.

UR le versant d'un coteau qui domine la petite ville italienne de *Saint-Ange-in-Pontano*, s'élevait, au treizième siècle, l'antique château où naquit l'illustre Saint dont nous entreprenons d'écrire la vie et de retracer les vertus. Cet admirable Thaumaturge, que nous vénérons sous le nom de saint Nicolas de Tolentino, appartient à l'Ordre des Ermites de Saint-Augustin, dont il est encore aujourd'hui la gloire la plus pure et le modèle le plus parfait. Aussi son éminente sainteté l'a-t-elle fait proclamer, par les fidèles et par les papes, Protecteur de l'Eglise universelle et des âmes du Purgatoire.

Pierre de Bretagne nous fait remarquer, en parlant de saint Nicolas, que Dieu, dans ses desseins providentiels, choisit un lieu qui rappelle les anges pour y faire naître celui qui devait, dans un corps mortel, mener une vie tout angélique, triompher des efforts du monde et du démon, et, par la seule force de la grâce, par sa fidélité à y correspondre, conserver le trésor de pureté et d'innocence qui est le principal caractère des esprits célestes qui voient Dieu et entourent son trône (1).

La famille de son père, Compaignon de Guarutti, était une des plus nobles et des plus anciennes des Marches, et son propre frère, Lellio, se trouvait être le seigneur du château, ainsi que de presque toutes les terres de *Saint-*

---

1. Pierre de Bretagne, *Vie de saint Nicolas de Tolentin*, Munich, 1722, pag. 1.

Ange-in-Pontano. Sa mère, Aimée de Guidiani, sortait également d'une grande race (1). Bien qu'aux yeux de l'Eglise une naissance illustre soit peu de chose, elle l'enregistre avec soin pour imposer aux héritiers d'un noble nom la double obligation d'une loyale obéissance à ses préceptes et d'une vie sainte qui serve d'exemple. C'est de là qu'est venu ce proverbe si juste : *Noblesse oblige !*

Les auteurs contemporains parlent à peine de la fortune possédée par les parents de saint Nicolas, ce qui n'est pas surprenant pour des moines d'une vie austère, habitués à préférer les vertus de leurs frères à tous les biens périssables de ce monde.

Compaignon et Aimée méprisaient eux aussi les richesses terrestres, et n'aspiraient qu'aux biens immortels de l'éternité. Ils vivaient dans la crainte de DIEU et s'adonnaient à la pratique de la piété, remplissant avec grande dévotion les obligations de leur état. « Leur maison, ajoute » Pierre de Bretagne, était un véritable temple, où les » deux époux adoraient continuellement le Seigneur en » esprit et en vérité, dans le jeûne et dans la prière (2). »

Les de Guarutti étaient, de génération en génération, des chrétiens modèles, heureux de compter parmi leurs ancêtres des légions entières de croyants. Ils descendaient de ces Lombards et de ces fiers Romains auxquels l'Italie doit la gloire d'avoir secoué le joug de l'hérésie et de l'étranger, après plusieurs siècles de luttes courageuses et sanglantes.

Depuis de longues années, Compaignon et Aimée demandaient instamment au Seigneur de bénir leur union, car Aimée était déjà avancée en âge (3). Un jour qu'elle priait à cette intention avec plus de ferveur encore que de coutume, elle fut inspirée de s'adresser à saint Nicolas de Myre, pour lequel elle avait une singulière dévotion. Elle

---

1. Nicolaus e Castro Sancti Angeli parentibus ortus nobilibus.
MSS. Ultrajecti.

2. Pierre de Bretagne, pag. 2.

3. Cum multis diebus ætatis suæ processisset, et velut sterilis filios procreare non posset... *Historia Beati Nicolai Tholentinatis quæ composita fuit a Fratre Petro de Monte Rubiano lectore, anno Domini MCCCXXVI, tempore Domini Johannis Papæ vigesimi secundi.*
Cap. I, Nᵒ 1.

promit alors à DIEU de faire le pèlerinage de Bari, où sont
encore conservées et vénérées les reliques de ce grand
Saint, malgré les fatigues que devrait lui occasionner un
trajet long et pénible. Aimée confia son pieux projet à son
mari, qui, contre son attente, acquiesça de suite et sans
difficulté à son désir. Alors, transportée de joie, elle tomba
à genoux et s'écria : « O mon DIEU, si vous m'accordez la
» grâce que je sollicite de votre paternelle bonté, je
» consacrerai à votre service le fruit de mon sein, comme
» le fit autrefois la mère du prophète Samuel. Mes prières
» ne sont pas dignes d'être exaucées, je le sais, mais
» écoutez favorablement celles que vous adresse pour moi
» au Ciel votre glorieux serviteur Nicolas (1). »

La divine Providence n'abandonne jamais ceux qui
espèrent en elle ; aussi, quelques jours après, un ange
apparut à ces pieux époux pendant la nuit et leur dit :

« Levez-vous, partez immédiatement pour Bari. Là vous
» seront prédites les gloires du fils que DIEU veut
» accorder à votre foi ! (2) »

Emus par cet avis céleste, Compaignon et sa femme se
levèrent sur-le-champ, et, sans attendre le jour, ils firent
quelques courts préparatifs, entendirent la sainte Messe,
reçurent le Pain des forts, et se dirigèrent vers le lieu qui
devait être témoin du prodige annoncé (3).

Ils parcoururent à pied et en pèlerins le chemin qui les
séparait de Bari, et ils endurèrent, pendant plusieurs
jours, de grandes privations et de grandes fatigues (4).

Arrivés au terme du voyage, Compaignon et Aimée se
rendirent tout droit à la Basilique, où l'on vénérait les
restes précieux du saint Evêque de Myre. Prosternés sur
les dalles du temple, ils demeurèrent en prières jusqu'au
soir, oubliant leur lassitude. Enfin, tous deux s'endormirent

1. Giorgi. — *Vita di San Nicola da Tolentino.* — Tolentino, 1887, pag. 13.

2. Paucos post dies per quietem ambobus apparuit Angelus qui dixit eis :
Surgite..., etc. *Brev. Procès. — Saint Antonin. In vita.*

3. Si che riposta ogni altra cura terrena, si confessarono prima, e ricevuta
la santissima Eucaristia, frettolosamente...

*Frigerio. La gloriosa vita e gli eccelsi miracoli dell' Almo Confessore Santo
Nicola di Tolentino da gli antichi originali raccolta. Camerino, 1578.*

4. Viatorio habitu accincti, et baculo tornatili, atque in usum aquæ cu-
curbita instructi, alacres fidentesque Barium versus iter susceperunt. *Brev.*

d'un profond sommeil devant la châsse du Saint. Vers le
milieu de la nuit, le bienheureux Nicolas leur apparut,
comme le leur avait prédit l'ange de Dieu, revêtu des
ornements pontificaux et dans la majesté de sa gloire....

COSTUMES DE BOURGEOIS
(D'après le manuscrit des Miracles de St Louis au XIII siècle.)

« Je suis descendu vers vous, leur dit-il, sur l'ordre de
» l'envoyé céleste que vous avez vu à *Saint-Ange*, et je
» viens vous annoncer que vos ferventes prières, portées
» jusqu'au trône de Dieu, ont été exaucées. Vous aurez
» donc un fils que vous appellerez Nicolas, en reconnais-
» sance de la grâce obtenue par mon intercession. Il

» entrera dans un Ordre religieux où sa vie austère, ses
» mortifications prodigieuses, ses éclatantes vertus seront
» pour ses frères un miracle continuel. Ayez foi en mes
» paroles, car tout ce que je vous annonce de la part du
» Seigneur se réalisera (1). »

Neuf mois plus tard, au mois de septembre 1245, Aimée
mettait au monde l'enfant des prédilections divines. Il fut
baptisé le même jour, et on lui imposa le nom de Nicolas.
Ah ! si le prêtre qui en fit un chrétien eût pu déchirer le
voile de l'avenir et y lire ce que serait un jour le nouveau
baptisé, quelles actions de grâces n'eût-il pas rendues à la
Providence pour avoir suscité un tel apôtre ! En effet, selon
l'expression du Prophète, si la mort des saints est précieuse
aux yeux de DIEU, leur naissance ne doit-elle pas être
précieuse aux yeux des hommes ?

Aimée, inspirée par une véritable tendresse et par une
piété éclairée, considéra comme un devoir sacré et une
douce obligation d'allaiter elle-même son fils. Elle aurait
cru abdiquer son titre de mère en lui faisant donner par
d'autres ces soins du premier-âge dont l'influence est si
grande sur le reste de la vie.

A l'exemple d'Anne, mère de Samuel, elle offrit à DIEU
le fruit de son sein en le suppliant d'en être particulièrement le protecteur, et de le préserver de tout péché. DIEU,
exauçant cette prière maternelle, répandit dès lors sur
Nicolas une telle abondance de grâces et de bénédictions,
que l'enfant s'éleva rapidement de degré en degré à la plus
éminente sainteté.

Il avait déjà toute la beauté de sa race. La chronique
dit qu'aucun autre enfant ne pouvait lui être comparé (2) :
la foi robuste et austère du père, la tendre dévotion et la
gracieuse bonté de la mère, passaient tour à tour, et sans
efforts, de l'âme de Nicolas sur sa douce et pure physionomie. Dès sa plus tendre jeunesse, marqué du sceau de
la grâce divine, il excitait l'admiration de tous ceux qui

1. Ipsis in pavimento Ecclesiæ ante B. Nicolai altare dormientibus, S. Nicolaus in habitu pontificali apparuit dicens : Angelus qui vobis apparuit mihi
dixit ut ad vos venirem, nuntians et confirmans quia vobis meo obtentu
nascetur filius, et vocabitur Nicolaus... Hic erit Deo acceptissimus religiosam
arctamque vitam ducens..., etc.   ; Procès de Canonisation.

2. Frigerio, chap. III, pag. 21. — Giorgi, chap. I, pag. 16.

l'entouraient, par sa piété précoce et ses admirables
qualités. L'amour des souffrances semblait déjà inné dans
son cœur, et il ne manifesta jamais par des larmes les
douleurs inévitables du jeune âge. Aimée constata même
avec étonnement que, le lundi, le mercredi et le vendredi
de chaque semaine, il ne prenait qu'une seule fois par jour
le lait maternel (1). Lorsqu'il put marcher dans la maison,
les parents et les amis ne pouvaient se lasser de venir le
voir, tant il était déjà modeste dans son maintien. Ne pouvant encore que bégayer, il manifestait, par des signes
d'une joie enfantine, les sentiments d'amour qui l'attiraient
vers Jésus et Marie ; il en recherchait les images avec
empressement, et, aussitôt que son regard en avait
découvert quelqu'une, il lui témoignait par ses gestes une
affectueuse tendresse (2). N'y a-t-il pas quelque chose de
doux et de naïf, capable d'arracher des larmes, dans ce
culte du jeune âge pour le Sauveur et sa divine Mère ?
Prévenu de si bonne heure des grâces célestes, Nicolas
n'apprit à connaître le monde que pour le craindre et le
mépriser. A l'âge de trois ans, toutes ses récréations
consistaient dans la prière et le service de Dieu. Rien
n'était plus touchant que de le voir, loin de ses petits
compagnons, se livrer déjà à l'oraison avec une ferveur
angélique, sans songer à partager leurs jeux (3). Sa mère,
qui ne l'aimait pas seulement comme une mère selon la
nature, mais surtout comme une mère selon la grâce,
s'occupait de l'éducation de son fils avec un sens exquis,
un tact parfait et un cœur préparé par Dieu même à cette
grande fonction de l'éducation morale et religieuse. Ce fut
la grâce première accordée par la Providence à saint
Nicolas de Tolentino. L'histoire démontre que les grands
génies, les grands caractères et les grands saints ont été
doublement fils de leurs mères. Le sang de celles-ci les a
vivifiés et animés ; mais ils se sont plus formés sur leurs
genoux, près de leurs cœurs, par leurs leçons et leurs
exemples, que près des maîtres les plus habiles. Tout leur

---

1. Zacconi, chap. III. — Nicolas de l'Ascension. — Petrus Galdus. —
Parravicino, chap. II.

2. Frigerio. — Joseph Renal, liv. VII, chap. 3. — Gandolfo, ch. IV.

3. Mulierum et puerorum consortia vitabat... senilem quamdam gravitatem
præ se ferebat.   Procès de Canonisation.

savoir, toute leur énergie, toute leur sainteté remontent à

SEIGNEURS ET BOURGEOIS
(D'après un manuscrit du XIVe siècle.)

celles dont l'amour tendre et initiateur a fécondé les premiers essais de leur esprit ; et c'est d'elles que leur

S. Nicolas de Tolentino.

2

sont venues les aspirations vers le sublime et la sainteté qui font aujourd'hui bénir et glorifier leurs noms.

Nicolas, de son côté, avait une âme portée au bien par sa pente naturelle, et répondait entièrement aux soins et aux désirs de sa pieuse mère. C'était un émouvant spectacle que de le voir, tout enfant, s'efforcer de se tenir à genoux par terre, sans le moindre appui, pendant tout le saint sacrifice de la Messe. Immobile, les yeux fixés sur l'autel, les mains jointes, il ressemblait véritablement à un ange du Ciel. Un jour, pendant qu'il assistait à la messe avec ses parents, Dieu voulut montrer par un prodige combien cette ferveur précoce lui était agréable. Au moment de l'Elévation, le visage de Nicolas s'illumina subitement; il aperçut Notre-Seigneur sous la forme d'un enfant qui l'appela et lui dit : « *Venez à moi, parce que je suis étroitement uni à ceux qui ont le cœur pur et innocent* (1). »

O vision enfantine, comme tu nous ravis ! Aucune idée de la terre ne te trouble ! En toi, tout est chaste, doux et riant !.... Il fut assurément bienheureux, le petit ange terrestre qui mérita plusieurs fois de jouir d'un pareil bonheur ! bonheur qui explique les larmes qui inondaient son visage, lorsqu'il se mettait en présence de Dieu et qu'il le priait.

Cette charité ardente pour le Seigneur devait naturellement produire des fruits en Nicolas comme dans les autres saints. L'amour des pauvres fut le premier. Comprenant leurs souffrances, compatissant à leurs maux, cet enfant de bénédiction leur réservait tout ce qu'il recevait de ses généreux parents, commençant dès lors à exercer l'inépuisable et héroïque charité qui l'a rendu digne de la reconnaissance de l'humanité.

A la vue de la misère et des privations du prochain, tout en lui trahissait une émotion profonde, et, quand l'argent lui manquait pour les secourir comme il l'aurait voulu, il se faisait suivre des indigents et les conduisait chez son père, priant tendrement celui-ci de ne pas les renvoyer sans

1. Frequens admodum in templis erat... ubi quadam die, sacerdote Hostiam elevante, Christum Dominum puerili specie sibi arridentem contueri meruit dicentem sibi : « *Innocentes et recti adhaeserunt mihi.* » Procès.— Brev.

secours et sans soulagement (1). Il voulait aussi accompagner toujours sa pieuse mère dans ses visites aux malades, et il s'ingéniait alors à rendre à ceux-ci tous les petits services dont il était capable. Tel était Nicolas dans ses premières années, grandissant, comme Jésus Enfant, en grâce et en sagesse devant Dieu et devant les hommes, et promettant ainsi, pour l'avenir, des fruits admirables de vertu et de sainteté.

1. Insigni in pauperes commiseratione domi comiter excipere... Brev. — Con molta misericordià raccoglieva i poverini, li conduceva in casa propria, con ogni officio di carita li confortava ed ajutava. Frigerio, ch. II, pag. 21.

Chapitre Deuxième.

JEUNESSE DE SAINT NICOLAS.

Ses mortifications. — Ses premières études. —
Fosso Massaccio.— La fontaine de Saint-Nicolas.
— Le couvent de Saint-Ange-in-Pontano. —
Saint Nicolas chanoine. — Voici l'Ange gardien
du chœur. — Aspirations vers le cloître.

'APRÈS ce que nous avons dit dans le chapitre précédent, il est facile de voir que Nicolas, qui avait été l'enfant du miracle à sa naissance, devait être aussi dans toute sa vie une âme privilégiée de Dieu et comblée des plus douces faveurs du Ciel. Nous ne voulons pas dire que notre Saint coulera une existence paisible et heureuse, et qu'il sera à l'abri des tentations et des combats de la vie. Non. Il aura au contraire à lutter contre l'ange des ténèbres, contre le monde et contre la nature, devant, comme tout chrétien véritable, mériter par sa fidélité, son courage et son humilité, les grâces précieuses, les couronnes et les palmes promises aux amis de Dieu.

On est étonné, en parcourant les biographes de saint Nicolas, de tout ce que le Seigneur fit pour lui dès sa plus tendre jeunesse ; et, sans la foi, on serait tenté de se demander pourquoi Dieu élève un enfant de cet âge à une perfection si extraordinaire. C'est qu'il voulait faire de lui le Thaumaturge de l'Ordre des Ermites de Saint-Augustin, et l'une des plus pures gloires de l'Eglise. Nicolas avait sept ans, et déjà il rêvait la solitude du cloître avec ses macérations et ses sacrifices, et déjà il s'efforçait d'imiter les pieux cénobites dont on lisait l'histoire dans les veillées de famille, s'adonnant à la mortification et à la pénitence comme eux.

Pierre de Bretagne nous dit qu'à cette époque, cet enfant

privilégié, ayant entendu raconter que saint Nicolas de Myre s'abstenait de prendre le lait de sa nourrice trois fois par semaine, se proposa de suivre son exemple et prit la résolution de jeûner régulièrement le lundi, le mercredi et le vendredi de chaque semaine (1). Plus tard, il ajouta le samedi à ces trois jours, en l'honneur de la Très-Sainte Vierge, et conserva cette pieuse coutume jusqu'à sa mort. Son abstinence, en tout temps, était des plus rigoureuses, et il mangeait si peu à ses repas ordinaires, qu'on ne pouvait comprendre comment il vivait, le pain sec étant sa nourriture ordinaire et l'eau son unique boisson.

« Quel spectacle digne des hommes, des anges, de DIEU
» même, s'écrie encore Pierre de Bretagne, de voir un
» jeune enfant n'avoir rien de l'enfance que l'innocence et
» la simplicité, entrer avec ardeur dans les sentiers de la
» pénitence, se priver de toutes les joies passagères, porter
» avec délices la croix de JÉSUS-CHRIST, et s'accoutumer
» dès la pointe de l'âge à mortifier ses passions, à dompter
» sa chair et à exprimer, selon l'oracle de saint Paul, la
» mortification d'un DIEU crucifié sur un corps tendre
» et innocent ! Oui, rien ne plaisait à cette jeune victime
» que ce qui pouvait la rendre participante des souffrances
» du Sauveur ! Nicolas se privait des jeux les plus innocents
» et des amusements de l'enfance pour se donner tout entier
» aux études auxquelles ses parents l'appliquaient ; car ces
» deux fervents chrétiens ne négligeaient rien pour l'élever
» dans toutes les sciences qui lui convenaient selon DIEU
» et selon son état (2). » Ils confièrent son éducation à un
saint prêtre, Dom Ange, chapelain de l'église du Saint-
Sauveur, et les progrès du jeune élève dans ses études
correspondirent à ceux qu'il avait déjà faits dans la piété.
Doué d'un jugement solide et d'une excellente mémoire, il
devint bientôt, dit encore Pierre de Bretagne, « l'exemple,
» le modèle et le premier de tous ses condisciples. Son
» exactitude leur servait de règle, sa modestie les animait
» à la piété, et, sans être jaloux des succès qu'il remportait
» sur eux, ils se faisaient gloire de l'imiter (3). » Nicolas

---

1. Jejunium triduanum in hebdomada septennis inchoavit perficere.
                                    Procès — Frigerio — Giorgi.
2. Pierre de Bretagne, pag. 13.
3. Id. pag. 14.

s'habitua tellement à vivre de recueillement et de prière, qu'il en vint à exercer un empire presque absolu sur ses sens et sur ses facultés intérieures.

A défaut d'une date précise et historique, nous pouvons, selon les conjectures les plus probables, placer en ce temps la première Communion de saint Nicolas. Le plus beau jour de la vie pour l'âme que l'Esprit-Saint à régénérée dans les eaux du baptême, est bien celui où elle est conviée, pour la première fois, à s'approcher de la table des anges pour se nourrir du corps, du sang, de l'âme et de la divinité du CHRIST. Alors s'ouvre pour le chrétien une nouvelle vie, une vie presque divine, dans laquelle son DIEU, devenu son aliment, lui découvre, avec des horizons plus étendus, les sublimes et austères beautés de la vertu. Ce fut probablement dans l'église de *Saint-Ange-in-Pontano* que cet enfant béni s'unit à JÉSUS-CHRIST pour la première fois, dans cette église où il avait reçu le baptême. Ce jour fut signalé par des faveurs toutes spéciales de Notre-Seigneur, qui répondait par des lumières et des grâces de choix à la générosité de Nicolas. Le directeur de cet ange de la terre connaissait la valeur et la beauté du trésor confié à ses soins ; il l'admirait et s'entretenait de longues heures avec lui, s'estimant heureux de respirer le parfum qu'exhalait ce lys si pur. De son côté, l'enfant était ravi de trouver, dans l'expérience et les conseils de son guide, un appui et une source de lumières pour l'aider à accomplir cette grande action de la Première Communion. A partir de cette époque bénie, les désirs, les ardeurs et les sentiments de Nicolas furent dignes d'un saint consommé dans toutes les vertus ; le feu de l'amour divin embrasa son cœur et illumina son intelligence avec des flammes si vives, qu'à Saint-Ange on disait tout haut que le jeune de Guarutti était un séraphin qui ne vivait que pour son DIEU, et qu'un jour il deviendrait un grand saint (1).

Une âme trempée comme l'était celle de Nicolas ne pouvait se contenter de chercher DIEU seulement dans la douceur de l'oraison, mais elle devait aspirer à le trouver et à le suivre dans les chemins douloureux du prétoire et du Calvaire ; aussi, en union avec JÉSUS flagellé, cet ado-

1. Si parvulo isti Dominus vitam concesserit sanctus erit. — Procès.

lescent demandait à la discipline et au cilice les austères enseignements de la douleur et de l'humiliation ; il se frappait si cruellement avec des lanières de cuir, que les murs des appartements solitaires où il se retirait étaient teints de son sang (1). Prosterné la face contre terre et fondant en larmes, il ne pouvait comprendre la bonté infinie de DIEU pour les hommes, si ingrats et si indifférents. Un jour, après avoir passé quatre heures en prière à genoux dans une grotte située près de *Saint-Ange* et appelée *Fosso Massaccio*, il ne put se relever, ses jambes fatiguées refusant de le porter. Il se coucha alors par terre, et, appuyant sa tête sur un bloc de rocher, il s'endormit. A son réveil, le granit, comme s'il avait été de cire, gardait l'empreinte de son visage, et de la cavité s'échappait une source d'eau pure. Cette grotte, objet de vénération pour tous les habitants du pays, attira et attire encore aujourd'hui une multitude de malades qui, en se désaltérant à cette source miraculeuse, y retrouvent la vigueur et la santé. Chose remarquable ! si l'on veut se servir de cette eau pour des usages profanes, la source tarit immédiatement, et l'eau ne recommence à couler qu'après avoir reçu la bénédiction d'un Père Ermite de Saint-Augustin. On nomme encore cette source *la fontaine de Saint-Nicolas* (2).

Notre jeune Saint aimait la solitude, et, pour conserver son intime union avec DIEU, évitait tout commerce avec ses condisciples. Cependant son âme n'était pas insensible aux charmes de l'amitié. Il savait que la vie morale et intellectuelle est plus une imitation qu'une création, et que l'homme apprend le bien et le mal plus par ses liaisons avec ses semblables que par ses réflexions et ses efforts personnels. Aussi, son bonheur était de s'entretenir avec de bons religieux ; et le procès de sa canonisation nous apprend qu'il ne fréquentait que le couvent des Ermites de Saint-Augustin, ne connaissant, comme autrefois saint

1. Disciplinabat se vinclis aliquando corrigiis et quandoquidem catenis.
                                                                    Procès.
2. Instrumentum authenticum incipiens. In Dei nomine. Amen. Anno Domini 1724, indictione II, die vero 12 Januarii. Pietro Stefano Montanaro... depone, etc. Cette pièce est conservée dans la bibliothèque des PP. Augustins de Naples au couvent de la Zecca.

Basile, que le chemin de l'école et celui de l'église (1). De temps en temps, il laissait échapper de son cœur l'aveu de ses désirs intimes :

« Oh ! que vous êtes heureux, disait-il aux religieux, de vivre ensemble dans le cloître, unis par les liens si forts et si doux de la charité fraternelle et de l'admirable règle de votre patriarche saint Augustin ! Oh ! je voudrais comme vous être son fils et me donner tout entier au service de Dieu (2). »

Le couvent de *Saint-Ange-in-Pontano* était digne d'attirer les regards et les désirs de Nicolas, car il jouissait alors d'un renom de sainteté justement mérité. Les religieux s'y adonnaient, avec un zèle et une constance admirables, aux exercices de la vie commune, et y pratiquaient la plus stricte pauvreté, en supportant avec joie toutes les privations ; leur obéissance à la règle était entière. Ils recueillaient ainsi l'héritage de ferveur que leur avaient légué de saints religieux, leurs devanciers, qui avaient été, pendant plusieurs années, la gloire et l'ornement de ce monastère.

Il n'était donc pas étonnant que l'âme déjà si élevée de Nicolas eût choisi ce pieux asile comme son refuge et le but de ses désirs. Il se sentait de plus en plus poussé vers cet Ordre, vénérable par son ancienneté dans l'Eglise et par le grand nombre des saints qu'il a produits et dont il a peuplé le Ciel. Sa dévotion pour saint Augustin, le glorieux Fondateur, s'accroissait de jour en jour. Il se sentait puissamment attiré par le génie et la piété de cet illustre Docteur.

Cependant, son jeune âge ne lui permettant pas d'être admis chez les Ermites, il reçut la tonsure et les quatre ordres mineurs des mains de l'évêque dans l'église collégiale du Saint-Sauveur, et accepta le titre de chanoine que lui offrit la collégiale de Saint-Ange (3).

A partir de ce jour, une gravité plus grande encore

---

1. Æqualium cœtus evitans, religiosorum familiaritate dumtaxat delectabatur.
Brev. — Procès.

2. Adhuc puerulus... dicens se velle effici Frater Eremita. Procès. — Giorgi.

3. Instrumento authentico quod an. 1701 ad musaeum nostrum fuit transmissum dicitur exstare ibidem (in oppido S. Angeli) per vetustum templum S. Salvatoris ubi S. Nicolaus fuit initiatus minoribus ordinibus.
Bolland. T. 3, pag. 646, in notis, lit. M.

—— Saint Augustin remettant sa règle a ses religieux ——
(D'après un tableau du Musée Campana, école italienne du XVe siècle.)

parut en lui. Il s'appliqua à remplir parfaitement tous les
devoirs de son nouvel état, étudiant avec amour les cérémonies et les rubriques propres à l'Office divin pour être
digne de DIEU, qu'il voulait servir dans les plus petites
choses. Il arriva bientôt à un tel degré de perfection, que
les plus anciens chanoines trouvaient une pieuse satisfaction à le voir arriver au chœur toujours un des premiers,
avec un recueillement parfait et une exacte fidélité ; ils le
contemplaient avec admiration, immobile dans sa stalle, les
yeux baissés, les mains jointes ou soutenant le bréviaire,
et ils se disaient entr'eux : « *Voici l'Ange gardien du
chœur !* »

Si quelque manquement échappait à la vigilance de
Nicolas, il s'empressait de le réparer par les pénitences
d'usage en pareil cas (1). Il vivait ainsi dans la piété et la
paix sous le regard de DIEU, attendant l'heure de répondre
à l'appel de Celui qui a dit : « *Si tu veux être parfait, vends
tout ce que tu possèdes, donnes-en le prix aux pauvres et
suis-moi.* »

Sa vocation à l'état religieux se développait de plus en
plus près du sanctuaire où il avait l'insigne honneur de
passer sa vie ; aussi il résolut de tout abandonner pour
marcher pauvre à la suite d'un DIEU pauvre et humilié.

Combien d'âmes ont obéi à cette voix du Sauveur JÉSUS,
les appelant au renoncement et à l'immolation d'elles-
mêmes ! Combien ces âmes, détachées des richesses et des
honneurs, édifièrent le monde et produisirent de merveilleux fruits de grâce et de salut ! Il en fut ainsi de Nicolas,
qui ne cessait de soupirer, avec les élans d'un cœur pur et
généreux, vers l'heureux moment de son entrée dans
l'Ordre des Ermites de Saint-Augustin, qui avait désormais
toutes ses préférences.

« Quand pourrai-je, disait-il, selon la naïve traduction de
» ses biographes, quand pourrai-je me cacher loin du
» monde ? Quand mes prières s'élèveront-elles sous les
» voûtes silencieuses du cloître, où le recueillement est si
» facile ? Quand donc, avec la lampe du sanctuaire,
» pourrai-je me consumer, jour et nuit, dans cette chapelle

---

1. In omnibus erat perspicuus. — Procès.

» où l'Hostie silencieuse s'offre continuellement à son
» Père (1) ? »

C'était la vocation, l'appel pressant de Dieu qui réson-
nait au fond du cœur de Nicolas, et, plus que tout autre, il
en comprenait l'importance. Il savait que, du choix d'un
état de vie, dépend le salut, et il voulait sans retard
embrasser celui vers lequel il se sentait si fortement
appelé. Désormais, aimer le Seigneur de toute son âme et
de toutes ses forces, joindre à cet amour si parfait l'amour
du prochain, sera la loi suprême de cette admirable vie !

Pourtant, malgré l'attrait irrésistible qui le pousse vers
le cloître des fils de saint Augustin, malgré sa résolution
bien arrêtée d'être uniquement à son Dieu, Nicolas hésite,
craignant encore de se tromper, et éprouvant même les
angoisses d'une lutte pénible et douloureuse.

Qu'il prenne courage, ce généreux enfant ! La Providence, qui l'a comblé de tant de grâces, va enfin l'aider à
briser ses liens et l'inonder de ses lumières ; elle va lui
ouvrir les portes du cloître béni vers lequel il soupire
depuis si longtemps !

1. Giorgi, pag. 22.

Chapitre Troisième.

L'ORDRE DES ERMITES DE SAINT-AUGUSTIN.

Saint Augustin à Milan. — Retour à Tagaste. —
Fondation du premier monastère. — Les Ermites
de Saint-Augustin en Italie et dans les Gaules. —
Le Père Lanfranc de Settala, Prieur-Général.

AVANT que notre Saint ait franchi le seuil du monastère qu'il doit tant édifier par ses vertus, nous allons exposer brièvement l'histoire de l'Ordre vénérable fondé par l'illustre Evêque d'Hippone, depuis les luttes et les combats d'Augustin en face de la voie nouvelle qui s'ouvrait devant lui, jusqu'au parfait établissement de cette vie religieuse tracée par sa Règle, et dans laquelle allait se lancer, à la suite de tant de saints de tout âge, de tout sexe et de tout rang, celui dont nous entreprenons d'écrire l'histoire.

L'Ordre des Ermites de Saint-Augustin comptait en France, à la fin du dix-huitième siècle, cent treize monastères principaux, qui eurent tous le sort réservé aux autres maisons religieuses par la Révolution : ils furent supprimés, leurs biens furent confisqués, leurs immeubles brûlés ou pillés, et les moines envoyés en exil ou condamnés à mort (1).

L'histoire de cet Ordre, que Benoît IX, Léon X, Alexandre VII, et plusieurs autres Souverains-Pontifes ont comblé d'éloges et de privilèges, peut être divisée en deux parties. La première, commençant à sa fondation, l'an de grâce 391, se termine en 1245 ; la deuxième prend naissance sous le pontificat d'Alexandre IV, et se continue jusqu'à nos jours.

La simplicité et l'austérité des moines, qu'Augustin,

---

1. Tableau des abbayes et des monastères d'hommes en France à l'époque de l'Edit de 1768, par M. Peigné-Delacourt.

Arras, 1875. A. Planque, éditeur.

SAINT AUGUSTIN, SAINT JEAN ET SAINT JÉROME. —
(Tableau existant dans l'église de Saint-Augustin à Rome.)

encore catéchumène, avait admirées à Milan, le décidèrent
à embrasser le même genre de vie. Il raconte lui-même
ainsi la décision qu'il avait prise avec ses amis : « Plusieurs
» de mes compagnons et moi, dit-il dans le sixième livre
» de ses *Confessions*, nous entretenant ensemble des
» misères et des agitations de la vie humaine, et les trou-
» vant insupportables, nous avions presque arrêté le projet
» de nous retirer du commerce des hommes pour vivre
» en paix loin du monde. Or, pour l'exécution de ce plan,
» nous avions résolu de mettre en commun tout ce que
» nous pourrions avoir, et de faire ainsi un seul tout de
» nos ressources particulières ; de manière que, grâce à
» la sincérité de notre amitié, il n'y eût plus de tien et de
» mien, mais que la masse entière devînt à la fois la pro-
» priété de chacun et celle de tous ensemble. Nous comp-
» tions être à peu près dix à vivre de cette manière, et
» nous avions décidé que, chaque année, deux d'entre nous
» seraient, comme économes, chargés de l'administration
» temporelle des affaires. Mais quand on se demanda si
» les femmes y consentiraient, quelques-uns de nous étant
» déjà mariés, et moi désirant alors de l'être, ce beau
» projet, si bien concerté, se fondit entre nos mains, se
» brisa, et fut mis de côté... Cependant, j'avais pris en
» aversion la vie que je menais dans le siècle, et, pour
» moi, elle était devenue un lourd fardeau depuis que je
» n'étais plus dominé par l'ardeur de mes passions (1). »

Augustin devait être plus heureux dans son projet à son
retour en Afrique. L'idée d'abandonner le monde devint·
de plus en plus forte dans son cœur, et le souvenir des
chants sacrés que les moines d'Orient avaient introduits
dans l'Eglise de Milan, lui faisait verser des larmes abondantes.

« .... Que de larmes, dit-il, j'ai versées, en entendant vos
» hymnes et vos cantiques ! Quelle douce émotion j'éprou-
» vais à ces suaves accents de votre Eglise ! Pendant que
» mon oreille ravie écoutait vos accords, votre vérité se
» distillait dans mon cœur, de pieux élans s'en échappaient
» avec ardeur, mes larmes coulaient en abondance, et
» c'était le plus grand charme de ma vie (2). »

---

1. Saint Augustin, *Confessions*, liv. VI. — 2. Ibid.

De retour à Tagaste, Augustin arriva au comble de ses vœux en mettant en exécution le dessein de servir Dieu, qu'il avait formé à l'époque de sa conversion. D'abord il se dépouilla des biens dont il avait hérité de son père, et en distribua sur-le-champ le prix aux pauvres, sans se réserver quoi que ce fût, afin d'être plus indépendant pour embrasser la libre servitude de Dieu (1).

Augustin fonda alors un monastère, où il put entreprendre, en compagnie d'Alype, d'Evode, d'Adéodat, de Possidius et d'autres serviteurs de Dieu, son genre de vie humble et modeste. Plus tard, ayant été fait prêtre, il en fonda un autre à Hippone. Possidius, ami particulier de saint Augustin, raconte ainsi la fondation de ce monastère :

« Ayant donc été fait prêtre (saint Augustin), il établit
» bientôt un monastère dans l'église, et il commença à
» vivre avec des serviteurs de Dieu, d'après les règles et
» les préceptes établis au temps des apôtres. Le point le
» plus important de cette société était de n'avoir rien en
» propre, tout était commun à tous, et on devait donner à
» chacun suivant ses besoins. C'est ce qu'avait fait
» Augustin lui-même le premier, lorsqu'il était venu
» d'outre-mer dans sa patrie (2). »

Qu'il nous soit permis de citer ici les paroles de Benoît, lorsqu'il parle de l'institution de ce monastère :

« Augustin tenait lieu de père à ses compagnons, sur-
» tout à ceux qui avaient embrassé avec lui ce saint
» esclavage. Il les regardait comme des enfants qu'il avait
» engendrés à Jésus-Christ. Il nourrissait leur âme avec
» le plus grand soin, les engraissait des Saintes Ecritures,
» les excitait à la piété, et les rendait assez forts pour se
» maintenir un jour par eux-mêmes, sans le secours de
» son bras, dans la retraite (3). »

Il nous est impossible de citer les noms de tous les grands hommes sortis des monastères fondés par Augustin, quand saint Possidius, qui les connaissait bien, a cherché à nous cacher les noms de ceux dont il publiait les mérites éclatants dans l'Eglise.

---

1. Id. *Confessions*, liv. XI.
2. Saint Possidius, *Vita Sancti Patris Nostri Augustini*, chap. V.
3. Prologue de la Règle des Bénédictins, ch. V.

« J'en connais près de dix, des hommes saints et véné-
» rables, aussi remarquables par la pureté de leurs mœurs
» que par l'étendue de leur science, que le bienheureux
» Augustin accorda à des Eglises, dont quelques-unes
» étaient très considérables, qui les lui demandaient. Les
» évêques sortis de cette pépinière de saints multiplièrent
» les Eglises du Seigneur et fondèrent à leur tour d'autres
» monastères, qui donnèrent également à d'autres Eglises
» plusieurs de leurs membres, pour être élevés à la
» prêtrise, à mesure que le zèle pour l'édification de la
» parole de DIEU redoublait. C'est ainsi que la doctrine
» salutaire de la foi, l'espérance et la charité de l'Eglise
» catholique se répandit par plusieurs et dans plusieurs,
» non seulement dans toutes les parties de l'Afrique, mais
» encore au-delà des mers (1). »

Comme les membres de cet Ordre naissant vivaient
dans des cellules indépendantes et en dehors des villes, on
commença à les appeler *ermites ;* et les Augustins, en
souvenir de leur première institution, ont toujours conservé
ce nom. Ils se propagèrent d'abord rapidement en Afrique,
et, vers l'an 430, lorsque les Vandales envahirent les
provinces proconsulaires, l'Ordre, qui comptait à peine
quarante ans d'existence, put être fier de voir près de
trois mille de ses membres condamnés à mort en haine de
la divinité du CHRIST (2).

Plusieurs ermites réussirent à s'évader, et passèrent en
Sardaigne, en Italie et dans les Gaules.

Le nom de saint Augustin étant déjà célèbre dans
l'Eglise, à cause des grandes controverses soutenues
contre les hérétiques par cet admirable docteur, ses disciples n'eurent pas de peine à s'établir en Europe et à
faire de nombreuses fondations : ainsi fut épargnée, à cet
Ordre, l'extinction totale qui le menaçait.

Les saints canons de l'Eglise n'exigeant pas encore de
tous les couvents une dépendance absolue d'un seul supé-
rieur-général, il suffisait que chaque monastère ou abbaye
eût un prieur ou un abbé.

---

1. Saint Possidius, ch. XI.
2. Lanteri. Postrema sæcula sex religionis augustinianæ. In Prologo.
Tolentini, 1858.

Ce mode de gouvernement dura plusieurs siècles ; et ce ne fut que vers l'an 1050 que les Ermites de Saint-Augustin commencèrent à déroger à cette coutume, alors générale.

LE BIENHEUREUX JEAN-LE-BON.
(Gravure tirée du *Monasticon Augustinianum.*)

Saint Guillaume d'Aquitaine, le bienheureux Jean-le-Bon et plusieurs autres religieux, recommandables par leur science et leur piété, groupèrent un certain nombre de monastères sous un même supérieur, ce qui donna naissance à ce qu'on appelle aujourd'hui une province.

En 1215, le quatrième concile œcuménique de Latran reconnut l'Ordre fondé par saint Augustin (1). Trente ans plus tard, le grand Docteur d'Hippone ayant apparu au Pape Alexandre IV, l'invita à rassembler, sous l'autorité d'un général, les membres dispersés de la grande famille Augustinienne (2).

Ce pontife fit aussitôt réunir à Rome, dans l'église de Sainte-Marie-du-Peuple, tous les supérieurs des monastères, sous la présidence du cardinal Richard de Saint-Ange, pour procéder à l'élection du premier général de l'Ordre. Le bienheureux Lanfranc de Settala, issu d'une des plus nobles familles de Milan, et supérieur de la province de Mantoue, fut élu. Alexandre IV ratifia le choix du Chapitre. Le recensement qu'on fit alors prouva qu'il y avait en Europe près de trois mille couvents et environ trente mille religieux. Depuis cette époque, les Chapitres généraux se sont succédé jusqu'à nos jours sans interruption. Les Ermites de Saint-Augustin prononcent encore des vœux solennels et font partie de l'un des quatre Ordres mendiants reconnus et approuvés par l'Eglise.

---

1. Hoc unum certum est, quod illa sancta propago sancti Augustini non omnino extincta fuit ; sed in aliquibus bonis fratribus in quadam sancta simplicitate viventibus perduravit usque ad annum 1215, quando celebratum fuit Concilium Lateranense.

.... In eodem etiam Concilio, quia ibi de Ordinibus singulis tractabatur, Ordo fratrum Eremitarum S. Augustini registratus et adnotatus fuit... ut habetur ex registro Pontificum romanorum.

Bienheureux Jourdain de Saxe, lib. III, chap. II.

2. Lanteri. Postrema sæcula sex.   In Prologo.

Chapitre Quatrième.

SAINT NICOLAS NOVICE.

Premières luttes. — Le Père Régnault.— Premières démarches de saint Nicolas pour entrer dans l'Ordre des Augustins. — Il reçoit l'habit religieux dans l'église du Saint-Sauveur. — Il atteint la perfection dans son nouvel état.

ANS toutes les vies se rencontrent des heures de crise douloureuse d'où l'homme sort, ou subjugué par l'amour de Dieu et attaché à la vertu, ou vaincu par l'esprit du mal et enchaîné au vice. C'est en présence du Seigneur, au pied des autels, c'est dans le silence et le secret de la prière, que Nicolas attendit la fin de cette lutte intime, et reçut la lumière dont il avait besoin pour éclairer sa voie et fortifier son cœur si délicat et si sensible. Dieu lui demandait le sacrifice de tout ce qu'il avait de plus cher au monde, à lui, le fils unique d'une noble famille, destiné, selon les règles humaines, à en perpétuer le nom et à en augmenter la gloire ! Le combat pouvait être rude ; mais le Ciel devait avoir la victoire ; et cette grâce illuminative sollicitée par Nicolas se communiqua forte, douce et persuasive à son âme. Accoutumé à confier à son directeur ses luttes intimes et à le consulter en toutes choses, le jeune aspirant vint lui soumettre sa résolution et son projet, bien décidé à n'agir que d'après ses conseils. Le directeur réfléchit et pria : « J'aime votre résolution, lui dit-il, et je suis certain » que si vous continuez à être fidèle à la grâce de Dieu, » vous deviendrez un grand saint (1). »

Ces paroles firent tressaillir de joie le cœur de Nicolas,

---

1. Mihi placet, quia eris vir bonus, et bonus eris. *Bolland.* tom. III, pag. 646, nota H. Placet mihi, quia eris homo sanctus. *Procès.* — Giorgi, pag. 22.

et il vécut du souvenir de cette prophétie, jusqu'au moment où le Seigneur exauça enfin ses désirs. Cette heure bénie devait bientôt sonner !

Un jour, le Prieur du couvent de *Saint-Ange*, le Père Régnault, homme d'une piété et d'une science remarquables, prêcha sur ces paroles de saint Jean : « *N'aimez point le monde ; car il passe et sa concupiscence avec lui* (1). Le religieux, qui parlait sur une place publique, s'éleva avec force contre les vanités de l'esprit, les abus et les illusions du monde. Ses paroles furent comprises par notre Saint, et la divine semence tombée dans son âme produisit cent pour un. Il se dit que ce discours ne s'adressait qu'à lui seul, et il ne douta point que ce fût la voix de Dieu qui parlait à son cœur. Déterminé à ne plus hésiter un seul instant, il sentit une joie inexprimable et une douce paix envahir son âme ; et plein d'un courage tout céleste, il courut se jeter aux pieds du père Prieur, lui demandant avec larmes la grâce d'entrer comme religieux dans son monastère.

« Ah ! mon Père, dit-il, recevez-moi parmi vos enfants, » je veux être religieux ; délivrez-moi des embûches du » démon et du monde ; donnez-moi l'habit de Saint-Augus- » tin (2). »

Le Père Régnault connaissait depuis longtemps les aspi- rations de Nicolas pour la vie du cloître, il savait quelle âme pure et privilégiée il avait devant lui ; mais en homme prudent, il ne voulut point lui donner de réponse décisive avant d'éprouver sa vocation. Malgré les instances réité- rées du jeune aspirant, il le quitta en lui disant : « Allez, » mon fils, et obtenez le consentement de vos parents ; » autrement, je ne pourrai vous recevoir dans l'Ordre (3). »

Nicolas sortit un peu inquiet et courut jusqu'à la demeure paternelle. A peine entré, il se jeta aux pieds de son père et de sa mère, les suppliant de lui permettre de se donner à Jésus-Christ pour toujours : « O mon père, dit-il, je n'ai » besoin que de votre adhésion à mon projet pour être heu- » reux ; je voudrais être Ermite de Saint-Augustin. Le

---

1. Saint Jean, Ep. I, cap. II, vers. 15.
2. Giorgi, chap. II, pag. 22. — Frigerio, chap. IV, pag. 26.
3. Bienheureux Jourdain de Saxe, liv. I, ch. II. — Saint Antonin. *Brev.*

» Père Régnault vient de me dire que votre volonté doit
» approuver ma résolution et qu'il ne me recevra pas sans
» votre consentement (1). »

Après un instant de silence, Nicolas ajouta avec une
pressante sollicitation : « J'ai rendu compte de mon dessein
» à mon directeur, il a prié DIEU mieux que moi, il a
» approuvé ma résolution. Daignez donc me bénir, ô mon

SAINT NICOLAS ÉCOUTE LE SERMON DU PÈRE RÉGNAULT.
(D'après une fresque du XIVe siècle conservée dans l'église des Augustins
à Tolentino.)

» père, et vous aussi, ma tendre mère ; je ne vous quitterai
» pas avant d'avoir obtenu ce que je désire. »

Se souvenant sans doute des paroles de saint Nicolas de
Myre, à Bari, Compaignon, ému jusqu'aux larmes : « Va,
» mon fils, murmura-t-il, dis au Père Régnault que je t'ai
» donné mon consentement (2). »

Nicolas, au comble de la joie, embrasse tendrement ces

---

1. Con umili suppliche, interrotte da infuocati sospiri, li scongiura (ses parents) a consentirgli questo sacrificio, che ascenderebbe grato al Signore.
Giorgi, chap. II, pag. 23.

2. Bienheureux Jourdain de Saxe. — Giorgi.

généreux chrétiens et s'éloigne immédiatement pour aller porter au monastère l'heureuse nouvelle. Le Prieur convoque alors en Chapitre les religieux de *Saint-Ange,* et tous, d'une voix unanime, remercièrent Dieu qui daignait enrichir l'Ordre d'un pareil trésor (1). Ils étaient bien heureux ; mais le pieux aspirant l'était encore davantage. Il se rendit au milieu des Pères, et les remercia, en pleurant, de l'immense faveur qu'ils voulaient bien lui accorder. Revenant ensuite vers ses parents, il leur demanda humblement pardon des peines qu'il pouvait leur avoir causées, les invitant à prier pour lui.

Malgré sa grande jeunesse, Nicolas, prévenu par la grâce, s'engageait dans cette nouvelle voie avec un plan de conduite tout à fait arrêté. Il savait que ce sont les hommes qui sanctifient les cloîtres, et non les cloîtres qui sanctifient les hommes ; car, pour être juste aux yeux du Seigneur, il ne suffit pas de porter l'habit religieux, il faut encore pratiquer les vertus propres à cet état de perfection. Il se prépara donc à la cérémonie de la vêture avec une ferveur angélique, redoublant ses prières, ses jeûnes et ses pénitences et ne cessant de s'écrier : « Qu'ai-je fait, ô mon Dieu, pour mériter une si grande faveur ? »

Nous ne savons pas au juste en quelle année Nicolas fut admis au noviciat. Tout porte à croire que ce fut vers 1261 (2). Quoi qu'il en soit, quand la nouvelle se répandit que le jeune de Guarutti allait prendre l'habit religieux dans la chapelle des Augustins, on vint en foule assister à cette pieuse cérémonie ; car déjà le postulant était regardé comme un saint.

Au jour désigné, le Père Prieur, se rendant au désir des nombreux pèlerins accourus à Saint-Ange, décida que la vêture aurait lieu dans l'église collégiale du Saint-Sauveur, la chapelle du couvent étant trop étroite et ne pouvant contenir tout le monde. Malgré les mesures prises pour

---

1. Benedicendo il Signore che li arricchiva di un tanto tesoro. — Giorgi, chap. II, pag. 23

2. Les Bollandistes, Torelli, Pierre de Bretagne, Zacconi, Herrera et plusieurs autres auteurs croient que saint Nicolas avait déjà dépassé sa quinzième année lorsqu'il prit l'habit religieux dans le couvent de *Saint-Ange-in-Pontano.* Giorgi et Mercuri affirment que Nicolas avait à peine dix ans, mais leur opinion n'est pas probable.

empêcher l'encombrement, la foule était si compacte dans l'édifice sacré, lorsque le Père Régnault voulut y pénétrer avec son nouveau fils, qu'il lui fut impossible de se frayer un passage et d'arriver à l'autel. Trompant alors les prévisions de la multitude entassée dans le chœur et le sanctuaire, le Prieur fit signe à saint Nicolas de se diriger vers la chaire et d'en gravir les degrés ; et c'est là que, sous les yeux de ses compatriotes, cet enfant de bénédiction revêtit l'habit blanc des Ermites de Saint-Augustin, cet habit de la Sainte Vierge qu'ils portent depuis des siècles et dont la forme est à la fois si sévère et si gracieuse (1). Ce jour fut pour Nicolas plein de joie, et Dieu l'y combla des grâces les plus singulières et les plus précieuses. Il paraissait beau comme un ange, et sur son visage rayonnait le bonheur céleste qui remplissait son âme. Les mains jointes, les yeux baignés de larmes, à genoux devant le Père Régnault, le novice excitait l'admiration de tous les assistants. Pour lui, recueilli et ravi en Dieu, il prenait d'héroïques résolutions qu'il devait garder fidèlement jusqu'à sa mort : « Tu es maintenant religieux, se disait-il, tu dois changer de vie et devenir un parfait imitateur de Jésus-Christ !... » Ah ! quel changement pouvait donc rêver cet adolescent qui aurait pu servir de modèle à tant de religieux avancés dans la vertu ? N'était-il pas l'élu privilégié du Seigneur ? Oui, c'est vrai ; mais la vertu a des degrés que connaît le cœur fidèle et aimant, et Nicolas voulait les gravir tous, afin d'être plus près de Dieu dont il avait compris les adorables perfections.

Après la cérémonie, le novice, conduit sur le seuil de la cellule qui lui était destinée, se mit à genoux, baisa la terre et implora les bénédictions du Ciel sur son entrée et son séjour dans le monastère.

Les premiers pas de ce saint enfant dans la vie religieuse ne furent pas difficiles ; le Seigneur semblait marcher avec lui et le porter plutôt qu'il ne l'accompagnait. Voulant avancer sûrement dans la sainteté, il se fixa tout d'abord plusieurs règles de conduite dont il ne s'écarta jamais :

1. HIC - FUIT - INDUTUS - SANCTUS - NICOLAUS - DE - SANCTO - ANGELO - QUI - VOCATUR - DE - TOLENTINO
Inscript. sup. pulpit. in ecclesia sancti Angeli.

l'obéissance, même dans les plus petites choses, fut mise au premier rang (1) ; toutes les austérités en usage dans l'Ordre devinrent un bonheur pour lui ; elles ne lui suffisaient pas, et sans cesse il demandait au maître des novices la permission d'y ajouter des pénitences particulières, évitant cependant avec soin ces singularités affectées qui ne tendent le plus souvent qu'à attirer l'estime des hommes, ces dehors vides qui ne règlent que l'extérieur, ne touchent point le cœur et ne servent qu'à tromper par une fausse apparence de sainteté.

D'une extrême propreté dans sa tenue, saint Nicolas avait une conversation agréable et aisée, sans affectation comme sans laisser-aller, et sa discrétion ne l'empêchait pas d'être ami fidèle et très bon frère. Sur son visage rayonnait une paix inaltérable, image de la pureté de son âme et de son calme intérieur que rien ne pouvait troubler. Naturellement poli, sachant fort bien vivre, il respectait les règles de la bienséance, sans pourtant affecter de les suivre avec l'attention scrupuleuse du monde, qui rend parfois les relations si pénibles et si difficiles.

Saint Nicolas comprenait déjà la sainteté à la manière de S. François de Sales : il savait que la tristesse sombre et scrupuleuse, loin d'être nécessaire à la vraie piété, la détruit souvent dans l'âme, sur laquelle elle fait peser un joug insupportable aux forces humaines. « Il faut, dit le prophète, servir Dieu avec joie et sainte liberté. » C'est qu'en effet, le cœur, étant créé pour les espaces infinis du Ciel, doit commencer sur la terre à prendre ses élans vers les régions où rayonne la lumière dans le bonheur et dans la vie.

Les emplois les plus bas étaient ceux que Nicolas chérissait davantage, et, quelque pénibles qu'ils fussent, il s'appliquait à les remplir avec contentement. On n'entendait jamais tomber de ses lèvres aucune parole de murmure ; on ne le voyait faire aucun geste de vivacité ou d'impatience ; on ne remarquait jamais en lui le plus petit signe de mauvaise humeur. Au contraire, son admirable douceur, sa grande bonté, sa parfaite modestie, le faisaient aimer et chérir de tout le monde, tant il est vrai que la vertu a le don de gagner les cœurs et de les porter à Dieu !

1. In omnibus fuit obediens. *Procès.*

Chapitre Cinquième.

PREMIÈRES ANNÉES DE SAINT NICOLAS DANS LE CLOITRE.

Prière continuelle de saint Nicolas. — Il est admis
à faire la profession religieuse. — Il est envoyé
à Saint-Genêt. — Ses progrès dans les études. —
Il est chargé de distribuer les aumônes. — Donnez aux pauvres tout ce que vous voudrez.

E religieux, aussi bien que le véritable chrétien,
se reconnaît à son amour pour la prière. Elle
est le pain quotidien de l'âme, lui communiquant
la sève vivifiante de la grâce, et l'élevant, de
degré en degré, jusqu'à l'union la plus parfaite avec le
CHRIST-JÉSUS. Une âme de prière, dit le saint roi David,
est comme un arbre planté sur les bords d'une eau vive et
courante, qui rapporte abondamment du fruit dans la saison ;
toutes ses œuvres sont agréables aux yeux de DIEU et
attirent les bénédictions du Très-Haut. Aussi, saint Nicolas
qui, déjà avant son noviciat, se maintenait en contact perpétuel avec le Seigneur, n'eut pas de peine à gravir les
sommets de la plus haute contemplation ; au contraire, ces
célestes ascensions lui devinrent de plus en plus faciles,
favorisées qu'elles étaient par sa sublime vocation qui, en
le plaçant dans l'arche sainte, le mettaient à l'abri du
monde et de ses maximes pernicieuses (1).

Les heures du jour et de la nuit s'écoulaient trop rapidement pour lui dans le saint exercice de l'oraison. Sa
ferveur ne se contentait pas des longues méditations
imposées aux moines par la règle, et, dans le silence de sa
cellule, il employait encore à cette pieuse pratique tout le
temps dont il pouvait disposer. Il allait droit à DIEU par la
voie que lui montraient les traditions de l'Eglise romaine

---

1. Quasi semper orabat. *Procès.* — Giorgi, ch. XI, pag. 98.

et les exemples des saints de son Ordre. Ses pratiques les plus chères étaient celles que le peuple italien avait reçues des apôtres et qu'il avait conservées avec un respect filial. Dépassant les quatre ou cinq heures d'oraison qu'il faisait par jour, étant encore dans le siècle, saint Nicolas s'habitua tellement à prier qu'il en vint à exercer un empire presque absolu sur ses sens et sur ses facultés intérieures, et à suivre sans distractions les pensées sur lesquelles la grâce le portait à méditer. Aussi, la violence qu'il était obligé de se faire pour se distraire des choses de Dieu, était plus grande que celle que nous devons subir pour nous recueillir parfaitement (1).

Il arriva ainsi à ces unions de la vie contemplative par une double impulsion : celle de sa nature portée aux grandes et nobles aspirations vers le vrai et le bien, et celle de la grâce se multipliant à l'infini pour donner à son âme assez de force surnaturelle et assez d'amour pour qu'elle se perdît et s'abîmât totalement en la Divinité.

Saint Nicolas s'était donc bien donné au Seigneur ! Mais qu'est-ce que le don de notre pauvre humanité comparé aux trésors infinis dont Dieu, en se donnant, en se prodiguant même, enrichit une âme qui se livre à Lui ? Aussi, à cette pensée, parlant à peu près le langage de son bienheureux Père, il aurait voulu, cet enfant privilégié, être plus que lui-même pour offrir davantage ; et de ces souffrances intimes qui le broyaient déjà, il aurait désiré augmenter l'intensité et en prolonger la durée, afin d'offrir à la Justice infinie, outragée par les péchés des hommes, une victime moins indigne de l'adorable Victime du Calvaire. Il éprouvait les tortures de la charité, ce martyre des grandes âmes ; et sa passion pour son Créateur était telle, qu'elle aurait pu déjà le conduire au tombeau, si le Ciel ne l'avait soutenu. Son cri était celui de saint Paul, désirant la dissolution de son corps pour être avec le Christ. Son esprit de prière le maintenait dans un tel recueillement, que le maître des novices ne se lassait pas d'exhorter les frères de saint Nicolas à suivre un si parfait modèle de la vie religieuse, et à imiter les vertus de celui qui faisait sa seule

---

1. Orationi erat assiduus : post completorium usque ad galli cantum ; post matutinum usque mane... et post nonam usque ad vesperam.   *Procès.*

étude des exemples des saints de l'Ordre, ses prédéces-
seurs dans le cloître qu'ils avaient illustré par une vie toute
pleine de combats, de mérites et de victoires (1).

Cependant le temps du noviciat s'écoula rapidement. Ce
fut à l'unanimité des voix et à la grande joie de tous, que le
novice fut admis à la profession solennelle. Cette profession
était depuis longtemps son rêve et son ambition ; aussi s'y
prépara-t-il avec une ferveur et une consolation inexprimables. Quelle source pour lui de faveurs et de grâces
spirituelles ! Quelle félicité sans mélange ! Se donner enfin
au Seigneur ! mettre entre lui et le monde la barrière
infranchissable, bien que volontaire, des trois vœux !
s'attacher pour jamais au bien immuable en brisant tous les
fragiles liens qui l'en éloignaient ! Il attendit avec impatience l'heure bénie de cette union avec Dieu, et lorsqu'elle
sonna, il était prêt. Il revêtit l'habit noir, s'étendit sur les
dalles du sanctuaire, et prononça, tremblant de joie et
d'émotion, la formule de ses vœux (2). Tout était fini ! Le
monde ne devait plus rien avoir de ce cœur qui venait de
contracter avec son Dieu la sublime union qui doit se
perpétuer dans les noces éternelles de l'Agneau et de
l'âme virginale.

La piété de saint Nicolas fut si vive pendant la cérémonie,
son recueillement fut si profond, ses larmes si abondantes,
qu'ils ravirent ses concitoyens accourus en foule, et plusieurs d'entre eux obtinrent des grâces signalées, premier
et divin rayonnement de la sainteté du nouveau profès (3).

Mais le plus favorisé fut celui qui venait de se donner à
Jésus-Christ si généreusement. Il garda de sa profession
religieuse un si pur et si vivant souvenir, que les faveurs
les plus signalées, qui lui furent accordées dans la suite,
ne l'empêchèrent jamais d'appeler ce jour le plus beau de
sa vie.

Saint Nicolas avait mis la main à la charrue, tout était

---

1. Cæteros quoque sodales in ipso virtutum stadio multo longe anteivit.
Brev. — Giorgi, ch. II, pag. 25-26.

2. Le jour de la profession religieuse, le novice Augustin quitte l'habit blanc,
symbole d'innocence, et reçoit la coule noire aux manches larges, pour
signifier qu'il est définitivement mort au monde.

3. Ghezzi, *Vita del Protettore di S. Chiesa S. Niccola da Tolentino*. Padova,
1729, ch. II, pag. 8.

fini, il ne regarda plus en arrière. Durant tout le cours de sa vie, semée de nombreuses et pénibles épreuves, il nous sera impossible de saisir un instant de doute ou de regret. Il se mit sous le joug des règles imposées par saint Augustin à ses fils, avec une joie extrême, et recommença avec ardeur ses études interrompues pendant son noviciat. Des succès constants le signalèrent aux yeux de ses maîtres, comme un sujet de grande espérance pour l'Eglise.

Quand beaucoup ne trouvent dans la philosophie qu'une science aride et toute spéculative, lui se servait au contraire des vérités naturelles comme de degrés pour s'élever aux vérités surnaturelles les plus sublimes. Là lumière de la foi soutenant sa raison lui faisait trouver de telles beautés dans la méditation des principes, que l'étude devenait pour son cœur une véritable oraison (1).

C'est pourquoi le jeune profès, aussi distingué par sa rare modestie et par sa grande piété que par ses talents, devint le modèle parfait de l'étudiant. Ses vertus jetaient un tel éclat autour de lui, que ses supérieurs, par une délicatesse pleine de charmes, résolurent de le faire prêcher la sainteté par le bon exemple. Ils commencèrent par le faire changer de résidence, afin que sa vie édifiât les religieux et laissât dans chaque couvent de l'Ordre le souvenir de sa régularité et de ses vertus. Pour ce motif, pendant onze ans, saint Nicolas fut envoyé successivement à Saint-Genêt, à Macérata, à Osimo, à Cingoli, à Récanati, à Valmanente, à Saint-Elpide, à Fermo, et, en 1275, à Tolentin (2).

Saint-Genêt, qui fut la première résidence du jeune profès après son noviciat, possédait alors le célèbre théologien Rupert, marquis de Giberti, et le provincial des Marches avait décidé, devant les progrès croissants de Nicolas, de le confier à cet illustre professeur (3). Il s'éloigna donc de son cher couvent de Saint-Ange, témoin des premières grâces de son enfance religieuse, malgré les

---

1. Mercuri, *Della vita e miracoli del gran Taumaturgo S. Nicola da Tolentino*. Roma, 1878, ch. IV, pag. 37.

2. Torelli, tom. IV.

3. Giorgi, ch. II et XXI. — Mercuri, ch. IV.

sollicitations, les prières et les regrets de la communauté. Notre saint partit à pied et ne s'occupa, durant le voyage, qu'à prier ou à lire, jeûnant malgré la fatigue, comme s'il avait été dans son monastère (1).

A Saint-Genêt, la communauté, qui connaissait de réputation son nouvel hôte, l'attendait avec une grande impa-

LE R. P. RUPERT DE GIBERTI

(Gravure tirée du *Monasticon Augustinianum.*)

tience. Les étudiants surtout se montraient très désireux de connaître le futur compagnon de leurs travaux. C'était un ami, un frère, qui leur arrivait ! Le monde ne se figure pas ce qu'est l'affection délicate, prévenante et désintéressée de ceux qui, ayant tout quitté, retrouvent une nouvelle et véritable famille à l'ombre du cloître, et sous

1. Zacconi, pag. 66. — Forti, liv. I, ch. x, pag. 88 ; ch. xiii, pag. 121.

le regard de Jésus et de sa divine Mère, Reine de la charité.

Dès que la clochette du monastère eut annoncé l'heureuse arrivée du saint voyageur, les plus jeunes religieux coururent en toute hâte vers-la porte ; car chacun désirait être le premier à lui souhaiter la bienvenue et à lui donner le baiser fraternel. Les bras et les cœurs s'ouvrirent devant lui avec une cordialité qui l'émut et le remplit de reconnaissance. Il embrassa tendrement ses frères, puis se rendit près de son supérieur pour lui témoigner sa filiale déférence et l'assurer de sa ferme résolution de lui obéir en tout, et de le laisser maître absolu de son travail et de sa conduite (1).

Témoins de ces admirables dispositions, les nouveaux compagnons de Nicolas s'attachèrent immédiatement à celui qui leur donnait déjà de si beaux exemples et leur paraissait si parfait ! Le jeune profès, de son côté, trouvait dans cette communauté tout ce qu'un religieux et un étudiant de bonne volonté peuvent souhaiter pour avancer dans la vertu et dans les sciences : des confesseurs éclairés, des directeurs excellents, des professeurs pieux, humbles et savants. Aussi fit-il de si rapides progrès dans ses études qu'il ne tarda pas à prendre un des premiers rangs dans sa classe.

Cependant, quand on pense aux longues heures consacrées chaque jour par Nicolas à la prière, à la méditation et aux autres exercices de piété, on ne peut trouver que dans un secours particulier du Ciel la raison de ces succès si extraordinaires, succès qui ne parurent jamais l'enorgueillir, car il ne proférait pas un seul mot qui pût tourner à son avantage ou faire tort à ses frères ; nul mouvement de vivacité ne lui échappait, soit qu'il répondît à quelqu'un, soit qu'il argumentât dans les écoles (2). Dans la chaleur

---

1. Giunto al destinato luogo si presentó al Padre Priore, pregandolo con segni di vera humiltà volerlo ricevere per suo Servo, e suddito.

                        Forti, ch. VIII, pag. 76.

2. Niuna di quelle basse gelosie che annebbiano sovente il cuore dei giovani, si annidó giammai nell' animo suo.

.... Egli studiava perche era suo dovere, e perché voleva il piú che gli fosse possibile rendersi utile al prossimo. Cose con molta lode e profitto si avvantaggiava nello studio della sacra letteratura e della divinità.

                        Mercuri, ch. IV, pag. 37.

de la discussion, il demeurait aussi tranquille que s'il n'eût
point été intéressé à la question. Cette entière possession
de son âme, qui ne se démentit jamais, fit que, malgré sa
jeunesse, on le prit souvent pour arbitre des différends ; et
sa charité trouvait des moyens inconnus à la prudence
ordinaire et humaine pour rapprocher et apaiser les esprits
les plus animés (1).

Bientôt Nicolas fut connu, aimé et vénéré de toute la
population de Saint-Genêt. Chargé par le Prieur de distribuer aux pauvres les aumônes dont le couvent pouvait
disposer, il trouvait dans cet emploi de nombreuses
occasions de parler de DIEU et de lui gagner des âmes.
Quand on sut qu'il s'occupait des indigents, une quantité
considérable de mendiants vinrent chaque jour assiéger la
porte du couvent. La générosité, l'affabilité, la bonté
attentive et délicate du jeune religieux, le rendirent bientôt
le véritable père des malheureux. Il donnait d'abord à ceux
qui se présentaient les premiers sa propre part des aliments
servis au réfectoire, et il se contentait, pour lui, d'un peu
de pain sec (2). Aux autres pauvres, il distribuait la quantité
de vivres que le Prieur avait fixée pour les aumônes
journalières du monastère ; mais il n'en avait jamais assez,
même en y ajoutant les restes enlevés à la table des
religieux. Désolé alors d'être privé par sa pauvreté de
donner davantage, il allait trouver l'économe et le suppliait,
avec plus d'instances que n'en auraient mis les affamés
eux-mêmes, de lui remettre encore un peu de pain et de
potage.

Parfois l'économe se laissait toucher et cédait aux prières
du Saint, mais, parfois aussi, il le reprenait de sa prodi-
galité, et lui disait que sa charité était compromettante
pour la communauté, qui ne pouvait faire davantage. Il
n'arrivait pas à se débarrasser des pieuses importunités
de Nicolas, ni à le corriger d'un défaut qui prenait sa
source dans une extrême bonté de cœur. Pour certaines
natures, la bonté est en effet un besoin auquel il faut impé-
rieusement céder, parce qu'elle est un des côtés les plus
délicieux de l'amour, sans lequel nous ne pouvons pas vivre.

---

1. Giorgi, ch. VIII, pag. 77.
2. Giorgi. — Forti. — Frigerio. — Zacconi. — Ghezzi. — *Bollandistes.*

Il est à croire que cette scène se renouvela souvent entre Nicolas et l'économe du monastère, car celui-ci, voyant qu'il ne gagnait rien, et que Nicolas demeurait sourd à ses remontrances, voulut employer une autorité plus puissante que la sienne, et alla trouver le Prieur pour lui raconter simplement l'affaire.

Le lendemain, longtemps avant l'heure ordinaire de la distribution des aumônes, le Prieur se rendit dans un des couloirs qui longeaient le cloître, et, se promenant lentement, il attendit l'arrivée de notre Saint. Celui-ci parut enfin, marchant avec peine, et courbé sous le poids d'un grand tablier rempli de pain, les yeux baissés suivant sa coutume.

— Frère Nicolas, dit le Père, que portez-vous donc avec tant de peine ?

Rabattant son capuchon et apercevant son supérieur, le jeune religieux répondit en souriant et en ouvrant son tablier :

— Ce sont des roses, mon très révérend Père !

On était alors en plein mois de décembre, et Nicolas montrait une quantité de roses d'une beauté et d'une fraîcheur ravissantes.

Devant un pareil miracle, le Prieur, profondément ému, resta quelques instants sans pouvoir prononcer un seul mot, puis il ajouta doucement :

— Allez, mon frère, prenez et donnez aux pauvres tout ce que vous voudrez !

Et le Saint, baissant humblement la tête, et repliant le tablier sur les fleurs, s'achemina vers la porte, suivi du Prieur. O surprise divine ! quand il saisit les roses pour les donner aux indigents qui tendaient la main, elles étaient redevenues le morceau de pain dont ils avaient besoin pour se nourrir (1).

---

1. Hilarem datorem Nicolaum sic Deus dilexit ut illum objurgari non permiserit, quod Conventui necessarias facultates nimium pauperibus largiendo consumeret. Cum siquidem mappulam panibus ad egenos plenam deferret, Priori occurrenti ac exploranti purpureis et fragrantibus rosis media hyeme eamdem refertam ostendit, data sibi ob id in posterum libertate cuncta ad libitum distribuendi. — Inscriptio relata concorditer ab Historicis. — Che l'avea mutato in rose lo avrebbe cangiato nuovamente in pane... e così avvenne di fatto.   Giorgi, ch. IX, pag. 81.

La distribution achevée, Nicolas reprit le chemin de sa cellule sans paraître se douter qu'il avait été choisi par DIEU pour accomplir une action si extraordinaire. Il voulait fuir les louanges et l'admiration des hommes, et remercier, dans le secret d'une ardente prière, Celui qui venait de le combler des délicatesses merveilleuses et divines de son amour !

Chapitre Sixième.

SAINT NICOLAS
MODÈLE DE PERFECTION RELIGIEUSE.

Saint Nicolas guérit un enfant de douze ans d'une douloureuse infirmité. — Il va à Macérata. — Deux murs le saluent miraculeusement. — Ses supérieurs lui ordonnent de se préparer à recevoir les Ordres. — Saint Nicolas est ordonné prêtre.

IL est facile de comprendre combien le prodige des roses attira l'attention des peuples sur l'humble religieux qui avançait à grands pas dans les voies d'une éminente perfection. On cherchait à pénétrer le secret de cette sainteté extraordinaire, et on se demandait si Nicolas n'était pas un ange revêtu d'une forme humaine, si Dieu ne soutenait pas ses forces par un miracle perpétuel (1). Ses mortifications étaient excessives, et la persuasion seule que l'Esprit-Saint le conduisait, décidait ses supérieurs à les lui permettre. A peine semblait-il boire, manger et dormir, au grand étonnement de ses frères qui, le considérant de plus en plus attentivement, en vinrent promptement à le regarder comme un grand saint et comme un homme extraordinaire qu'il était impossible de juger selon les règles de la prudence humaine, et qu'il aurait été téméraire de blâmer, l'action de Dieu étant visible en lui.

Un fait qui arriva vers le même temps que le prodige des roses, jeta un nouvel éclat sur Nicolas, et attira de nouveau l'attention de tous les religieux et de toute la population de Saint-Genêt. Un jour qu'il parlait à un de ses cousins, Gentile de Guidiani, devant la porte du couvent,

---

1. San Nicola amò tanto il digiuno e l'astinenza che mai si cibò di carne contento del solo pane et acqua per estenuare il suo corpo.
Inscription sur la porte de l'ancien réfectoire de Tolentino.

un enfant de douze ans appelé Monaldo Aldrudi, qui éprouvait des maux de tête intolérables, se présenta devant lui, le suppliant de le recommander à DIEU. Le saint, le regardant avec bonté, lui imposa les mains avec ces simples paroles :

« Allez, mon fils, le bon DIEU vous a guéri. »

En effet, instantanément et par un simple contact, l'enfant avait été entièrement délivré de ses souffrances et de la maladie qui les causait (1).

UN MONASTÈRE EN ITALIE. — LE MONT CASSIN.

Les relations extérieures de Nicolas, soit avec ses frères, soit avec le prochain en général, n'étaient ni empêchées ni rendues difficiles et gênées par ses pénitences continuelles ; il se montrait toujours bienveillant et doux, disposé à servir tout le monde. S'il fuyait le monde et aimait la pauvreté, il n'aurait jamais consenti à porter des habits sordides ou déchirés ; il veillait au contraire à

1. Fù poscia il Santo collocato nella terra di S. Ginesio... quì egli opiò, un prodigio e fù il seguente. Un giorno stava il Santo discorrendo con Gentile Guidiani, etc.

Ghezzi, ch. VI, p. 70.

ce que sa tunique, d'étoffe grossière, fût toujours d'une extrême propreté. Son respect pour ses supérieurs, dans lesquels il savait voir l'image de DIEU, se manifestait aussi en toute occasion et avec une délicatesse vraiment touchante. Il considérait en eux, dit un ancien auteur (1), la personne, pour la respecter ; les ordres, pour les accomplir ; les conseils, pour les suivre ; les désirs, pour les exécuter. Sa déférence à leur égard était telle, qu'ayant coutume de porter toujours son capuchon, il l'enlevait et inclinait respectueusement la tête, non seulement en leur présence, mais encore devant tous ceux qui lui transmettaient leurs volontés (2). Il faisait la même chose quand il était alité par la maladie, la coutume des Ermites de Saint-Augustin étant alors de reposer avec leur costume monastique. Le saint inclinait encore son front découvert en signe d'estime et de vénération pour ceux qui tenaient à son égard la place de DIEU (3).

Son obéissance était aussi prompte que respectueuse et surnaturelle. A peine connaissait-il l'ordre donné par ceux qui devaient lui commander, qu'il l'accomplissait avec une promptitude admirable, sans s'inquiéter de la forme plus ou moins absolue avec laquelle il avait été transmis ; aucune raison, aucun obstacle ne l'arrêtait alors (4). Nous pouvons en citer un fait digne de remarque.

Nicolas était à Saint-Genêt depuis trois ans (5), lorsque le Provincial écrivit au Prieur de ce monastère de l'envoyer à Macérata (6). En recevant cette lettre, le Saint ne manifesta ni surprise, ni regret, ne fit aucune difficulté. Il se contenta de baisser la tête en signe de soumission ; puis, se mettant à genoux, il demanda la bénédiction de son supérieur et se prépara immédiatement à partir. Mais les

---

1. Storia della vita, canonizzazione, sangue, panellini, e prodigij di S. Niccola da Tolentino. Auteur anonyme.
Naples, 1768. Stamperia Simoniana, ch. XXVII, p. 117.
2. Giorgi, ch. XIII, p. 117.
3. Giorgi. — *Passim*.
4. Erat obediens Priori et fratribus. *Procès*.
5. Colucci : *Antichità Picene*, tom. XXIII.
6. Post factam professionem gloriosus Nicolaus superiorum jussu aliquot Marchiæ Anconitanæ monasteria incoluit, ac nominatim monasterium S. Ginesii, Maceratense etc.
Torelli : *Sæcula Augustiniana ad annum Christi* 1305, n. 19.

religieux, avertis de cet ordre, firent comme autrefois les fidèles de Milet, quand l'apôtre saint Paul dut les quitter : ils se rendirent auprès du voyageur et le supplièrent de différer son départ, et de ne pas refuser cette consolation à leur affection fraternelle. Celui-ci répondit en souriant à leurs pressantes instances : « Mes supérieurs me comman- » dent de vous quitter, comment donc pourrais-je vous » écouter et rester ? » Et il les invita à se résigner joyeusement à la séparation.

Nicolas, en agissant ainsi et en résistant à ses frères, avait un double motif de foi et de sens surnaturel, d'obéissance et d'humilité. Il savait que le peuple de Saint-Genêt venait d'envoyer au Provincial des lettres pressantes, afin d'obtenir un contre-ordre et de le garder ; il se hâtait de s'éloigner pour faire cesser toute réclamation et toute résistance (1). Malgré sa promptitude et ses précautions, le Saint ne put tenir son départ entièrement secret, et la reconnaissance de la foule eut le temps de lui ménager un de ces triomphes populaires qui sont si émouvants dans leur simplicité. Le bruit de ce voyage s'étant répandu en quelques instants dans Saint-Genêt, lorsque Nicolas sortit du couvent ne portant pour tout bagage que son bréviaire, tous les pauvres auxquels il avait distribué de si abondantes aumônes, tous les malheureux qu'il avait consolés et secourus, étaient là pour l'entourer et l'escorter ; ils pleuraient et lui adressaient mille tendres adieux dans cette langue italienne où les termes affectueux ont un charme particulier. Tous disaient hautement qu'ils perdaient leur père, leur protecteur et leur ami, pendant que l'humble religieux les écartait doucement et continuait sa marche, ne comprenant rien à cette ovation spontanée de tout un peuple à son égard. Les créatures inanimées semblèrent elles-mêmes partager un instant les regrets de cette foule reconnaissante ; car, tout près de Saint-Genêt, on voit encore dans un chemin deux murs qui, dit-on, s'inclinèrent au passage de Nicolas, le

1. Per uno di questi spacci speditogli in S. Ginesio, si pose in moto quella Università per lo spiacer comune che ne recava la di lui partenza. S'avide il Santo Giovane..... ed egli partir volle con tanta sollecitudine. Anonyme, ch. XXVII, p. 70-71. — M S S. — Saint Antonin. — Giorgi, ch. XIII, p. 118.

saluant miraculeusement à son départ pour Macérata. Le pieux pèlerin qui visite aujourd'hui ces lieux bénis, peut s'agenouiller devant ces ruines et réciter, comme le font pieusement tous les paysans des alentours, le *Pater* et l'*Ave* de saint Nicolas de Tolentino (1).

Après un pénible voyage, ce parfait obéissant arriva à sa nouvelle résidence exténué de fatigue, mais tout rayonnant du calme céleste et des éminentes vertus qui allaient répandre, là encore, leurs suaves et divins parfums. Nous n'avons aucun document authentique qui puisse nous renseigner d'une manière précise sur la durée du séjour de saint Nicolas à Macérata. Cependant le Père Jean Forti, Oratorien, assure, après avoir étudié tous les mémoires et recueilli toutes les traditions relatives à cette époque de la vie du Bienheureux, qu'il y demeura deux ans et qu'il y opéra quantité de prodiges (2).

Le serviteur de DIEU était alors arrivé à l'âge où la vie d'un moine prend un caractère spécial et distinctif; la vertu et les talents commencent à mieux se dessiner en face de la mission divine reçue dans les Ordres sacrés et dans le sacerdoce. Pour un religieux appelé au ministère, le temps le plus précieux et le plus fécond est celui de la préparation immédiate à la prêtrise. Il reste plusieurs années dans une modeste cellule, semant dans le travail, la méditation, la prière et la solitude, ce qu'il récoltera plus tard pour lui-même et pour les âmes qu'il devra sauver.

C'est l'histoire du DIEU fait homme passant trente ans dans l'obscurité et l'apparente inutilité de Nazareth! Il faut de longs mois pour que le grain jeté et enfoui dans le sein de la terre y germe et y mûrisse, de façon à devenir le froment qui nourrit l'homme.

Rien n'est donc plus certain et plus vrai que la nécessité de cette longue formation que l'Eglise, toujours sage, exige de ses religieux et de ses prêtres en les faisant passer par les noviciats ou les séminaires. Comment pourrait-il sanctifier les autres, celui qui ne se serait pas d'abord sanctifié lui-même? celui qui n'aurait pas étudié devant son

---

1. Les détails sur ce fait miraculeux ont été fournis à l'auteur par le R. P. Nicolas Ferranti, Sacriste à la Basilique de Saint-Nicolas à Tolentino.

2. Forti., liv. I, ch. x, p. 90.

crucifix les devoirs et les dangers de la vie ? celui qui
n'aurait pas appris, par expérience et sous le frein d'une
règle, à se vaincre, à obéir et à remporter, sur la nature et
le monde, les généreuses victoires qui font les saints ?

C'est précisément cette sainteté véritable que cherchait
et ambitionnait Nicolas, la plaçant bien au-dessus des
sciences et prenant pour règle de conduite cette maxime
de son Père saint Augustin : « Ceux qui ont appris avec
» JÉSUS-CHRIST à être doux et humbles de cœur, avancent
» bien plus dans la connaissance de DIEU par la méditation
» et la prière que par l'étude et la lecture. »

Il allait d'abord chercher dans l'oraison l'ardeur et la
lumière qui font de l'homme, suivant la belle expression
du Sauveur, une lampe ardente et luisante ; cette divine
ardeur qui allume dans l'âme dont elle prend possession, le
feu dévorant de la charité qui la consume pour DIEU et le
prochain ; cette céleste lumière qui éclaire, comme dit
saint Jean, tout homme venant en ce monde, et lui montre
la voie qu'il doit suivre pour imiter le CHRIST et atteindre
le but de sa destinée immortelle. Et le moment approchait
où cette lampe ardente et luisante allait enfin donner tout
son éclat, et briller aux yeux de tous ceux qui l'entouraient
et fondaient sur elle de si légitimes espérances. Nicolas
était mûr pour le sacerdoce ! Les supérieurs se résolurent
à lui faire quitter Macérata pour l'envoyer dans la ville
épiscopale d'Osimo, afin qu'il y reçût le sous-diaconat et le
diaconat des mains de saint Bienvenu, alors évêque de
cette ville (1). Les amis de DIEU se comprennent toujours,
a-t-on dit avec raison ; aussi saint Bienvenu eut-il à peine
entrevu saint Nicolas, qu'il connut le grand trésor que le
Ciel lui envoyait, et qu'il ne fit aucune difficulté de l'ad-
mettre de suite à l'ordination. Comme tous ceux qui
approchaient le jeune religieux, le pontife d'Osimo se sentit
rempli d'admiration pour ses vertus et fonda sur lui de
grandes espérances. Les temps qu'on traversait étaient
difficiles et troublés, et les Ordres monastiques seuls semblaient capables de réparer les désordres causés par la
guerre civile, le schisme et l'indifférence. C'est bien dans
ces heures de bouleversement social et de crises redou-

1. Anonyme, ch. VII, p. 22.

tables pour la vie des nations, que les Ordres religieux paraissent nécessaires! C'est bien dans le silence et le calme des cloîtres, dans la pratique austère du devoir et de la règle, que se rencontre la sainteté seule capable de guérir les peuples et de leur donner, par la parole et l'exemple, une vigueur morale qui leur inspire de nobles et généreux efforts pour le bien et la paix. Mais, pour cela, il faut aux monastères des natures fortement trempées, comme celle de saint Nicolas, des âmes grandes et élevées, brillant comme des phares tranquilles et lumineux au milieu des mers orageuses, et apprenant aussi à tous la vanité des événements et des grandeurs de la terre, la nécessité de regarder le Ciel et Dieu, seul Maître et seul Sauveur des nations.

Mais le jeune religieux, sans se douter des espérances qu'on fondait sur lui et des admirables desseins de la Providence à son égard, ne fut pas plus tôt arrivé à Osimo, qu'il se renferma dans le silence et la retraite pour se préparer au sacerdoce.

Il faut avoir ardemment désiré l'onction sacerdotale dans la ferveur de la jeunesse, pour bien comprendre ce que fut cette préparation d'un saint à la prêtrise.

Comme les âmes privilégiées auxquelles Dieu accorde, dès l'enfance, la grâce de connaître le but réel et le sens sérieux de la vie, Nicolas avait senti de bonne heure que la Sainte Communion n'est pas le dernier mot des relations de l'Infini avec sa créature, et que le chrétien appelé comme Aaron à une vocation supérieure, pouvait rêver et désirer davantage, dans l'adoration et le tremblement de sa foi. Consacrer l'hostie par la parole même du Christ, le faire venir, ce Dieu, sur l'autel et dans les mains comme une victime! Quelles marques d'amour à donner au Seigneur! Mais aussi quelle sainteté demandée à ceux qui doivent porter le fardeau d'un si redoutable ministère!

Devant ces graves pensées qui remplissaient son âme, Nicolas redoubla ses prières, ses mortifications et ses jeûnes; il se renferma de plus en plus dans la solitude et le silence, s'abîmant dans son néant et dans les défauts qu'il voyait en lui; pleurant sans cesse et se sentant indigne de monter jusqu'au Saint Autel et de recevoir le sacerdoce.

Emu et tremblant, il s'effrayait de l'approche du grand jour et se sentait assailli par des craintes douloureuses et de vives appréhensions. Les justes connaissent bien ces heures mystérieuses où Dieu les attire fortement vers Lui, en leur faisant connaître en même temps leur profonde misère ; heures de terreurs, c'est vrai, mais aussi de douces larmes et de consolations inexprimables ; luttes de regrets, de confiance et d'amour, que le Seigneur aime tant à voir dans ses saints ! Peut-être ces heures et ces luttes nous laisseraient-elles impuissants et désarmés, si l'obéissance ne venait alors nous pousser en avant et nous rendre le courage et la paix. C'est ce qui arriva pour Nicolas dans ces jours d'humble frayeur ; un ordre de son supérieur lui montra le tabernacle comme le port assuré où il devait se réfugier, et le fit avancer (1).

Devant la parole de celui qu'il regardait comme l'interprète de la volonté divine, le fils d'Augustin ne songea plus qu'à obéir, et à demander à l'Esprit-Saint les grâces qui pouvaient l'aider à être moins indigne de sa sublime vocation.

Il se rendit à Cingoli et reçut le sacrement de l'Ordre, dans l'église collégiale de Sainte-Marie, des mains de saint Bienvenu. Cet événement mémorable pour saint Nicolas, pour l'Ordre des Ermites et pour l'Eglise catholique, passa inaperçu au milieu des troubles sociaux et des graves préoccupations de ce siècle. Cependant il devait avoir une immense influence sur la vie de notre Saint, sur sa famille monastique et sur divers événements qui appartiennent à l'histoire du christianisme.

---

1. Mercuri, ch. V, p. 51. — Giorgi.

Chapitre Septième.

SAINT NICOLAS PRÊTRE.

Ferveur de saint Nicolas à l'autel. — Sa préparation pour célébrer les Saints Mystères. — Quel grand Saint ! — Saint Nicolas opère plusieurs merveilles. ◦◦◦◦◦◦◦◦◦◦◦◦◦◦◦◦◦◦◦◦◦◦◦◦◦◦◦◦◦◦◦◦◦

 PEINE fut-il revêtu du sacerdoce, que Nicolas s'élança avec un redoublement d'ardeur et de générosité dans les voies de la sainteté, gravissant plus sûrement et plus rapidement les degrés d'une perfection consommée. Montant chaque matin sur le Thabor eucharistique, qui est en même temps un Calvaire, il subissait l'influence quotidienne de son Dieu et ne vivait plus que pour Lui, pour sa gloire et le salut des âmes. Quelle existence est, en effet, plus moralisatrice et plus sanctificatrice que celle qui s'écoule entre la pensée de la Communion du matin et l'espérance de celle du lendemain !

N'est-ce pas aller de Jésus à Jésus, de l'Infini à l'Infini, dans des heures fugitives et fragiles ? Mais n'est-ce pas aussi porter le poids d'une responsabilité redoutable qui oblige le prêtre d'avoir les sentiments d'un Dieu dont il tient la place ? Notre Saint, éclairé par ses longues et ferventes contemplations, était si persuadé de la parfaite pureté et de la perfection demandées par le sacrifice de l'autel, qu'il ne célébrait qu'en tremblant et avec une très humble ferveur.

Etant ravi plusieurs fois en extase, et ayant été, à diverses reprises, soulevé en l'air pendant la Messe, il demanda à ne plus la dire publiquement (1). Il aurait voulu

---

1. Nel celebrare vedevasi spesso sollevato da terra. Giorgi : *Compendio, Tolentino.*

Guido Guidont, éditeur, 1881, page 28.

la célébrer toujours seul dans une chapelle écartée, afin de pouvoir se livrer tout entier à ses amoureux et intimes colloques avec son Sauveur. Il fallut un ordre formel de son supérieur pour le décider à consacrer dans l'église de son couvent. Nicolas était donc bien prêtre, véritable prêtre selon l'ordre de Melchisédech, et il appréciait cette immense faveur comme un don tout divin dont il ne pouvait assez remercier le Seigneur. Il le redisait sans cesse avec des élans de joie inexprimables ; et quand on l'invitait à parler sur la dignité du sacerdoce, on aurait cru, en l'en-tendant, qu'il jouissait déjà des ivresses du Ciel et de la vie de Notre-Seigneur ; des paroles brûlantes tombaient de ses lèvres, et un indicible enthousiasme se lisait sur ses traits vénérables. Aussi ne connaissait-il pas la distraction et la froideur dans la Communion, n'accomplissant jamais ce grand acte comme une chose ordinaire à laquelle on peut s'habituer. Il s'y préparait longuement et avec un soin extrême, commençant la veille au soir, dès la chute du jour, après la récitation des Complies, à se recueillir plus profondément pour songer à la Messe du lendemain.

Suivant cette maxime de son glorieux Père saint Augus-tin, que la prière est la mesure de l'amour, il témoignait à son Dieu tous les sentiments de tendresse et de piété de son cœur longtemps avant la célébration des divins mys-tères, s'efforçant, avec ce sens surnaturel qui appartient aux saints, de ressembler à l'Hostie qu'il devait immoler. Pour cela, il se frappait si cruellement que le sang jaillis-sait et coulait en abondance sur ses habits, sur les murs et le sol de sa cellule, y laissant des traces que l'humble religieux n'avait souvent pas le temps de faire disparaître et qui se voyaient encore le lendemain (1).

Par ce moyen, Nicolas triomphait du sommeil ; mais il ne s'arrêtait pas là. La flagellation terminée, il s'entourait les reins d'une ceinture de fer dont les pointes entraient dans les plaies creusées par la discipline ; il se revêtait

---

1. In preparazione al santo sacrificio era suo costume verso il tramontare del sole incominciare dallo spargimento del sangue spiccato dalle sue vene per opera di volontarie asprissime flagellazioni.

Giorgi, ch. III, pag. 31.

d'un cilice qui lui causait une extrême et continuelle souffrance (1).

« Il faut, disait-il alors, que j'expie mes péchés et ceux
» des autres, avant de m'approcher de l'autel pour y
» renouveler le sacrifice du Calvaire ! (2) »

Ce n'était pas encore assez ! Après avoir ainsi maltraité
son corps, déjà exténué par des jeûnes continuels et devenu
diaphane, tant il était amaigri, il commençait une longue
oraison qui durait ordinairement jusqu'à minuit. Lorsque
ses genoux refusaient de le porter, il appuyait ses coudes
sur un bloc de marbre qui se trouvait à la hauteur de sa
fenêtre. C'était le seul soulagement qu'il voulût s'accorder ;
car si ses yeux alourdis par des veilles répétées venaient
à se fermer et à réclamer un peu de sommeil, il redeman-
dait à la discipline la force de résister à ce qu'il appelait
de la paresse (3). C'était devant une image représentant
le Sauveur déposé mort entre les bras de sa Mère, image
qu'on nomme en Italie Notre-Dame de la Piété et dont il
ne se sépara jamais, qu'il aimait à faire sa préparation au
sacrifice de la Messe. En union avec Notre-Seigneur au
jardin des Oliviers, il pleurait, il sanglotait, il confessait ses
défauts et les péchés de tous les hommes, en demandant
pardon à Dieu avec les accents du plus ardent amour.

A minuit, lorsque la clochette du couvent tintait, Nicolas
se rendait au chœur pour réciter Matines avec ses frères
et y continuer ses entretiens enflammés avec son Dieu ;
puis, retournant à sa cellule, il s'accordait un court repos
sur deux planches ou sur le pavé, la tête appuyée sur une
pierre (4). Très souvent, les premières lueurs du jour le
surprenaient abîmé de nouveau dans la contemplation (5).

---

1. Nudos artus aspero cilicio vestiens, quod ferreo cingulo adstringebat.
Brev.

2. Pro multis sibi confitentibus orabat, jejunabat, celebrabat et lacrymas
effundebat, ut a tenebris peccatorum liberarentur.   *Procès.*

3. Duos habebat lapides marmoreos ad quorum unum genuflectebat; alterum
ad quem lassus extensa brachia saltem frigore castigaret.   *Procès.*

4. Di dormire quando su di un pagliericcio, sovente sulle nude tavole, e
spessissimo nella dura terra. — Anonyme, ch. XXXIII, pag. 90.—Parvo
palearum saccone pro lecto contentus, mantellum pro espertorio, et pro capi-
tali lapidem quandoque tenebat.   *Procès.*

5. Integras sæpe noctes pervigil ducebat.   *Procès.*

Entre trois et quatre heures du matin, il était toujours debout, recommençant sa préparation par une nouvelle et sanglante flagellation, qui rendait le sacrifice qu'il allait offrir, la fidèle et vivante image de celui du CHRIST sur le Calvaire.

SAINT NICOLAS A L'AUTEL
(D'après une gravure du XVIᵉ siècle.)

Nouveau Moïse descendant de l'Horeb, il paraissait un ange à l'autel. Il y était si plein de majesté, de dévotion, de sainte ivresse, que les peuples accouraient pour assister à sa Messe, et s'en retournaient frappés d'admiration en s'écriant : « *Quel grand Saint !* (1) »

1. Giorgi : *Compendio*, pag. 28. — Anonyme, pag. 26.

Ses prières d'actions de grâces étaient si brûlantes, que des sanglots étouffés soulevaient sa poitrine, et plusieurs fois il tomba alors en extase et resta privé de tout sentiment pendant le reste du jour.

Tant de piété et de ferveur devaient faire une douce violence au cœur de DIEU, qui dès lors semble ne plus rien refuser à son fidèle serviteur et le combler, au contraire, des prévenances et des attentions de sa toute-puissante tendresse.

Le servant de Messe de Nicolas ayant un jour, par distraction, rempli d'eau les deux burettes, le Saint, plongé dans ses pensées et ravi en DIEU, ne s'en aperçut pas et ne mit que de l'eau dans son calice. L'absence de la matière requise pour la validité du sacrifice le rendait donc nul, ce qui aurait été pour le célébrant, s'il l'avait su, une cause de trouble et de vive douleur. Le Seigneur la lui épargna dans sa bonté !

Nicolas ne remarqua l'erreur de son servant ni avant, ni après la consécration ; mais, en consommant les saintes espèces, il trouva au vin consacré une saveur si exquise et un goût si délicieux, qu'il demanda ensuite où on avait pu se le procurer. C'est alors que le servant s'aperçut de ce qu'il avait fait par inadvertance et connut le miracle touchant dont le Saint avait été favorisé (1).

Une dame de la vile d'Urbisaglia avait complètement perdu la vue à la suite d'un érésipèle fort dangereux. Tous les efforts de l'art étaient demeurés impuissants et elle se trouvait complètement abandonnée des médecins comme incurable. Cette pieuse chrétienne résolut alors d'aller trouver Nicolas pour lui demander la guérison de son infirmité. Persuadée qu'après la Messe les prières du Saint devaient être plus facilement exaucées, elle se fit conduire à l'église où il devait célébrer et assista avec une grande ferveur au sacrifice de l'autel. Lorsque le religieux eut terminé la sainte Messe, elle se plaça sur son chemin, qui devait le conduire à la sacristie, et elle le pria de s'arrêter un instant pour la bénir en lui faisant sur les yeux un simple signe de croix. Touché par la foi et la résignation de la pauvre aveugle, Nicolas s'approcha d'elle et

---

1. MSS. — Anonyme, ch. IX, pag. 26.

fit ce qu'elle lui avait demandé en disant : « *Que le bon Dieu dans sa miséricorde vous guérisse, ma fille !* » A l'instant même, les yeux éteints et fermés depuis si long-temps s'ouvrirent à la lumière du jour ; la pieuse chré-tienne vit sa confiance récompensée, et put alors contem-pler le Saint dont Dieu s'était servi afin de la guérir et l'exaucer (1).

1. *Procès.* — Ghezzi, ch. XIII, pag. 42.

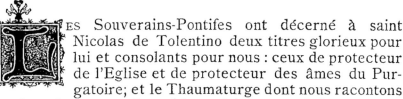

Chapitre Huitième.

SAINT NICOLAS
PROTECTEUR DES AMES DU PURGATOIRE.

Saint Nicolas prie pour un de ses cousins et le préserve des feux éternels. — Le Frère Pellegrino d'Osimo. — Les âmes du Purgatoire apparaissent à saint Nicolas pendant le St-Sacrifice. — La Pieuse Union du Suffrage. — Les âmes du Purgatoire mettent en fuite l'armée de Jean de Médicis.

ES Souverains-Pontifes ont décerné à saint Nicolas de Tolentino deux titres glorieux pour lui et consolants pour nous : ceux de protecteur de l'Eglise et de protecteur des âmes du Purgatoire; et le Thaumaturge dont nous racontons la vie et les vertus les a bien mérités ; aussi devons-nous l'invoquer avec la plus entière confiance, soit pour l'Eglise, notre Mère, soit pour les âmes souffrantes des fidèles défunts retenues dans les feux de l'expiation (1).

Il n'est pas de vrai chrétien qui ne cherche à soulager les êtres chéris que Dieu lui a ravis, et qu'il retient dans le Purgatoire par un effet de son infinie justice. Il n'est personne sur la terre qui n'ait assez aimé ses semblables pour compatir à leurs peines, lorsqu'ils sont entrés dans ce lieu de souffrances. Il n'est personne parmi les fidèles qui ne souhaite augmenter le nombre des élus, et procurer par là à Notre-Seigneur un accroissement de gloire.

Pour en arriver là, l'Eglise nous offre des richesses sans nombre : l'aumône, les indulgences, les prières, les bonnes

---

1. VERBI DEI SANGUINE PRÆDICAMUS SANCTAM ESSE CONSTRUCTAM ECCLESIAM. ET SANGUINE SANCTI NICOLAI NARRAMUS ESSE PROTECTAM.

Alexander VII. Instrumentum fidei continens emanationes sanguinis divi Nicolai Tolentinatis.

Ad suffragia animabus in Purgatorio igne detentis.... sub invocatione S. Nicolai.   Leo XIII, *Breve*, sub die XVIIª Maii MDCCCLXXXIV.

œuvres, les pénitences, les communions, mais surtout et avant tout l'adorable sacrifice de l'autel. Comme si ce n'était pas encore assez, elle a voulu choisir un saint spécial que l'on puisse invoquer particulièrement pour les âmes du Purgatoire ; un saint auquel chacun puisse confier, et le sang du Sauveur, et le faible mérite de ses propres œuvres, avec l'espérance qu'il les appliquera, par la volonté

SAINT NICOLAS

dans sa cellule prie la Sainte Vierge pour les âmes du Purgatoire.

connue de DIEU, à ceux qui souffrent dans les flammes de l'expiation ; et ce saint, véritablement aumônier et protecteur du Purgatoire, est notre glorieux Ermite de Saint-Augustin, saint Nicolas de Tolentino.

Deux faits miraculeux, arrivés pendant sa vie justifient pleinement ce choix de l'Eglise et la dévotion des peuples. Nous les raconterons pour l'édification du lecteur.

Saint Nicolas avait deux cousins dont l'un se nommait

Gentile de Guidiani. Ce dernier, qui menait une vie coupable, fut tué par un rival dans le château d'Apezzana, et le Serviteur de Dieu l'apprit étant à Récanati, où il s'était rendu quelque temps après son ordination (1). Il en éprouva un profond chagrin en songeant à la conduite criminelle de l'infortuné ; tombant à genoux, il versa d'abondantes larmes et s'écria :

« — Oh! je crains bien que le malheureux ne soit déjà condamné ! »

Puis, ne se contentant pas de regrets stériles, il augmenta ses pénitences déjà si dures, et ses oraisons déjà si longues et si multipliées ; il offrit le sacrifice de l'autel pour le défunt, et ne cessa plus ni jour ni nuit de prier amoureusement Notre-Seigneur d'avoir pitié de cette âme coupable, et de lui faire connaître si elle était sauvée ou perdue pour l'éternité (2). Pendant deux semaines, Nicolas ne cessa de solliciter cette double grâce par ses pleurs, ses supplications et ses sanglantes mortifications. Or, le quinzième jour à minuit (3), au moment où il se levait pour allumer la lampe qui brûlait devant le tabernacle, il entendit tout à coup une voix qui disait :

« — Mon frère, mon frère (4), rendez grâce au Seigneur » Jésus ; il a jeté des regards de pitié sur vos oraisons et » vos larmes ; je devais être condamné, mais vos prières » m'ont sauvé ! »

Le Saint, craignant une illusion du démon, qui se transforme souvent en ange de lumière, répondit :

« — Pourquoi me tentes-tu, ennemi de tout bien ? Mon » frère est mort ; et il n'appartient qu'à Dieu seul de le » sauver ou de le damner. »

« — N'ayez aucun doute, mon frère, reprit alors l'apparition ; je suis vraiment Gentile, votre cousin. C'est à vos

---

1. Cum in civitate Recanatensi degeret.
Petrus de Monte Rubbiano, ch. 2, num. 13.

2. A fare delle piu rigide penitenze; ad offerir de' Sacrifici per la di lui Anima.
Anonyme, ch. XVII, pag. 46.

3. Surgendo dalla notturna orazione per accendere la lampada avanti l'altare del santissimo sagramento.
Frigerio, ch. XIII, pag. 55.

4. En Italie, on dit généra'ement *fratello cugino*, frère cousin, et lorsqu'on parle à un cousin germain on l'appelle : « mon frère ».

» prières que je dois d'avoir été préservé de l'enfer par
» Notre-Seigneur JÉSUS-CHRIST ! »

Puis l'âme ajouta ces paroles remarquables et qui font
connaître la haute sainteté du pieux Ermite de Saint-
Augustin :

« — Vos œuvres, ô Nicolas, sont si agréables à DIEU,
» qu'il vous accordera tout ce que vous lui demanderez
» dans la vie présente, et que, de plus, vous serez glorieux
» dans cette autre vie qui est la mienne au Paradis (1). »

Et l'apparition disparut, laissant dans l'âme du Saint qui
en avait été favorisé, une de ces joies inénarrables qui font
oublier toutes les souffrances, consolent de toutes les
peines et rendent capables des plus grands sacrifices.

Ainsi, Notre-Seigneur avait une si vive tendresse pour
son serviteur, qu'il fermait à sa prière les portes de l'abîme
éternel devant un pécheur bien coupable ; et que, par un
des ressorts secrets du mystère de la prédestination, il lui
donnait une de ces grâces extraordinaires qui, en un seul
instant, au dernier moment de l'existence, font du plus
grand pécheur un juste appelé au divin royaume ; juste
qui, après le temps de la purification et de l'épreuve du
Purgatoire, prendra place parmi les élus par l'effet d'une
miséricorde infinie !

L'autre prodige se serait passé, d'après saint Antonin,
archevêque de Florence, dans un ermitage du couvent de
Valmanente, près de Pesaro. Il ne montre pas moins, nous
semble-t-il, l'amour du Maître pour son serviteur, et la
puissance du serviteur sur le cœur de son Maître pour
fléchir la justice divine en faveur des âmes du Purgatoire.

Nicolas avait été désigné pour chanter la Messe conventuelle pendant une semaine entière, comme il est d'usage
dans les monastères augustins, et il devait entrer en fonction le dimanche. Or, dans la nuit qui précéda ce jour,
pendant que le bienheureux Ermite dormait, il fut réveillé
par une voix lamentable et suppliante qui l'appelait :

---

1. Confortare igitur, et robustus esto in operibus pœnitentiæ quæ cœpisti ;
sic enim Deo et Salvatori nostro grata sunt opera tua, quod quidquid ab eo
petieris impetrabis, in vita præsenti dum vixeris ; et in ista in qua ego sum, vir
gloriosus eris.

Petrus de Monte Rubbiano, ch. 2, n. 13.

« — Frère Nicolas, disait-elle, homme de Dieu, regarde-
» moi ! »

Le Saint, très surpris, chercha à voir qui lui parlait ainsi ;
mais, n'apercevant rien, il demanda à l'apparition qui elle
était.

« — Je suis, répondit la même voix, l'âme du Frère
» Pellegrino d'Osimo, un de vos serviteurs pendant sa vie,
» et maintenant tourmenté par les flammes ! Dieu, dans sa
» miséricorde, m'a condamné à des peines temporelles,
» bien que j'en aie mérité d'éternelles pour mes péchés. Je
» vous prie donc très humblement de célébrer aujourd'hui
» pour moi la Sainte Messe, afin que je sois délivré de ces
» feux. »

« — O mon frère, reprit Nicolas, que mon Sauveur dont
» le sang nous a rachetés, vous soulage ! Quant à moi, je
» suis désigné pour chanter la Messe conventuelle ; et, dans
» ce jour du dimanche, il ne m'est pas permis de changer
» d'office et je ne puis pas célébrer la Messe des morts. »

« — Venez alors avec moi, continua l'apparition, venez,
» ô vénérable Père, et vous verrez si vous devez condes-
» cendre à ma demande, et si vous pouvez refuser de
» consoler une foule de malheureux qui m'ont sollicité d'im-
» plorer votre miséricorde. »

Et l'âme conduisit en esprit le serviteur de Dieu dans
une autre partie de l'ermitage ; et lui montrant la plaine
voisine de Pesaro, et dans cette plaine une multitude
innombrable de tout sexe et de tout âge, elle lui dit encore :

« — Ayez pitié de ces infortunés qui attendent votre
» secours ; car, si vous daignez dire la Messe pour nous,
» nous serons presque tous délivrés de notre douloureux
» châtiment. »

Nicolas revenant à lui fut vivement frappé de cette
vision, et profondément ému de pitié ; ses larmes coulèrent
en abondance et il s'abîma dans une prière fervente pour
les malheureux qu'il venait d'entrevoir.

Dès que le jour parut, il alla trouver son Prieur, et se
prosternant devant lui, lui raconta de cette apparition ce
qui était nécessaire et ne blessait pas son humilité, le suppliant de lui permettre de célébrer, durant toute la
semaine, le Saint-Sacrifice pour les défunts.

Celui-ci consentit aussitôt à cette juste demande et fît

remplacer le serviteur de DIEU par un autre religieux pour la Messe conventuelle. Durant sept jours, le Saint renouvela le sacrifice du Calvaire et appela sur l'autel la divine Victime, afin d'obtenir la délivrance de tant d'âmes souffrantes ; à ses ardentes prières il joignit des larmes abondantes et des mortifications de tout genre, telles que son héroïque générosité et sa compatissante tendresse étaient capables de les lui inspirer.

Le dernier jour, le Frère Pellegrino apparut de nouveau à Nicolas à la fin de la Messe, ou même, selon plusieurs auteurs, pendant le Saint-Sacrifice, et, le remerciant de sa charité si efficace, lui montra près de lui la plus grande partie de ceux pour lesquels il avait prié, lui annonçant que la miséricorde divine venait de leur ouvrir les portes du Ciel.

Toutes ces âmes délivrées par les mérites et les prières de leur bienfaiteur s'élevèrent devant lui vers la céleste patrie en répétant les paroles du psaume : « *Nous avons* » *été délivrés de ceux qui nous affligeaient, et nos ennemis* » *ont été confondus !* » « O homme ineffable, s'écrie à ce » propos saint Antonin, homme ineffable qui a toujours » mené une vie si sainte, et dont les mérites ont commencé » à se faire connaître dès sa plus tendre jeunesse, jusque » dans le Purgatoire ! (1) »

Ce fut ce prodige qui donna naissance au Septennaire de saint Nicolas, et lui fit décerner par la chrétienté le titre glorieux de Protecteur de ce lieu d'expiation et de souffrance. Il fut la cause de l'institution, à Tolentino, de la *Pieuse Union du Suffrage*, qui existe encore aujourd'hui dans la plupart des monastères de l'Ordre augustinien. Aussi les Prieurs-Généraux, qui ont le pouvoir d'accorder les indulgences de l'autel privilégié dans chacune de leurs églises, choisissent toujours pour cela les autels dédiés au grand Thaumaturge de Tolentino (2).

Nous terminerons ce chapitre par le récit d'un éclatant prodige obtenu par le glorieux Nicolas. Par ce prodige, DIEU montra combien la dévotion au Purgatoire, placée

---

1. Saint Antonin, *Chron.* IIIe partie, tom. 3.
2. Voir l'Appendice n° 1 à la fin de ce volume.

sous le patronage de son serviteur, lui était agréable, et combien elle était puissante sur son cœur.

Vers l'an 1555, écrit le Père Bénincasa dans sa *Vie de saint Nicolas*, une somptueuse et magnifique chapelle fut bâtie en l'honneur de l'Apôtre de Tolentino, à Lecco, place forte située non loin du lac de Côme, et un décret fut porté par les habitants de cette ville pour élever la fête du glorieux Saint au rang des fêtes les plus solennelles.

En voici la raison :

Jean de Médicis, général des Vénitiens, ayant mis le siège devant Lecco, la tint longtemps enserrée par son armée sans pouvoir s'en emparer ; mais la lassitude, la faim, l'isolement réduisirent les défenseurs de la forteresse à un tel état de faiblesse et de découragement, que l'ennemi, qui s'en aperçut, résolut de tenter un assaut général. A cette nouvelle, les assiégés sentirent qu'ils étaient véritablement perdus et se livrèrent à la plus profonde tristesse.

Dans cette extrémité, ils voulurent cependant invoquer saint Nicolas, auquel ils étaient particulièrement dévots, et, le matin même du jour où devait se donner cet assaut décisif, tous les prêtres de la cité appliquèrent leurs messes par mode de suffrage aux âmes du Purgatoire. Le peuple entier s'unit à eux avec confiance. Le Saint, pensait-il, qui a autrefois délivré par son Septennaire une foule de défunts se servira de tant de Messes pour nous sauver du danger et nous accorder victoire et salut.

Dieu montra que ces sentiments lui étaient agréables et que son glorieux serviteur l'avait imploré pour la ville en danger ; car, au moment de commencer l'assaut, Jean de Médicis aperçut, avec un profond étonnement, sur les murailles de la citadelle assiégée, une armée très nombreuse de gens vêtus de blanc. Comme il se demandait avec inquiétude ce que signifiait ce spectacle extraordinaire, et d'où venaient ces guerriers étrangers, il entendit des voix mystérieuses répondre à sa pensée : « A cause des Messes que les habitants de Lecco ont fait célébrer ce matin même, les âmes délivrées du Purgatoire par ces prières ont été envoyées par Dieu pour les défendre. »

Vivement effrayé, le général fit arrêter immédiatement es préparatifs du combat, et s'éloigna si précipitamment que son armée parut vraiment prendre la fuite (1). Ce fait merveilleux prouva aux assiégés l'efficacité des sacrifices et des prières pour les âmes du Purgatoire, lorsqu'on les offre avec foi et confiance par l'intercession de leur puissant et charitable avocat, saint Nicolas de Tolentino.

1. *Pia Unione Primaria*, par le P. Nicola Mercuri.
Rome, 1886, ch. II, pag. 21.

Chapitre Neuvième.

SAINT NICOLAS MAITRE DES NOVICES.

Saint Nicolas est envoyé à Saint-Elpide. — Il est
nommé maître des novices. — Les novices sont
entraînés à imiter les vertus de leur Père. —
Le couvent de Saint-Elpide devient un modèle
de perfection. — Saint Nicolas va dans la ville
de Fermo. — La Sainte Maison de Lorette. — A
Tolentino sera ta mort.

E renoncement à soi-même, la joie dans les souffrances, l'ardeur dans la prière, les transports
de l'amour divin, ont un prix inestimable dans
l'histoire des saints ; mais ils acquièrent un
double mérite et atteignent le double but de la
Rédemption, lorsqu'ils sont consacrés à la sanctifica-
tion du prochain et unis à un zèle ardent pour le salut
des âmes. Comme saint Augustin, son illustre Père,
Nicolas était rempli de charité et de miséricorde pour les
hommes, et, tout en continuant la vie héroïque et mortifiée
dont nous avons esquissé les principaux traits, il joignait à
la pratique d'une obéissance parfaite, celle de la plus
tendre bonté et du plus complet dévouement pour le prochain, vertus souvent difficiles aux pénitents les plus
austères.

En le faisant passer par les différentes maisons de
l'Ordre, ses supérieurs avait appris à le mieux connaître,
à l'apprécier et à l'aimer de jour en jour davantage ; ils
avaient pu constater que l'opinion générale sur la grande
sainteté de ce religieux, était en réalité bien inférieure à
son mérite personnel. Ils ne craignirent donc pas de lui
donner charge d'âmes, malgré sa jeunesse et son humble
frayeur des postes importants, et ils l'appelèrent au monastère de Saint-Elpide, pour y exercer la charge de Maître

des novices (1) ; charge bien importante, puisqu'il s'agissait de former les sujets, et de leur inculquer cet esprit
religieux et ces vertus solides d'où dépendent toujours la
ferveur, la paix et la prospérité des cloîtres.

Le Provincial pensait, non sans raison, que les grâces

LE BIENHEUREUX ANGE DE FURCY,
un contemporain de St Nicolas.

surnaturelles qui guidaient Nicolas dans sa vie spirituelle,
lui seraient une source d'abondantes lumières pour diriger
les novices, les connaître et leur donner la formation
nécessaire pour en faire de véritables religieux.

1. Et S. Elpidii ubi magister novitiorum fuit.
Torelli, ad. annum Christi 1305, n. 19.

Depuis son entrée dans l'Ordre de Saint-Augustin, celui dont nous écrivons l'histoire avait pris à tâche de s'effacer devant tout le monde, de se cacher et de conserver partout le rôle d'humble disciple et de serviteur de ses frères, se berçant dans la douce espérance de passer ainsi sa vie, uniquement occupé de son propre salut (1). Il fut donc aussi surpris que peiné du choix de ses supérieurs ; mais il accepta en silence la lourde charge qui lui était donnée, ne se faisant aucune illusion sur les obligations multiples, difficiles et délicates qu'elle allait lui imposer. Il se considéra dès lors comme obligé devant Dieu à lui rendre compte un jour des âmes confiées à ses soins, s'efforçant d'encourager et de diriger les innocents, et de soutenir ceux qui chancelaient encore au souvenir de leur vie passée, des plaisirs et des honneurs qu'ils avaient si généreusement abandonnés et sacrifiés. En ce temps surtout, grand nombre de cœurs froissés et meurtris, désireux de se joindre aux âmes d'élite qui peuplaient les cloîtres, venaient s'y réfugier pour y oublier les orages du monde et y trouver la paix et le salut.

Nicolas, par la droiture de son jugement, par l'éminence de ses vertus, par sa grande mortification, par les lumières divines dont il était éclairé, était bien l'homme selon Dieu, digne de ce noble emploi et de cette double tâche.

La communauté de Saint-Elpide était nombreuse et fervente. Le premier soin du nouveau Maître des novices fut d'être le modèle de tous les religieux et de prêcher plus par ses exemples que par ses paroles (2). Il s'appliqua à détacher entièrement ses enfants du monde qu'ils avaient quitté et à les former à la vie intérieure. Son ardente charité, le charme entraînant de ses discours, l'humble simplicité de sa vie, son amour des souffrances, son union continuelle avec Dieu, attirèrent tout de suite l'attention des novices, et les décidèrent à imiter les vertus de leur saint Maître et à se rendre familier l'exercice de la prière.

L'esprit de ferveur régnait à cette époque dans tous les

1. Erat obediens Priori et Fratibus.   *Procès.*
2. In omnibus continue primus erat.
                              Procès. — S. Antonin. — B. Jourdain.

monastères de l'Ordre, un souffle de sainteté les animait. Gubbio, Vérone, Amandula, Avigliana, Monte-Reale, Todi, Plaisance, Pesaro, Rieti, Véroli, Mantoue, Toulouse, Sienne, et presque tous les cloîtres augustins, abritaient alors des religieux qui sont aujourd'hui vénérés sur les autels à côté de saint Nicolas ; mais en peu de temps le noviciat de Saint-Elpide devint le modèle de tous sous la douce influence de celui qui le dirigeait.

Malheureusement les guerres civiles et les révolutions ayant détruit les archives des couvents, il ne nous reste aucun détail sur l'année pendant laquelle Nicolas fut Maître des novices. Nous savons seulement qu'un an ne s'était pas écoulé depuis son arrivée à Saint-Elpide, quand il reçut un nouvel ordre de départ, et dut quitter la jeune famille monastique qui le vénérait comme un tendre père.

Sur le sommet d'une colline dominant la mer Adriatique, s'élève la petite ville de Fermo. Les Augustins y desservaient une modeste chapelle et y possédaient un couvent où un certain nombre d'étudiants se trouvaient réunis. Les religieux célébraient l'office divin, administraient les sacrements, catéchisaient et prêchaient les foules qui accouraient aux jours de fête dans ce sanctuaire béni ; ils se prodiguaient à toutes les âmes qui avaient besoin de leur ministère et jetaient autour d'eux la semence évangélique. C'est pour prêcher aussi la parole de Dieu, dit le Père de Tombeur, que Nicolas fut envoyé dans cette ville, où deux célèbres visions le consolèrent et lui prouvèrent l'ineffable tendresse du Seigneur à son égard (1).

La première eut pour objet la Sainte Maison de Lorette; le récit en a été enregistré dans les annales de Fermo, et extrait ensuite par le Père Octave Falconi, Oratorien, pour les cardinaux Jean-Baptiste Palloti et Dèce Azzolini. Ceux-ci firent peindre un tableau en souvenir de cet événement et le déposèrent dans l'église nationale des Marches à Rome, église qui porte le nom de *Saint-Sauveur in Lauro*. La province des Marches y est représentée sous l'image d'une femme à genoux invitant la Sainte Maison à s'arrêter et à se reposer dans ses bras.

1. Vita S. Nicolai de Tolentino cum adnotationibus.

Voici ce que raconte à ce sujet une ancienne chronique :
« Quand saint Nicolas était à Fermo, il allait plusieurs
» fois par jour près d'une fenêtre du couvent, d'où l'on
» jouissait d'une vue délicieuse sur les plages de l'Adria-
» tique ; il était attiré vers cet endroit par une force irré-
» sistible ; il y demeurait debout, immobile, saisi par une
» soudaine émotion ; son visage s'illuminait ; enfin il s'age-
» nouillait et priait de longues heures dans une douce
» extase. Son Prieur, qui le voyait s'abandonner à toute la
» ferveur de son ardente piété près de cette ouverture, lui
» demanda un jour en souriant :
» — Frère Nicolas, que faites-vous ici ? Vous priez
» peut-être pour les poissons ?
» — Non, mon Père, non, répondit le Saint avec une
» céleste exaltation ; et montrant la mer et les côtes de la
» Dalmatie, il ajouta :
» — J'attends de ce côté-là un grand trésor ! »

Le Prieur garda le silence et s'éloigna, se demandant de
quel trésor voulait parler Nicolas ; car, connaissant l'esprit
prophétique de ce religieux qu'il savait continuellement
plongé en DIEU et favorisé de communications surnaturelles, il ne douta pas qu'il ne s'agît d'une insigne présent
du Ciel.

Or, quelques années plus tard, en 1294, la Sainte Maison
de Nazareth était transportée par les anges dans la petite
ville de Lorette, voisine de Fermo, et la vision du célèbre
moine augustin eut son explication naturelle (1).

DIEU traitait ainsi familièrement son serviteur et se
plaisait à lui communiquer, avec une ineffable tendresse,
les secrets de sa Providence, veillant sur lui avec une
attention spéciale et ne souffrant pas qu'il fût trompé et
détourné de sa voie, comme le démontre la seconde vision
qui couronna un des plus sérieux combats qu'eut à soutenir
Nicolas pour rester fidèle à sa vocation.

Voici le fait, tel que le racontent tous ses historiens :

L'austérité prodigieuse du saint Ermite l'avait rendu un
objet de compassion pour tout le monde : son corps affaibli,
son visage amaigri, ses yeux enfoncés, ses lèvres déco-

---

1. Pantheon Augustinianum. — Giannizi, *Istoria della S. Casa di Loreto*,
pag. 17.   Rossi, éditeur, 1845.

lorées, lui donnaient l'apparence d'un vieillard, alors que la jeunesse aurait dû s'épanouir sur sa figure en couleurs vermeilles. Il était évident qu'il se consumait de jour en jour. Gagné par les importunités d'un de ses cousins, abbé

LE BIENHEUREUX GRAZIA DE CATTARO,
un contemporain de Saint Nicolas.

du monastère bénédictin de Sainte-Marie de Giacomo, aujourd'hui Sainte-Marie in Giorgio, situé près de Fermo, le serviteur de Dieu se rendit un jour près de lui pour le visiter.

L'abbé bénédictin savait déjà que les monastères augus-

tins se trouvaient à cette époque dans la plus grande
pénurie. Quand il vit l'extrême pauvreté, l'aspect souffrant
et misérable de Nicolas, il fut sensiblement ému, mais plus
pour son corps que pour son âme, dit saint Antonin.

« — Pourquoi, lui dit-il, pourquoi, ô mon frère, souffrir
» une telle misère et une telle indigence ? Est-ce la condi-
» tion actuelle de votre Ordre qui vous soumet à de si
» dures nécessités ? Comment ferez-vous pour remplir
» toutes les obligations de votre état ? Il est grand temps
» d'apporter remède à vos souffrances et d'avoir compas-
» sion de votre âge encore peu avancé. Croyez-moi, venez
» partager l'abondance de ce monastère ; car, attaché à
» vous par les liens de la parenté, je ne puis voir votre
» jeunesse dans un semblable état (1). »

Le saint religieux vit de suite qu'une telle proposition
était un piège de Satan. Il ne répondit rien ; mais entrant
dans l'église du monastère, il recourut à ses armes ordinaires, la prière et l'oraison :

« — Seigneur, s'écria-t-il, dirigez mes voies en votre
» présence, et comme un guide assuré, conduisez mes pas
» dans vos sentiers ! »

Nicolas achevait à peine ces invocations empruntées au
Prophète royal, que le divin Maître vint à son secours
d'une manière merveilleuse. Une vingtaine de jeunes gens,
raconte le bienheureux Jourdain de Saxe, se montrèrent
à lui, portant des vêtements blancs et tout rayonnants d'une
lumière éblouissante. Se divisant en deux chœurs, ils
chantaient en s'accompagnant avec une harmonie céleste :

« — A Tolentino, à Tolentino, à Tolentino sera ta mort !
» Persévère dans la vocation où tu as été appelé. C'est là
» que sera pour toi le salut (2). »

Notre Saint comprit aussitôt qu'il voyait des anges de
Dieu et non des hommes, et que ces messagers du Très-
Haut l'avertissaient, comme il l'a révélé plus tard à quelques personnes, qu'il mourrait à Tolentino. Sa résolution
fut dès lors inébranlable ; et son cousin eut beau employer
les caresses, les sollicitations les plus pressantes, les

---

1. Bienheureux Jourdain de Saxe, liv. 3, chap. 12.
2. Pierre de Monte Rubbiano, chap. 14-15. — Saint Antonin. — Bienheureux Jourdain de Saxe, *ibid*.

menaces et la frayeur pour le faire renoncer à l'austérité de sa vie et l'amener à une existence plus large, il ne put y parvenir et dut céder devant la fermeté de Nicolas, qui reprit bientôt, paisiblement, le chemin de son couvent.

Ce jour-là même, le Seigneur montra combien l'énergie, l'obéissance et l'humble pauvreté de son serviteur lui étaient agréables, en permettant que le Provincial, qui ne savait rien de la vision, lui donnât son obédience pour Tolentino, lui montrant ainsi la réalité de la faveur qui lui avait été accordée.

Cette fois, le Saint allait entrer définitivement dans la voie à laquelle Dieu le préparait depuis longtemps. Il était mûr pour le ministère; le champ du père de famille s'ouvrait devant lui, il allait le cultiver et le faire fructifier, tout en gardant les vertus de son état et la ferveur intime de son âme, devenant ainsi le modèle parfait des vrais apôtres.

Le divin Maître se disposait à lui donner plus que jamais la triple force qui permet d'accomplir les œuvres d'en haut dans les âmes : la force de la prière, celle de la parole, et celle des miracles. Nous allons voir, maintenant, comment Nicolas remplit les desseins du Seigneur et accomplit ses adorables et mystérieuses volontés.

Chapitre Dixième.

SAINT NICOLAS PRÉDICATEUR.

Situation morale et religieuse de l'Italie au XIIIe siècle. — Saint Nicolas reçoit l'obédience pour le couvent de Tolentino. — Ses premières prédications. — Conversion d'un chevalier. — Popularité de Nicolas. — Le miracle de la Porta Montana. — Le Saint guérit son confesseur d'une maladie douloureuse. — Puissance du signe de la Croix.

E N s'élevant de plus en plus vers Dieu par une sainteté toujours croissante, le prêtre ou le religieux doit étendre aussi, par le zèle, l'amour et la charité, sa salutaire et bienfaisante influence sur les âmes et sur les peuples, influence de préservation et de régénération ; car il est le sel de la terre et la lumière exposée sur la montagne. Le ministre sacré, a dit un écrivain de ce siècle, est une tige qui fait fleurir Dieu, et le donne aux hommes en leur prêchant de paroles et d'exemples le renoncement demandé par le Sauveur, et en les aidant à remporter sur eux-mêmes les victoires qui commencent et achèvent les conversions ; car, en se donnant aux autres, même avec profusion, il doit se sanctifier encore et sanctifier ceux qui reçoivent ses bénédictions et usent de son pouvoir surnaturel. Mais ce pouvoir du prêtre ou du religieux ne produira ses fruits de rénovation et de salut qu'à proportion du feu sacré qui enflammera son cœur et des vertus qu'il pratiquera pour arriver lui-même à la perfection héroïque que demande le sacerdoce divin dont il est revêtu.

Certes, le treizième siècle, en Italie, avait un pressant et impérieux besoin de cette action morale et civilisatrice du clergé, pour ne pas retomber tout à fait dans les ténèbres et les horreurs de la barbarie. Les hérésies des Béguins et des Flagellants avaient perverti les masses, en mêlant, avec une adresse satanique, les pratiques extérieures de la piété aux actes de la plus étrange corruption. De nombreux chrétiens s'étaient laissé séduire et adhéraient à cette pernicieuse doctrine qui tranquillisait leur conscience, tout en leur permettant de satisfaire pleinement leurs passions.

D'un autre côté, les deux factions des Guelfes et des Gibelins entretenaient la guerre civile et semaient partout la division, la révolte et la haine, en foulant aux pieds les droits les plus sacrés et les plus légitimes. Les familles se séparaient, le père s'armait contre le fils, le fils contre le père, et il n'était pas rare de voir une ville d'Italie partagée en deux camps opposés, tour à tour vainqueurs, et couverte de sang et de ruines par ses propres enfants. Les expéditions militaires successives, les armées passant comme un ouragan sur les pays conquis ou dévastés, avaient laissé derrière elles un relâchement de mœurs et une corruption difficiles à décrire. L'Evangile était tombé avec la croix des temples, l'Eucharistie et la pénitence

PORTRAIT AUTHENTIQUE
DE SAINT NICOLAS.

avaient été oubliées à mesure que les incendies dévastaient les sanctuaires et consumaient les tabernacles, et il semblait impossible de conserver dans un tel chaos l'étincelle de foi et le germe de pureté qui sauvent l'intelligence et gardent le cœur, en leur permettant de retrouver après l'orage l'honneur, la dignité et la raison qui semblaient perdus à jamais.

Mais les secrets de Dieu sont admirables ! Quand tout semble fini pour les sociétés, il fait apparaître de grandes et nobles figures comme celle du Saint dont nous écrivons la vie ; il leur donne le prestige d'une sainteté extraordinaire et d'une vertu surhumaine, et les pose devant les

peuples comme le phare lumineux qui, leur montrant la
voie du salut, les attire vers le progrès et la pratique du
christianisme.

La tâche de saint Nicolas était donc difficile, entourée
d'obstacles et impossible à la seule force de l'homme. Il
devait, armé seulement de la charité du Christ, grouper
autour de lui les membres dispersés des familles, les cœurs
ulcérés et pervertis, les âmes dévoyées, et rétablir partout
la fraternité et la paix. C'est bien là que se montre la puissance du prêtre qui sait comprendre sa mission et s'appuyer sur Dieu pour exercer son sublime ministère !

Le Seigneur avait vraiment bien choisi et préparé
Nicolas pour en faire l'apôtre de Tolentino, comme l'avaient
chanté si clairement les anges dans la vision de l'église
Sainte-Marie de Giacomo : il devait se rendre dans cette
ville, y faire le bien et y demeurer jusqu'à son dernier
soupir !

Notre Saint venait d'entendre ces paroles du Ciel,
lorsque, rentrant le soir dans son monastère, après sa
glorieuse lutte avec son cousin, il trouva une lettre de son
supérieur lui donnant obédience pour le couvent de
Tolentino (1). N'était-ce pas une nouvelle et frappante
preuve que Dieu se sert souvent des directeurs et de ceux
qui ont autorité, pour diriger les inférieurs selon ses desseins et les conduire dans le chemin du salut et de la
perfection ? Le religieux qui donnait ainsi à Nicolas
l'ordre de partir, ignorait la vision de ce dernier, et devenait, sans le savoir, l'instrument de la volonté du Seigneur,
la voix même du Ciel !

Comme dans tous ses autres départs, ce parfait obéissant s'inclina devant la volonté du Très-Haut qu'il reconnaissait dans celle de son supérieur. Calme et tranquille, il
se hâta d'exécuter l'ordre reçu en se dirigeant vers sa nouvelle destination, comme s'il se fût agi d'un point ordinaire
et indifférent de la règle (2).

Il partit à pied, comme il l'avait toujours fait, accompagné d'un Frère convers et n'emportant, pour tout bagage,

1. Nicolas de Tombeur. Voir l'appendice n° II, à la fin de ce volume.
2. Ut verus obediens concitus illuc perrexit. Saint Antonin.

que son bâton, son bréviaire et ses instruments de pénitence.

La plupart des historiens, s'accordant avec le procès de
canonisation, placent ce voyage du Saint et son arrivée à
Tolentino en l'année 1275, la onzième de sa vie religieuse
et la trentième de son âge. Il était donc dans la pleine
efflorescence de la sainteté et du talent, et plus que jamais
capable des grandes choses qu'attendaient de lui ses supérieurs et ses frères.

Le peuple de Tolentino ne s'y trompa pas. Quand il vit
la figure pâle et amaigrie du nouveau religieux, son sourire
doux et bienveillant, son maintien humble, modeste et
recueilli, il crut voir un bienheureux descendu du Ciel et
s'écria d'une seule voix : « C'est un saint ! Quel visage
angélique il a ! » (1)

Les œuvres qui suivirent l'arrivée de Nicolas, ne démen-
tirent pas cette première impression produite par la vue
de notre bienheureux ; car il se mit de suite à évangéliser
le peule et se livra tout entier aux œuvres de zèle pour
lesquelles on l'avait appelé dans cette ville, et qui semblaient être la plus douce des occupations pour son cœur
d'apôtre. Il avait reçu de la nature de rares dispositions
pour la prédication : l'esprit pénétrant, le jugement solide,
la conception et la parole nettes et faciles. Cependant, quels
que fussent ses talents naturels et son aptitude merveilleuse pour les travaux apostoliques, il ne serait jamais
parvenu à guérir les plaies spirituelles et invétérées des
masses, s'il n'eût été marqué du sceau d'une grâce extraordinaire et aidé puisamment par le Ciel !

Quand cet admirable Saint montait en chaire, la seule
vue de son angélique et austère visage saisissait son auditoire et le dominait tellement, que tous demeuraient profondément recueillis, silencieux et comme suspendus à ses
lèvres. Sa parole tombait alors dans les âmes, simple et
sublime, semblable à un soupir profond sur les tristesses
et les misères de l'humanité dont il avait mesuré l'abîme
sans fond, remuant les cœurs et les entraînant.

Laissant la vaine parade de science des prédicateurs de
son époque, Nicolas s'appliquait de préférence à l'expli-

1. Faciem habebat angelicam. — *Procès.* Cum esset decoro vultu. — *Brev.*

cation familière des articles de la foi, se mettant à la portée
de tous, les exposant avec clarté et avec une méthode si
habile et si nouvelle, qu'on croyait entendre, en l'écoutant,
des vérités presqu'inconnues jusqu'alors. Sa puissance
oratoire était telle qu'on était moralement sûr de la conversion d'un pécheur, dès qu'on pouvait le décider à entendre le serviteur de Dieu, comme du retour à la vraie foi
des malheureux hérétiques, qui ne résistaient pas à ses
accents de feu et renonçaient en foule à leur vie licen-
cieuse et à leurs fausses croyances.

Dans ces conditions et avec cette merveilleuse influence,
quelques jours seulement suffisaient à notre Saint pour
métamorphoser tout un pays et le ramener à la pratique
de la vie chrétienne. Voici comment saint Antonin parle
des prédications du glorieux apôtre et de leurs effets sur
les foules :

« Sa conversation avec tous, sains ou infirmes, ne parlait
» que des choses célestes. C'est avec une douceur admi-
» rable qu'il prêchait la divine parole ; et les mots qui
» tombaient de ses lèvres étaient comme des flammes
» ardentes. Obligé de se livrer au ministère apostolique
» par ordre de ses supérieurs, il ne s'occupait pas de
» montrer sa doctrine ou son talent, mais seulement de
» glorifier Jésus crucifié. Dans son auditoire, alors, on ne
» voyait que larmes, on n'entendait que soupirs ; et tous
» détestaient hautement leur vie passée. » (1)

L'amour de Dieu, de l'Eglise et des âmes, la haine du
mal, étaient les seules passions de cette grande âme.
Oublieux de lui-même, méprisant la gloire du monde et
cherchant uniquement celle du Seigneur, Nicolas ne s'in-
quiétait pas du jugement des hommes. Ni les calomnies, ni
les injures, ni les menaces ne pouvaient l'effrayer ni l'arrêter ; il faisait son devoir sans trembler et flagellait publiquement le vice et l'hérésie. Parlant pour Dieu et de Dieu,
il ne redoutait ni le monde, ni l'enfer.

On ne peut s'étonner toutefois des succès merveilleux et
des résultats inespérés de la prédication du Saint, quand on
considère la préparation qu'il apportait à ce ministère par
ses mortifications excessives, ses jeûnes, ses prières pro-

_____

1. Saint Antonin. *Brev.*

longées, le martyre de sa vie et la grâce toute spéciale
qu'il avait reçue du Très-Haut. Il ne prêchait si volontiers

ARCHER DE LA SUITE DU PRINCE
(D'après les tapisseries de Reims, au XVe siècle.)

la parole de Dieu, dit le procès de sa canonisation, que
pour délivrer les âmes des ténèbres du péché, que pour
éloigner les scandales, et donner à tous la joie d'avoir reçu

la vraie semence du salut (1). Aussi jouissait-il d'un merveilleux prestige à Tolentino ; et ses prodigieux succès
semblaient déjouer toutes les ruses et toutes les violences
du démon, qui ne pouvait rester témoin purement passif des
victoires du Saint (2). Il chercha, cet ennemi de tout bien,
à entraver ce ministère si fructueux par tous les moyens
possibles ; mais il ignorait de quelle force surnaturelle
Nicolas était rempli, et ce que son admirable douceur et sa
vertu sans exemple pouvaient obtenir du cœur de Dieu
et des âmes des pécheurs.

En voici un exemple. Un noble chevalier, appelé Jean,
menait ouvertement une vie coupable et scandaleuse. Le
serviteur du Christ avait plusieurs fois tenté de le ramener dans la bonne voie, mais sans réussir ; car le malheureux le haïssait et le persécutait de mille manières.
Souvent, dit le procès de la canonisation, Jean interrom-
pait grossièrement la prédication du Saint ; puis, saisi de
remords, il allait le trouver et lui demandait un pardon
toujours accordé avec une extrême bonté (3). Il recommençait ensuite, retombait dans ses mauvaises habitudes
et poursuivait de nouveau son bienfaiteur de ses attaques
injurieuses. Un jour que celui-ci devait prêcher dans une
plaine près de la ville, ce pécheur endurci s'entendit avec
plusieurs jeunes gens, compagnons de ses plaisirs, afin de
faire du bruit pendant le sermon. A l'heure indiquée, le
Saint commença son discours; mais cette troupe d'écerve-
lés, passant du côté des femmes, se mit à croiser le fer, à
pousser des cris et de bruyants éclats de rire qui, se
mêlant aux exclamations de frayeur des assistants et au
son lugubre de l'acier qui s'entre-choquait, troublèrent
profondément la pieuse assemblée.

Nicolas se souvint alors de cette parole de saint Augustin, son père : « *Si l'on vous provoque à la colère, cherchez
à vaincre par la douceur,* » et jetant un regard de compas-

---

1. Loquebatur libenter verbum Dei ut a peccatorum tenebris liberarentur...
removebat scandala. *Procès.*

2. Habebatur pro sancto viro in magna devotione et reverentia... credebatur
de eo sicut de aliquo sancto de Paradiso. *Procès.*

3. Pluries impedivit prædicationem ejus, et nunquam vidit eum de hoc
turbari, et quando ibat ad eum ad petendam veniam de dicto tædio, inve-
niebat eum multum benignum in parcendo sibi et sociis. *Procès.*

sion et de douce pitié sur ses interrupteurs, il continua tranquillement son sermon. L'auditoire avait eu un mouvement de frayeur et d'angoisse qui se changea bientôt en admiration. Les malheureux jeunes gens, étonnés de l'invincible patience du moine augustin, rougirent de leur conduite et se turent, saisis de respect. Les armes tombèrent de leurs mains, et, mêlés à la foule, ils écoutèrent en silence. Le discours à peine terminé, tous ces libertins, pleurant à chaudes larmes, vinrent se jeter aux pieds de Nicolas en s'écriant : « Pardonnez-nous, mon Père, nous voulons être à Dieu ! » Grande fut la joie du Saint devant le sincère repentir de ses persécuteurs ; il leur tendit les bras avec un sourire ineffable et leur témoigna toute la tendresse d'un bon pasteur pour la brebis retrouvée et réconciliée avec le Ciel (1).

Cette conversion inattendue fit un grand bruit ; car le jeune officier, instigateur de cette tentative impie, était très connu tant à cause de sa noblesse que par ses désordres et sa vie publiquement scandaleuse (2).

Pendant que le peuple admirait et bénissait la vertu de son prédicateur, d'autres jeunes gens, peut-être d'anciens amis des convertis, se soulevèrent encore contre le Saint et l'accablèrent de reproches, d'injures et de malédictions. En agissant de la sorte, ils cherchaient à résister à la grâce qui les poursuivait et à s'enraciner dans leurs mauvaises habitudes, afin que ni l'éloquence, ni la sainteté de Nicolas ne pussent triompher d'eux (3). Ils voulaient le fatiguer et le forcer à les laisser dormir tranquillement dans le vice.

Mais l'héroïque serviteur de Dieu n'était pas homme à s'avouer si facilement vaincu. Ne pouvant parvenir à les aborder et à leur parler, il souffrit tranquillement leurs injures, les poursuivant de son regard profond, si doux et si tendre.

Ce regard, comme celui de son divin Maître sur Pierre, eut un effet aussi prompt qu'efficace et sanctifiant ; il toucha ces jeunes impies, les amena repentants aux pieds de

1. Anonyme. 1re partie, ch. 28, p. 75.
2. Et potenti milite D. Joanne nato a quodam nobili. *Procès.*
3. Giorgi, ch. XVI, p. 143-144.

leur victime, qui les confessa et en fit de véritables et sérieux chrétiens.

Depuis ce jour, l'influence et le prestige de Nicolas furent immenses à Tolentino et aux environs ; et nous touchons à l'époque la plus merveilleuse de sa vie. Ses vertus connues et appréciées lui font, aux yeux des peuples, une lumineuse auréole de sainteté et de pouvoir surnaturel ; les populations le proclament ami de Dieu et puissant thaumaturge ; on accourt vers lui, on réclame ses prières et son intercession près du Seigneur ; sa seule présence semble une garantie suffisante de la protection du Ciel.

Cette croyance certaine en sa sainteté inspire à tous la plus entière confiance ; tantôt une paroisse, tantôt une autre, réclament son ministère, et le serviteur du Christ, toujours prêt à se dévouer, ne manque pas d'accourir quand ses devoirs de religieux le lui permettent. Ne calculant ni la fatigue, ni les difficultés, sacrifiant tout pour le salut des âmes, même son attrait pour la solitude, l'étude et la prière, il part dès qu'il entrevoit du bien à faire, une âme à sauver. Non content de recevoir les pécheurs qui viennent à lui en foule, il va lui-même les chercher, il les touche par ses prières et par ses larmes, il les convertit et les force, pour ainsi dire, à recevoir le pardon de ses mains bénies.

Cette commune croyance en l'extraordinaire sainteté de Nicolas, et la confiance qui en jaillissait dans tous les cœurs, furent encore augmentées par plusieurs éclatants miracles, dont nous citerons quelques-uns.

Se trouvant un jour à Tréja, aujourd'hui Montecchio, et étant sorti de la ville par la porte *Montana*, ainsi appelée parce qu'elle conduit aux montagnes, le Saint rencontra une femme qui tenait dans ses bras le cadavre de son fils, qui venait de se noyer. La malheureuse mère versait des larmes abondantes et paraissait inconsolable dans le malheur qui la frappait. Emu de compassion, Nicolas, s'approchant d'elle, traça un signe de croix sur l'enfant, qu'il rendit à la vie, et fit succéder, en un instant, la joie la plus extrême à la plus amère tristesse. Cette tradition s'est conservée jusqu'à nos jours ; et il existe encore une fresque sur la porte *Montana*, et une inscription gravée

sur la pierre qui rappellent ce grand prodige du thaumaturge de Tolentino (1).

Le Père Jean de Montecchio, confesseur du Saint, fut
aussi guéri par lui d'une hernie très douloureuse, dont il
souffrait depuis longtemps. En 1299, ce religieux, âgé de
quarante ans, avoua son mal à son pénitent.

— Ne doutez pas, dit celui-ci, que le Seigneur n'accorde
son aide à ceux qui désirent le bien servir !

Puis, touchant le côté malade, il fit un signe de croix en
disant au Père :

— Vous pouvez vous en aller !

Le religieux se retira et se mit au lit. Le lendemain, il
était tout à fait guéri. Vingt-six ans après, il jurait devant
les légats apostoliques qu'il n'avait jamais rien ressenti
depuis cette miraculeuse guérison (2).

Nicolas était si familier avec les miracles, et connaissait
si bien la puissance de sa bénédiction, qu'il ne refusait
jamais de la donner, et de guérir par là tous ceux qui
venaient à lui avec des maladies ou des infirmités.

Une femme, nommée Blanda, fille de maître Scambio de
Tolentino, souffrait depuis quinze ans de violentes douleurs
de tête. Privée, par la force de la souffrance, de la vue et
de l'ouïe, elle ne pouvait plus travailler et était réduite à
une complète impuissance. Elle vint un jour trouver le
Saint, le suppliant de lui toucher la tête, et insistant pour
n'être pas refusée. Sa confiance fut à l'instant exaucée ;
car les douleurs disparurent complètement sous le signe
de croix tracé par le serviteur de Dieu sur le front de la
malade (3).

Une autre femme de Tolentino, Genantessa, ayant
désobéi à son mari, celui-ci, dans un moment de violente
colère, se jeta sur elle et la frappa si brutalement avec

1.   Ad ambitum
                 Portae hujus Montanae
              Divus Nicolaus Tolentinas
                 Puerum praefocatum
                 Ad vitam revocavit.
              Ave praesidium et decus
                 Catholicæ Ecclesiæ.

2. *Procès*, fol. 29, p. 2.

3. Frigerio, ch. XXII, p. 103.

l'anneau de sa ceinture, qu'il lui fit au sein une profonde et large blessure. Cette plaie, mal soignée, devint bientôt un cancer absolument incurable et extrêmement douloureux. C'est alors que cette malheureuse vint trouver le religieux; et celui-ci, traçant le signe de la croix sur la plaie, la guérit en lui disant :

« Qu'Il te guérisse, Celui qui rendit le sein à la bienheu-
» reuse Agathe ! Je t'avertis seulement de ne pas publier
» cette grâce, mais de louer intérieurement l'unique méde-
» cin du monde, Notre-Seigneur Jésus-Christ. »

Un certain Thomas, en coupant du bois à la campagne, se donna par inadvertance un coup sur le pied et se coupa totalement un nerf. Il était donc impossible de le guérir ! Il se fit porter devant saint Nicolas et le pria humblement de vouloir bien réciter quelques prières sur le membre malade.

Pendant qu'on déliait les bandelettes qui maintenaient le pied, le serviteur de Dieu récita le *Pater*, et fit le signe de la croix sur la coupure en disant :

« Va en paix, mon fils, bien que tu sois grièvement blessé;
» mon Sauveur Jésus-Christ t'aidera et aura égard à ta
» bonne foi ! »

De retour chez lui, l'infirme, qui n'avait rien senti, fit enlever de nouveau les linges en présence du médecin. Celui-ci, extrêmement surpris de ne voir aucune trace de mal, demanda au blessé comment il avait été guéri. Celui-ci s'écria alors plein de joie :

« O Nicolas, homme de Dieu, combien grande est la
» puissance de tes mérites saints, puisque tu m'as délivré
» d'une si grave blessure ! »

Et, se levant aussitôt, il courut au monastère remercier le Saint, et raconter, en présence des religieux, le miracle dont il avait été l'objet. Mais son bienfaiteur, redoutant la vaine gloire et les louanges, se troubla, et, tout attristé, dit à l'heureux Thomas :

« Ce n'est pas assurément par mes mérites que vous
» avez été sauvé; c'est seulement par la vertu de Dieu. Je
» vous avertis donc de ne plus jamais parler de ce fait tant
» que je serai sur cette terre (1). »

---

1. Frigerio, ch. XXII, p. 102.

En 1302, un jeune homme de vingt-six ans, nommé Mercadante, fils de Jean-Adambi de Tolentino, fut saisi d'une fièvre violente avec délire. Au bout de vingt jours, Nicolas eut connaissance de l'état alarmant du malade, et alla le visiter. A peine arrivé près du mourant, il entendit sa mère, Fiordalisia, le supplier en pleurant de prier pour son fils.

« Père Nicolas, lui dit-elle, Dieu vous a envoyé pour me » consoler ; mon enfant est perdu si le Ciel ne lui vient » en aide. Par charité, priez le Seigneur de le guérir, et, » puisque vous êtes venu, faites sur lui le signe de la » croix. »

Le Saint s'avança avec bonté près du lit du malade, et le bénit en priant Dieu. Le jeune homme s'écria aussitôt : « Je suis guéri ! » et se leva délivré de la fièvre et en parfaite santé (1).

Deux ans après, en l'année 1304, une guérison semblable avait encore lieu à Tolentino sur le fils d'un des habitants de la ville, nommé Jean. Ce jeune homme, appelé Puccio, était consumé par une fièvre tierce qui le brûlait et que rien ne pouvait arrêter ; car plus il buvait et se soignait, plus le feu intérieur et la soif qui le dévorait semblaient ardents. Après quinze jours d'indicibles souffrances, son père lui proposa de le conduire au Père Nicolas, afin de réclamer des prières pour sa guérison. Le malade y consentit et se traîna, aidé par les siens, jusqu'à la chambre du Saint, qui était lui-même souffrant. Arrivé à l'humble cellule : « — Père Nicolas, dit Jean, priez pour mon fils » auquel une grande fièvre donne une soif inextinguible. « — Allez, allez maintenant, répondit le religieux, et que » le Seigneur vous accompagne ! » Et comme les deux infortunés demeuraient immobiles et suppliants, — « Allez, » reprit le Saint, allez avec la bénédiction du bon Dieu et » ne restez plus ici ! »

Pleins de confusion et de tristesse, le père et le fils se retournèrent pour s'éloigner ; mais ils n'avaient pas encore quitté la chambre que la fièvre de Puccio avait disparu et que sa soif dévorante était apaisée, comme l'un et l'autre l'ont témoigné dans le procès de canonisation (2).

1. *Procès*, fol. 79, p. 2.   2. *Procès*, fol. 85, p. 1.

Elle était donc bien grande la puissance de Nicolas sur le cœur de Dieu, qui ne refusait rien à la prière de son serviteur ! Mais aussi bien grande était la confiance de tous ceux qui accouraient vers l'humble moine pour obtenir secours et guérison, avec un simple signe de croix tracé sur eux par la main d'un saint.

Chapitre Onzième.

ZÈLE DE SAINT NICOLAS POUR LE SALUT DES AMES.

Saint Nicolas au Tribunal de la pénitence.— Il met la paix dans une famille. — Ugolin Monaldo. — Fiordalisia miraculeusement conservée à la vie.

E grand Saint dont nous écrivons l'admirable vie, n'avait pas reçu du Ciel l'unique mission de soulager les infirmités humaines qui venaient à lui, et de rendre la santé corporelle aux malades ; il cherchait surtout et avant tout à guérir les âmes, bien plus précieuses à ses yeux. Pour les toucher, les éclairer, les relever et les réconcilter avec Dieu, il ne négligeait aucun moyen ; il priait sans cesse, faisait pénitence, et jeûnait pour le salut des pécheurs ; il leur adressait, du haut de la chaire de vérité, les appels les plus touchants et les menaces les plus capables de les faire rentrer en eux-mêmes, les poursuivant de son regard profond et doux, les attirant par sa tendre compassion. C'était surtout au Tribunal sacré de la pénitence qu'il les attendait et leur prodiguait les trésors de son héroïque charité ; car la condition nécessaire d'un véritable retour à Dieu est une confession sincère. Saint Nicolas était toujours prêt à entendre et à absoudre les pauvres pécheurs; et, quelles que fussent ses occupations et ses fatigues, il laissait tout pour leur administrer le sacrement de pénitence. On peut dire véritablement que c'est à ce Tribunal sacré que se déployait dans tout son éclat le zèle héroïque de ce digne fils d'Augustin.

« Quand il écoutait les confessions, dit le procès de » canonisation, il paraissait un ange (1), » ayant le cœur dans le Ciel pour en ravir les grâces, et la main sur les

---

1. Videbatur quidam angelus in confessionibus audiendis.   *Procès.*

pécheurs pour les bénir, les guider et les porter vers les hautes régions de la vertu que Dieu remplit de sa lumière.

Il eût désiré voir tous les chrétiens s'approcher régulièrement et souvent de ce sacrement, qui rétablit la paix, la grâce et l'amour entre le pécheur et son souverain Créateur. Aussi est-il difficile de dire quel était l'empressement des fidèles à accourir à son confessionnal, et combien ils s'estimaient heureux de pouvoir déposer dans le cœur du saint moine le poids accablant de leurs iniquités. Ilssentaient bien que ses conseils venaient d'en-haut, que la vie nouvelle dont il leur montrait le chemin était celle du salut, et que sa parole bénie brisait réellement les liens qui les avaient retenus jusqu'alors dans les voies de la perdition.

Il accueillait tout le monde avec une douceur et une bienveillance à toute épreuve (1) : les riches et les pauvres, les nobles et les gens du peuple, les savants et les ignorants ; il ne renvoyait personne et donnait à chacun tout le temps voulu pour l'entendre entièrement. Pour les enfants, il avait la tendresse d'un père, s'appliquant à enseigner lui-même, aux plus petits et aux plus pauvres, les éléments de la doctrine chrétienne. Quand il les avait ainsi préparés, il recevait leurs confessions et les admettait à la Table sainte.

Accessible à tous, il faisait même des avances à ceux qui hésitaient à venir le trouver ; son attention bienveillante était extrême devant les récits les plus humiliants et parfois les plus fatigants ; sa piété compatissante, sa charité sans bornes, lui faisaient ressentir vivement les malheurs et les faiblesses des hommes ; il versait des larmes abondantes sur les peines et sur les péchés dont il entendait le récit, s'efforçant de relever les courages abattus, de guérir les blessures et d'en sonder la profondeur et la gravité avec une délicatesse et une patience admirables (2). Il offrait ensuite à Dieu ces âmes purifiées et guéries, se réjouissait d'avoir travaillé à la seule gloire du Maître et de lui avoir

---

1. Et confitentes confortabat humiliter et benigne.   *Procès.*

2. Compatiebatur multum in defectibus et infirmitatibus eorum, et offerendo se velle pœnitentiam portare pro eis.

                                                 Procès.

gagné des cœurs jusqu'alors éloignés de Lui. C'est ainsi que Nicolas comprenait la mission du prêtre sur la terre, et rien ne pouvait l'arrêter dans l'exercice héroïque de ce sacré ministère. Il était véritablement le bon Samaritain, toujours prêt à verser l'huile et le vin sur les plaies du pauvre pécheur et du malheureux étranger qu'il rencontrait sur sa route.

On le vit plusieurs fois quitter son lit, malgré une fièvre ardente, et venir à l'église dès qu'il apprenait qu'on l'attendait au confessionnal (1). Lorsque parfois ses frères lui faisaient remarquer que sa santé demandait plus de ménagements : « Ma vie n'est rien, répondait-il en souriant, et si » je succombe pour le salut d'une âme, je donne une chose » de nulle valeur pour ce qui a coûté le sang de JÉSUS- » CHRIST. »

L'activité de notre Saint tenait du prodige. Afin de pouvoir consacrer plus de temps à entendre les confessions, il se levait le matin entre deux et trois heures, commençait sa journée par une rude discipline, suivie de plusieurs heures de méditation et de la célébration de la sainte Messe. Il se rendait ensuite au Tribunal de la pénitence. Tous les samedis, toutes les veilles de fêtes, et presque tous les jours de Carême, il y demeurait du matin au soir, sans prendre aucune nourriture (2). Les groupes se succédaient aux groupes sans interruption devant son confessionnal ; et Nicolas y restait assis, calme, immobile, recueilli, recevant tout le monde sans laisser apercevoir la moindre fatigue et la moindre impatience, prononçant sur chacun les paroles du pardon, de la résurrection et de la vie.

Sa charité le rendait ingénieux à encourager et à soulager les infortunés qui venaient lui avouer les fautes les plus graves et les crimes les plus énormes. Il ne leur imposait que de légères pénitences, dit encore le procès, se réservant parfois de faire les prières que les pécheurs paresseux ou peu sincères trouvaient trop longues et trop pénibles. Se considérant comme une victime chargée d'expier les péchés des autres, et particulièrement de ceux qu'il appe-

1. Ma informata che il buon Padre era ammalato con forte febbre... quando ecco vide venire il santo ministro.   Giorgi, chap. V, pag. 55.

2. Giorgi, ibid.

lait ses frères et ses enfants dans le Christ, il priait sans cesse pour eux, jeûnait, célébrait la sainte Messe, et mêlait son sang à ses larmes pour obtenir leur délivrance et leur conversion, pour satisfaire à la justice divine, outragée par tant d'iniquités (1).

Quelle imitation parfaite du divin Rédempteur! Est-il étonnant, après cela, que nul ne pût résister à Nicolas, et qu'on regardât comme une exception les pécheurs qui n'avaient point répondu à son appel et à ses soins ?

Nous insistons sur ce point, parce qu'il faut bien remarquer qu'au temps où notre Saint exerçait ainsi le ministère, c'est-à-dire à la fin du treizième siècle et au commencement du quatorzième, les sacrements étaient presque totalement abandonnés ; les hommes et les femmes ne s'approchaient plus du Tribunal de la pénitence, et ne recevaient plus la sainte Eucharistie.

Mais avec le serviteur de Dieu les jours de la piété antique semblèrent revenir ; toutes les ruines morales causées par l'hérésie et la guerre furent glorieusement et solidement réparées. Ces ruines étaient grandes cependant; car, nous l'avons dit, les guerres avaient engendré une corruption profonde dans toutes les classes de la société ; les lois sacrées du mariage étaient foulées aux pieds, et la femme donnait elle-même l'exemple d'une licence effrénée et de mœurs déplorables. Mais, comme le dit un écrivain, le Saint rangeait sous le joug du mariage et renfermait dans le sanctuaire, désormais sanctifié, du foyer domestique toutes ces Dalilas de l'ignominie ; car les âmes les plus perverses reprenaient à sa parole le chemin de la vertu, et les pécheurs publics et scandaleux ne pouvaient résister à son zèle, à ses prières, à ses jeûnes, et étaient ramenés par sa force d'âme, sa pureté inviolable et son courage invincible (2). Telles étaient les victoires remportées journellement par l'éminente sainteté de Nicolas, qui passait ainsi en faisant le bien, rendant la paix aux familles, apaisant les discordes, employant tous les moyens en son pouvoir pour

---

1. Imponebat parvas poenitentias... pro multis sibi confitentibus orabat, jejunabat, celebrabat et lachrymas effundebat ut a tenebris peccatorum liberarentur.   *Procès.*

2. Giorgi, chap. V, pag. 49.

faire cesser les haines et arrêter les procès. Aussi méritait-il déjà ce beau et glorieux titre d'Ange de paix que lui donne le bréviaire, et dont le couronnent aussi le bienheureux Jourdain de Saxe et saint Antonin, qui ne craignent pas de le proclamer, l'un, *la paix des divisés*, l'autre, *la paix des désunis* (1).

SAINT NICOLAS

(D'après une gravure du XVIIe siècle.)

Le fait que nous allons raconter, le choisissant entre beaucoup d'autres, le prouvera d'une manière éclatante.

Une jeune fille de seize ans, nommée Jeanne, avait été mariée à un habitant de Tolentino, Ange de Paul, qui, peu

1. Saint Antonin, *In Vita.* — *Brev.* — Bienheureux Jourdain de Saxe, *In Vitas fratrum.*

Vie de S. Nicolas de Tolentino.

de temps après cette union, ressentit une haine violente et
sans raison contre son épouse. Sans jamais donner aucun
motif de sa manière d'agir, il accablait Jeanne d'injures et
de mauvais traitements. Aussi cette pauvre femme passait-
elle ses journées dans la tristesse et dans les larmes.
Comme elle priait humblement le Seigneur de lui accorder
la force et le courage de supporter ce martyre, ou d'adoucir
le cœur de son persécuteur, Dieu, se laissant toucher par
ses supplications, fit connaître à Nicolas la division qui
existait entre les deux époux, et la haine injuste qui empoi-
sonnait le cœur d'Ange de Paul. Le Saint les fit venir
devant lui, et adressa des reproches si éloquents et si bien
mérités au coupable, que celui-ci demanda sur-le-champ
pardon à Jeanne, et promit, en pleurant, de la traiter
désormais avec l'affection et les égards dus à une épouse
respectée.

La jeune femme n'eut jamais plus à se plaindre de son
mari, et, dans la déposition juridique qu'elle fit pour la
canonisation, elle ajouta ces naïves paroles, rapportées par
le procès : « Depuis notre entretien avec le Frère Nicolas,
» il n'y eut jamais entre nous aucune discorde ! » Or, cet
entretien avait eu lieu en 1303, et Ange n'avait quitté ce
monde qu'en 1325 (1).

Le véritable esprit de l'apostolat porte le prêtre à s'occuper sans restriction de tous ceux qui souffrent et ont besoin
de secours. Aussi notre Saint, sachant combien les crimi-
nels et les voleurs publics sont ordinairement délaissés
dans leurs prisons et difficiles à convertir, s'efforça-t-il
toujours, avec un zèle particulier et une extrême charité,
de retirer ces pauvres âmes de l'abîme où elles étaient
tombées. Il allait dans les cachots, de rang en rang, comme
un bon père qui s'intéresse et partage les souffrances d'enfants tendrement aimés ; il écoutait leurs plaintes avec une
extrême patience, et joignait, autant qu'il lui était possible,
l'aumône et les soulagements corporels aux exhortations
et aux conseils ; il parlait aux geôliers et cherchait à leur
inspirer les sentiments d'humanité et de compassion dont
son cœur était rempli.

Aussi l'esprit de paix commença-t-il dès lors à régner dans

---

1. Post dictum F. Nicolai inter nos nulla discordia fuit. *Procès.*

ces lieux de trouble et d'horreur ; et on put juger de l'effet de la bonté et de la vertu sur ces âmes criminelles qui paraissaient auparavant incapables de repentir et de bons sentiments. Nicolas leur parlait de Dieu, les confessait, et, s'il voyait en ces malheureux une conversion sérieuse, tâchait, par tous les moyens imaginables, d'obtenir leur élargissement et leur grâce. Ces soins héroïques pour les pauvres captifs durent être bien étonnants et bien connus, puisque le procès de canonisation appelle notre Saint : *le plus grand consolateur des affligés et des captifs* (1).

Les malades et les infirmes, comme nous l'avons déjà vu, étaient aussi pour Nicolas l'objet d'une attention spéciale. Il s'occupait surtout de ceux qui étaient en danger de mort et sur le point de paraître devant Dieu ; car il savait mieux que personne combien ce moment suprême est grave, difficile, solennel et décisif pour l'éternité ; puisque, selon la parole de l'historien anonyme de Nicolas, l'instant de la mort est le champ des derniers et plus importants combats Comment cet apôtre, si plein de pitié pour les souffrances corporelles, n'aurait-il pas redoublé de zèle et de dévoûment lorsqu'il s'agissait des âmes et de leur salut éternel ?

Suivant la touchante et louable coutume italienne, il ne quittait plus le malade quand l'agonie approchait. Près du lit de douleurs, écrit le bienheureux Jourdain de Saxe, il veillait des nuits entières, priant pour le moribond, le réconfortant par des paroles pleines d'espérance et de douceur, paraissant aux yeux de celui qu'il assistait comme un habitant des demeures éternelles descendu vers sa couche funèbre pour l'aider au dernier passage et le conduire au Ciel (2). Devant son angélique et pâle visage, illuminé des clartés de la divine charité, le mourant se sentait consolé et plein de confiance ; les adieux lui étaient moins pénibles, la séparation moins amère, puisqu'il rendait le dernier soupir entre les bras et sur le cœur d'un saint, d'un ami de Dieu, d'un avocat puissant près du Souverain Juge.

1. Mœstis erat lætitia... captivis remedium, tribulatorum et infirmorum maximus consolator.   *Procès.*

2. Bienheureux Jourdain de Saxe. *Vitæ fratrum.*

Aussi Nicolas était-il appelé dans toutes les demeures où se trouvait un malade en danger. On recourait à lui pour assurer le salut éternel des moribonds, et avec l'espérance d'obtenir la guérison temporelle, ce qui arrivait souvent, même lorsque le Saint, arrêté lui-même par la maladie, ne songeait pas à son propre soulagement et se réjouissait de ses propres douleurs. Quand la souffrance le contraignait de renoncer à ses chères visites aux mourants, il s'en affligeait vivement, pensait à eux et, en bon père, les recommandait très spécialement à DIEU.

Un jour qu'il était ainsi dans l'impuissance de quitter le couvent à cause de ses infirmités, une de ses pénitentes lui offrit un poulet.

« — Va, fille bénie, lui dit-il, porte ce poulet à quelque
» pauvre malade qui en a plus besoin que moi (1). »

Une autre fois, le Saint, étant couché en proie à une fièvre ardente, fut averti qu'un homme de Tolentino, nommé Ugolin, fils de Conrad Monaldo, venait d'être frappé d'apoplexie, que le côté gauche de son corps était paralysé de la tête aux pieds et que l'œil était complètement éteint. Aucun remède ne pouvait soulager l'infortuné qui réclamait instamment le secours du serviteur de DIEU. Celui-ci, malgré son accablement et ses propres douleurs, se leva aussitôt et se traîna péniblement jusqu'à la maison indiquée.

« — Sache, mon fils, dit-il en entrant, que cette maladie
» est une visite du Seigneur. Parce qu'il t'aime, il t'a
» frappé, non pour te tuer, mais pour te sanctifier. Prends
» donc courage ! Comme il est miséricordieux, il te gué-
» rira. »

Alors, touchant le côté malade, Nicolas fit un signe de croix, et aussitôt les membres paralysés devinrent souples et pleins de vie, les yeux reprirent leur première force, et Ugolin, dit le procès, *marcha librement et put aller sans gêne où il voulut* (2).

Nous terminerons ce chapitre en ajoutant pour la consolation des mères que, de son vivant comme il l'est encore

---

1. Dum ipsa portavit ipsi Nicolao unum polastrum, noluit accipere, sed dixit ei : Vade, filia, porta alicui infirmo pauperi qui indigeat plus quam ego.

Procès.

2. *Procès*, fol. 103, pag. 2.

après sa mort, le thaumaturge de Tolentino fut spéciale-ment invoqué par les femmes auxquelles Dieu semble vouloir refuser les joies de la maternité et par celles qui sont dans les douleurs de l'enfantement. Il écoute toujours les prières qui lui sont adressées à ce sujet, dans ces péni-bles circonstances. Le procès de la canonisation cite des miracles opérés par le Saint après son glorieux décès, et nous raconterons dans un autre chapitre ceux qui regardent la famille Appillaterra, avec laquelle il eut des relations étroites.

Contentons-nous seulement du fait suivant arrivé du vivant de Nicolas, et qui est assez frappant pour exciter la dévotion des femmes vraiment pieuses.

Au jour de l'Ascension de l'année 1305, une jeune femme, Fiordalisia, qui depuis huit jours endurait les douleurs de l'enfantement et était réduite à toute extrémité, demanda à se confesser pour la dernière fois au Saint, son père spi-rituel, et à rendre l'âme sous les yeux de ce puissant ami de Dieu. Après l'avoir absoute et encouragée, Nicolas s'éloigna et entra dans une oraison fervente, demandant au Seigneur d'exaucer la confiance de la pieuse chrétienne par sa miséricorde toute-puissante. Sa prière dura deux heures et obtint le miracle demandé, car Fiordalisia fut heureusement conservée à la vie.

Dieu semblait ainsi se plier à tous les désirs de son Ser-viteur et se faire une gloire de lui accorder le don des miracles, pour le récompenser, dès cette vie, de ses héroïques vertus, et rendre sa mission, aux yeux des peu-ples, plus admirable et plus divine.

Chapitre Douzième.

SAINT NICOLAS
VÉRITABLE ERMITE DE SAINT-AUGUSTIN.

Générosité de S. Nicolas. — On lui confie l'office
de quêteur. — Source miraculeuse. — Double
merveille. — Bérard Appillaterra. — Humilité
du Saint. — Prédiction réalisée. — Tendresse de
Nicolas envers la famille Appillaterra. — Plusieurs miracles. — « Pourquoi venez-vous vers
moi ? Ne savez-vous pas que je suis un pécheur ?»
— « Il faut que je m'en aille aux Vêpres. »

NICOLAS DE TOLENTINO, si compatissant et si bon
pour tous ceux qui réclamaient son intercession
près de DIEU, n'était pas moins rempli de tendresse et de charité pour ceux qu'une même
vocation avait fait ses frères, fils comme lui du
grand patriarche Augustin. Il se montra constamment et
héroïquement doux, généreux, dévoué pour tous les religieux qui vivaient avec lui dans le monastère. Il était, dit
le bienheureux Jourdain, un miroir de charité fraternelle.
Son amour pour les autres religieux, écrit saint Antonin,
lui faisait considérer comme beaucoup le peu qu'il avait,
et comme une indigence l'abondance des autres (1). Suivant la règle de son glorieux Père, il ne cherchait jamais
ce qui pouvait tourner à son avantage, mais ce qui était à
la gloire de JÉSUS-CHRIST ; il ne préférait pas les choses
personnelles aux communes, mais les communes aux personnelles (2).

Sévère pour lui-même, il voulait que les autres fussent
toujours bien traités et pourvus des vêtements qui lui
paraissaient nécessaires. Aussi, quand il était appelé à

---

1. Bienheureux Jourdain de Saxe. *Vitæ Fratrum.* — Saint Antonin, *In Vita.*

2. Charitas enim, de qua scriptum est quod non quærat quæ sua sunt, sic
intelligitur, quia communia propriis, non propria communibus anteponit.
   S. P. Augustinus. *In Regula*, ch. VIII, num. 3.

servir ses frères, il le faisait avec une joie et une bonne grâce extrêmes, ne cherchant jamais à se faire remplacer, mais agissant lui-même et faisant tous ses efforts pour leur être agréable, les soulager et leur procurer nourriture et vêtements (1).

Notre Saint avait la viande en horreur et n'en mangeait jamais ; mais il voulait que les religieux prissent ce que leur apportait la charité des amis du monastère, et il multipliait les soins, les démonstrations de tendresse à ceux que la prédication, les confessions et les autres œuvres du ministère fatiguaient davantage ; il se réjouissait de les servir, de les féliciter et de les voir estimés des supérieurs. Il ne mettait pas de bornes à sa charité fraternelle.

Aussi, quand le Prieur du couvent de Tolentino, voyant sa popularité s'accroître de plus en plus, lui confia l'office de quêteur, Nicolas accepta avec joie et regarda comme une grâce d'aller demander aux fidèles le pain nécessaire à ses frères. C'était à la fin du treizième siècle, et les Ordres religieux, par suite des guerres civiles et des désordres dont nous avons parlé, se trouvaient réduits à une extrême pauvreté. Lorsque notre Saint revenait de ses quêtes pénibles et fatigantes, il ne se plaignait pas, il allait au contraire avec un visage rayonnant montrer à ses frères le pain qu'il avait recueilli et les inviter à la reconnaissance en disant :

« Prenez, mangez, et priez pour ceux qui nous ont fait
» la charité. Quelques-uns avaient à peine du pain pour
» eux-mêmes, et ils ont voulu cependant nourrir les servi-
» teurs du CHRIST (2). »

Les historiens de Nicolas ont recueilli plusieurs traits touchants et merveilleux de cette tendresse du bienheureux fils d'Augustin pour les religieux de son Ordre. En voici un qui en est la preuve. Le couvent de Tolentino manquait complètement d'eau ; c'était un grave inconvénient et une source de difficultés pour le cuisinier et pour

---

1. Licet ipse F. Nicolaus esset magnæ abstinentiæ, gaudebat quando Prior consolabat fratres dando eis..... pluries rogavit Priorem..., et recommendabat fratres qui tam laborabant.   *Procès.*

2. Prendete, mangiate, e pregate per quegli che ci hanno fatta la carità, tra quali vi sono alcuni, che teneano poco pane per sè stessi.
Anonyme, ch. XVIII, pag. 49. — *Procès.*

les autres Frères convers chargés d'entretenir la propreté de la maison.

Nicolas s'offrit à trouver la somme nécessaire pour faire creuser un puits. Plein de confiance en la Providence, il intéressa à son projet de généreux chrétiens dont les abondantes aumônes lui permirent de tenter l'entreprise.

Un certain Jean Genovèse, très habile en cette matière, fut mandé pour indiquer le point où l'on trouverait de l'eau. C'était un samedi du mois de mai 1302. Il vint avec des ouvriers ; mais il eut beau creuser et faire des sondages sur divers points, il ne put rien découvrir, et finit par être d'avis que la chose était impossible et qu'il fallait renoncer à toute autre tentative.

Pendant que Jean Genovèse délibérait avec ses ouvriers qui partageaient son découragement, le Saint vint à passer, se rendant à l'église. Voyant la tristesse peinte sur tous les visages, il s'arrêta et fit à DIEU cette prière pleine de foi :

« Mon Père, qui êtes aux cieux, ô mon Créateur, accor-
» dez-moi, par grâce, un signe, afin que l'eau soit trouvée
» dans ce lieu choisi pour faire un puits. Ainsi les aumônes
» données dans ce but ne seront pas perdues (1) ! »

Le Seigneur entendit comme toujours l'appel si humble et si confiant de son serviteur, et il lui accorda sur-le-champ plus qu'il n'avait demandé ; car, au moment où le Saint, prenant un roseau, le plantait à l'endroit où l'on désirait trouver la source, on vit jaillir une eau claire et limpide qui paraissait sortir du roseau même. Cette source miraculeuse coule encore à Tolentino depuis près de six siècles (2).

Les maçons, ravis de cette merveille, se mirent de suite à creuser autour de l'eau de manière à faire un grand et large bassin ; mais, dans leur imprudente ardeur, ils enlevèrent en même temps une grande quantité de terre qui soutenait les fondements du mur principal de l'église. Or, voici que soudain un craquement se fit entendre, le mur

1. Pater mi de cœlis, Creator mi, fac in gratiam et signum ut aqua inveniatur in loco isto designato pro puteo faciendo, ne eleemosyna data ad hoc opus perdatur.   *Procès.*

2. Statim apparuit in capite arundinis, ... aqua exurgens sicut vena aquæ, et puteus ibi factus est, et est valde bonus.   *Procès.*

s'inclina et la chapelle tout entière parut sur le point de s'effondrer. Les ouvriers épouvantés s'enfuirent de tous côtés ; mais Nicolas se prosterna en pleurant et s'écria avec sa foi vive et confiante : « Mon Seigneur JÉSUS-CHRIST, » aidez-moi ! Que cette église ne soit pas détruite ! Autre- » ment, nous n'échapperons ni aux railleries, ni à la » mort (1) ! » Cette prière eut encore cette fois une effica- cité aussi prompte que merveilleuse. Le mur incliné demeura immobile dans les airs et laissa aux maçons tout

CLOITRE DU COUVENT DES AUGUSTINS A TOLENTINO.

le temps nécessaire pour y mettre des poutres et des supports afin de préserver l'église et le cloître, et de pouvoir les réparer immédiatement (2).

Pour conserver la mémoire de ce fait prodigieux, on grava autour du puits l'inscription suivante : « Cette source » brille d'un double miracle. L'eau salubre qu'aucun art ne » pouvait trouver coula sous les larmes et les oraisons de

1. Domine Jesu Christe, adjuva me ne ista Ecclesia destruatur, etenim essemus omnes destructi et vituperati. *Procès.*

2. Et dicto Nicolao orante........ ruina Ecclesiæ cessavit. *Procès.*

» Nicolas. Par sa prière encore, la muraille du temple qui
» commençait à tomber, à cause du creusement du puits,
» demeura immobile (1). »

La grande charité de notre Saint ne se borna pas à son
monastère et à ses frères en religion ; elle s'étendit aux
pauvres qui habitaient Tolentino et que sa charge de quêteur lui permettait de soulager plus facilement. Les malheurs des temps avaient complètement ruiné beaucoup de
familles honorables, et bien de profondes misères se
cachaient dans le silence, ne pouvant se décider à tendre
la main et à dévoiler leur indigence.

Nicolas connut bientôt tous ces pauvres honteux, et,
respectant cette sorte de pudeur qui souvent est celle de
l'honneur et d'un nom autrefois glorieux, il leur faisait
parvenir, secrètement et suivant leurs besoins, les secours
qu'il obtenait de la générosité des riches. Ceux-ci, qui admi-
raient la charité compatissante et éclairée du moine
augustin, n'osaient rien lui refuser et versaient d'abondantes aumônes dans ses mains. Ils le faisaient d'autant
plus généreusement que Nicolas savait reconnaître par
des faveurs signalées les secours accordés à ses pauvres,
comme s'il avait été, en quelque sorte, établi le banquier
de Dieu (2).

La reconnaissance des riches assez heureux pour obtenir des grâces miraculeuses du Saint, fut la source des
relations intimes et toutes selon le Seigneur dont nous
voulons parler maintenant. C'est ainsi que se contracta,
par un double motif d'aumône et de reconnaissance, entre
Nicolas de Tolentino et Bérard Appillaterra, une de ces
liaisons saintes que le Ciel bénit et qui se conservent dans
leur fraîcheur et leur force jusqu'à la mort.

Nous aimons à voir l'homme du monde dévoiler au religieux, avec la plus respectueuse confiance, tous ses chagrins

---

1.   Fons hic duplici fulget miraculo :
            Quæ nulla arte inveniri poterat, unda salubris
            Pii Nicolai lachrymis ac orationibus effluxit ;
            Stetit, eodem orante, templi paries,
            Qui in effodiendo puteo jam ruere cœperat.

2. Ad pauperes et miserabiles accedebat, etiamsi non vocatus, et monebat
divites ad præbendum eleemosynas pauperibus, maxime illis qui ostiatim petere
verebantur.   *Procès.*

domestiques, et celui-ci le consoler en véritable ami, mettant Dieu de moitié dans leur affection réciproque.

Père malheureux, Bérard ne pouvait réussir à élever aucun de ses enfants ; tous mouraient presque immédiatement après avoir vu le jour, ce qui lui causait une profonde douleur. Lorsque son premier-né vint au monde, il semblait déjà privé de la vie ; mais, comme on crut s'apercevoir qu'il remuait un peu les lèvres, on lui donna immédiatement le saint Baptême. Après avoir reçu ce sacrement de régénération, l'enfant resta sans mouvement. Alors sa mère, Marguerite, se livra au plus violent chagrin et parut inconsolable :

« Oh ! que je suis malheureuse ! s'écriait-elle ; mon fils » ne sera point sauvé, car il n'a pas sûrement été régénéré » par le sacrement (1) ! »

On se disposa ensuite à ensevelir l'enfant, et les parents songeaient à mettre le petit cadavre dans une fosse creusée près de la maison, le jugeant indigne d'être placé près des corps des fidèles baptisés ; mais Nicolas l'apprit et, sans perdre de temps, fit dire à la mère par un messager qu'elle devait enterrer son fils dans l'église. Marguerite le fit aussitôt.

Le Saint ne tarda pas à venir consoler les malheureux parents, et surtout la pauvre mère qui ne cessait de pleurer:

« Sache, lui dit-il alors, que cette nuit l'âme de ton fils » m'est apparue, se pressant contre moi et ne voulant pas » se laisser toucher par le démon. Console-toi donc, et que » les jugements de Dieu ne te troublent pas. Il vaut mieux » avoir engendré un enfant pour le Ciel que pour ce bas-» monde (2). »

Puis, comme si son affection pour ses amis l'avait entraîné trop loin, il ajouta, parlant toujours à Marguerite :

« Toutes les choses de la grâce divine que tu vois en » moi par la volonté du Seigneur, ne sois pas assez auda-» cieuse pour les raconter à qui que ce soit pendant ma » vie (3). »

---

1. Bienheureux Jourdain de Saxe. *Vitæ Fratrum.*

2. Scias, quod in hac nocte apparuit anima filii tui in manibus meis, et illa anima videbatur se stringere ad me, non permittendo se tangi a diabolo.

Procès.

3. Mandavit mulieri, ut nemini diceret visionem donec vixerit.   *Procès.*

Cependant, la pauvre mère n'était pas délivrée de ses angoisses et de ses doulenrs. DIEU, qui voulait sans doute l'éprouver, par un secret de sa Providence, en ce qu'elle redoutait davantage, ne permit pas qu'elle fût plus heureuse en ses autres enfants. Elle eut tant de chagrin de la mort de son premier-né qu'elle tomba dans une langueur et une tristesse mortelles, augmentées par la pensée que les autres enfants qu'elle avait eus en sept années étaient morts avant leur naissance ou ne vécurent que le temps de recevoir le baptême,

Un jour, accablée de douleur, elle fit part de ses craintes pour l'avenir au saint religieux qui se montrait si compatissant envers elle. « Je porte un autre enfant dans mon » sein, lui dit-elle, je dois bientôt lui donner le jour, et mon » affliction redouble à la pensée que je serai peut-être » frappée du même malheur. »

Nicolas, après l'avoir consolée le mieux qu'il put par des pároles d'espérance et de résignation, lui promit de prier pour elle. Pendant plusieurs jours, en effet, il invoqua le Tout-Puissant avec ferveur pour la mère et l'enfant ; puis il revint la trouver :

« O Marguerite, lui dit-il, aie confiance dans le Seigneur, » ne doute plus et calme ta douleur ; car tu auras bientôt » une fille qui vivra de longues années et m'apportera sou- » vent de ta part quelque chose à manger. Par la confiance » que j'ai en mon DIEU, je crois que dans l'avenir tous tes » fils et toutes tes filles auront en naissant l'âme et la » vie (1). »

La prédiction s'accomplit entièrement. Cette mère si éprouvée eut dans la suite plusieurs autres enfants qui vécurent tous et la consolèrent des premières douleurs de son cœur maternel. A partir de ce moment, Nicolas sembla même devenir le protecteur spécial et l'ange gardien des fils dont il avait annoncé l'heureuse naissance, et il fit en leur faveur plusieurs miracles qui doivent porter les mères à l'invoquer dans leurs peines avec une inébranlable confiance.

---

1. Non dubites quia tu facies unam filiam quæ vivet magno tempore, et ipsa portabit mihi ad comedendum ex parte tua ; post hæc............ sic factum fuit quod prædixit dictus Nicolaus.   *Procès.*

La première fille de Bérard et de Marguerite fut appelée Bérardesca. Nous la verrons souvent dans la suite de ce récit apporter au Saint, quand il sera malade, de la farine de maïs délayée dans de l'eau.

Sa sœur, Françoise, étant encore en bas âge, fut atteinte d'une tumeur très grosse à la gorge ; et les médecins voulurent lui faire une dangereuse opération. Nicolas, qui était alors malade et alité, le sut par une inspiration du Ciel, et, appelant dans sa cellule deux religieux, ses frères, il leur dit :

« Allez, je vous en prie, faire une visite à Madame Mar-
» guerite, qui m'a rendu et me rend encore tant de services.
» Le mal de sa fille lui cause un grand chagrin, consolez-la
» donc de ma part. »

Les religieux obéirent, puis revinrent près du Saint pour lui rendre compte de leur mission de charité. Hélas ! la pauvre mère leur avait paru inconsolable, et l'enfant était sur le point de subir l'opération.

« Retournez, mes frères, dit alors Nicolas, retournez
» dire à Marguerite que si je le pouvais, j'irais sûrement la
» voir ; mais que je suis incapable de faire un seul pas.
» Qu'elle vienne elle-même ici et qu'elle amène sa fille, je ne
» la laisserai pas toucher par le fer. »

A peine avertie du désir du Bienheureux, la mère désolée, mettant Françoise sur les bras de sa servante Spéria, se hâta d'accourir avec son précieux fardeau jusqu'au monastère. Arrivée en présence du protecteur de sa famille, elle s'écria dans sa naïve confiance :

« — Je crois que, par votre secours, ma fille sera déli-
» vrée.

» — Taisez-vous, reprit alors sévèrement Nicolas tou-
» jours humble ; et n'ayez pas la hardiesse de dire de telles
» choses de moi ! »

Puis, songeant à la pauvre petite malade et la regardant avec bonté, il ajouta par un mélange naïf et gracieux de puissance surnaturelle et d'oubli de soi-même :

« N'ayez plus d'ennui, ayez confiance en Dieu et en
» saint Blaise. Votre fille guérira sans médecin et sans
» instrument tranchant. Portez-la avec trois offrandes à
» l'église de ce Saint, il est bien meilleur médecin que tous
» les médecins de la terre. »

Marguerite obéit et porta promptement son enfant à l'église de Saint-Blaise avec les offrandes prescrites par Nicolas : un cierge, un œuf et un denier. A son retour au monastère, le thaumaturge de Tolentino fit sur Françoise le signe de la croix et ajouta :

« Rentrez maintenant chez vous ; et ne craignez plus
» rien pour votre fille : avec l'aide de Dieu et de saint
» Blaise, elle sera délivrée. »

Ces choses se passaient au coucher du soleil. Le lendemain matin, la jeune malade se levait parfaitement guérie et sans aucune trace de tumeur (1).

Parmi les autres enfants qu'eurent encore le pieux Bérard et Marguerite, il y en eut un qu'ils appelèrent Nicoluccio, petit Nicolas, en souvenir de leur bienfaiteur. Or, en l'année 1303, ce fils promis par le Saint tomba gravement malade. Au bout de neuf jours, miné par une fièvre ardente, il perdit la parole et resta privé de sentiment. Il demeura trois autres jours en cet état, et tout le monde pensa autour de lui qu'il allait sûrement mourir et que cela ne tarderait même pas.

Le Saint l'apprit et partit aussitôt pour visiter le petit malade.

« Nicoluccio ! » cria-t-il plusieurs fois en le regardant avec une extrême tendresse.

Et comme l'enfant ne répondait pas, il ajouta :

« Vous voyez que votre fils est presque sans vie, et
» tous vous pensez que la mort le tient déjà. Or je veux que
» s'il est délivré, comme je le crois, avec l'aide de Dieu et
» du bienheureux Antoine, vous apportiez chaque année,
» dans l'église de ce saint patron de Tolentino, une quantité
» de grain égale au poids de votre enfant. Vous offrirez
» de plus ce fils à saint Augustin et à son Ordre pour pren-
» dre l'habit des Ermites. »

Les parents promirent d'exécuter les ordres de Nicolas,

---

1. Eatis, fratres mei, ad visitandam Dominam Margaritam, quæ tantum mihi servivit, et servit, et stat in tanto dolore pro infirmitate filiæ suæ, et confortetis eam.......... Redite ad eam, et dicatis ex parte mea, quod si possem venire ad eam, libenter venirem, sed bene scit, quod non possum ambulare, ita sum infirmus ; veniat ipsa ad me, et portet dictam Ceccam filiam suam, et non faciat eam tangere cum ferro aliquo... ..... mane sequenti fuit totaliter libera.

Procès.

qui s'approcha alors du malade et fit sur lui le signe de la croix. A l'instant même, Nicoluccio ouvrit les yeux, se mit à parler et à demander à boire. Il n'avait plus de fièvre, et il était si parfaitement guéri qu'il se leva sur-le-champ.

« — Vous voyez comme vous avez été promptement
» exaucés, dit alors aimablement le doux moine avec une
» modestie touchante. Apprenez donc par là quelle confiance
» vous devez avoir dans les saints (1). »

Il est à remarquer que, pour ne pas avoir la gloire des miracles opérés par son intercession, l'humble religieux employait mille moyens ingénieux et s'efforçait de les attribuer à d'autres saints bien connus. Il restait ainsi

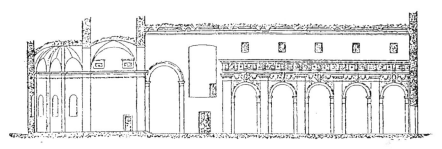

COUPE TRANSVERSALE DE L'ANCIENNE ÉGLISE DES AUGUSTINS A TOLENTINO.

toujours le même, en public et avec ses amis les plus intimes, parce qu'il se tenait toujours abîmé dans la présence de DIEU et l'oubli de lui-même. Il se reconnaissait semblable à un ver de terre, disant du fond du cœur à ceux qui recouraient à lui, à Jacques Salvastri, par exemple, qui amenait sa femme Donzella pour qu'il la guérît :

« Pourquoi venez-vous vers moi? Ne savez-vous pas
» que je suis un pécheur ? »

Il n'en faisait pas moins cependant les prodiges désirés.

Bérard Appillaterra n'avait pas encore épuisé les faveurs dont son saint ami était si prodigue envers lui ; il devait

---

1. Tribus diebus non fuit locutus et credebatur ab omnibus, quod deberet mori........ videte quod iste puer est quasi mortuus, et pro mortuo habetur ? Volo quod si liberabitur ...... vide, domina, quam cito filium tuum liberavit B. Antonius, propterea habeatis fidem in sanctis.   *Procès.*

recevoir bien d'autres preuves de cette affection si sainte
et si vraie qui ne se lassait pas de donner et de faire du
bien. Aussi fut-il un des principaux témoins qui déposèrent
dans le procès, témoin parfaitement sûr qui avait suivi de
très près Nicolas pendant son séjour à Tolentino et en
avait été très particulièrement béni, dans sa famille,
dans ses enfants et en lui-même ! En voici un trait
qui montre en même temps la fidélité du saint religieux à suivre sa règle et à placer la pratique de l'obéissance au-dessus de tous les miracles.

Bérard, étant atteint depuis plusieurs jours d'une fièvre
continue, fut visité par son bienheureux ami qui lui mit la
main sur le front et le soulagea ainsi instantanément. Mais
lorsque Nicolas retira son bras, la fièvre revint avec violence, ce qui fit que le malade supplia son compatissant
visiteur de lui toucher encore le front. Celui-ci le fit simplement, en lui adressant d'affectueuses paroles pour le
consoler.

A cet instant les cloches de l'église du monastère sonnèrent les premiers coups des vêpres. A ce signal, le moine
obéissant retira doucement sa main et se disposa à partir.
Bérard, sentant alors la fièvre qui revenait et l'accablait
déjà, supplia son ami de rester près de lui pour continuer
à le soulager ; mais il n'obtint qu'un refus :

« Il faut que je m'en aille aux vêpres, dit affectueuse-
» ment le Saint, je ne puis rester toujours avec vous. Ayez
» confiance en Dieu, et priez-le de vous aider. »

Puis il s'éloigna pour être, selon sa coutume, le premier
au chœur ; car, pour lui, la grande vertu du religieux était
la régularité. Mais le Seigneur, bénissant cette obéissance
et cette exactitude, permit qu'aussitôt la fièvre quittât
Bérard pour ne plus reparaître (1).

C'était ainsi que, partout où s'arrêtait le serviteur de
Dieu, il laissait les traces de sa charité et de la puissance
divine qui, par ses mains, ne cessait d'opérer les plus
touchants prodiges ; car les miracles abondent dans son
admirable vie, et il est impossible de les rapporter tous

---

1. Oportet me redire ad vesperas ; non possum stare semper tecum, confor-
ta te et roga Deum quod juvet te... eoque postmodum recedente statim febris
dimisit eum et non habuit plus.   *Procès.*

ici. Il nous reste d'ailleurs à voir, en détail, comment celui qui n'était que douceur et compassion pour le prochain, traitait sa chair innocente et comment il était éprouvé par les tentations et l'esprit malin. Dieu le permit ainsi, afin de glorifier son fidèle serviteur et de donner au monde en sa personne le type accompli de la plus éminente sainteté.

Chapitre Treizième.

PÉNITENCES EXTRAORDINAIRES DE SAINT NICOLAS.

Héroïsme de saint Nicolas. — Il passe plusieurs
jours sans nourriture. — La couche trop commode. — Flagellations. — Cilices. — Luttes intérieures. — Saint Nicolas est rassuré par une
apparition de Notre-Seigneur Jésus-Christ.

BIEN que saint Nicolas de Tolentino fût adonné
au ministère apostolique et qu'il y accomplît
des œuvres merveilleuses, il ne faut pas oublier
qu'il demeura simple religieux et que la Marche d'Ancône et les couvents des Augustins
semblent seuls l'avoir connu et admiré, avoir seuls joui des
exemples de ses miracles. Sa renommée fut plutôt posthume,
et rien dans sa vie ne paraît l'avoir fait connaître aux
nations européennes.

Mais le Seigneur se chargea, dans sa toute-puissante et
miséricordieuse tendresse, de sortir l'humble religieux de
l'obscurité et du silence ; il rendit ses ossements glorieux,
attira les foules à son tombeau, et inspira aux Souverains
Pontifes de lui rendre les suprêmes hommages réservés
par l'Eglise aux élus et aux saints. Cette glorification arriva
à l'heure voulue par la Providence.

La constance de Nicolas dans la pratique héroïque des
plus éminentes vertus fut le fruit de son amour passionné
pour Dieu. Voulant prouver à son divin Maître qu'il n'était
religieux et prêtre que pour le mieux servir et pour procurer sa plus grande gloire, il chercha sans cesse à l'imiter
dans son œuvre rédemptrice par ses souffrances volontaires et le sacrifice tout entier de son être. Moine et
Ermite de Saint-Augustin, il était par état voué à la pénitence ; mais il dépassa de beaucoup ses obligations pour
s'élancer dans la voie la plus parfaite, en châtiant son corps

avec une extrême rigueur, tant pour le réduire en servitude que pour expier, disait-il, ses péchés et ceux d'autrui. Il s'adonna tellement à cette mortification extérieure que ses historiens eux-mêmes demeurent effrayés et confondus devant le récit qu'ils en font, et qu'ils ne craignent pas d'appeler ses abstinences surhumaines, inimitables, incroyables (1).

A cause de ces héroïques et extraordinaires pénitences, la pâle et grave figure du thaumaturge se détache très particulièrement dans l'Ordre de Saint-Augustin. Cet Ordre au premier abord paraît doux et facile ; mais, malgré la douceur apparente de sa règle, il a fourni à l'Eglise nombre de saints si austères qu'ils sont enviés par les Ordres les plus sévères et les plus rigoureux.

Cette remarque a inspiré au bienheureux Jourdain de Saxe les réflexions suivantes si justes et si vraies :

« Si quelqu'un aujourd'hui voulait, dans cet Ordre, imiter
» le bienheureux P. Augustin et ses premiers frères, dans
» la nourriture, le breuvage et les autres œuvres de suré-
» rogation, il le pourrait très bien en respectant seulement
» trois choses : les règles de la discrétion, la volonté des
» supérieurs et l'édification des frères, qu'il ne faut pas
» scandaliser. Il ne serait donc pas nécessaire de passer
» dans un Ordre plus sévère pour mener une vie meilleure,
» comme la tentation en est venue à beaucoup par une
» suggestion diabolique (2). »

Et l'auteur continue en condamnant, par l'exemple de saint Nicolas, ces esprits versatiles et changeants, ces religieux légers et relâchés qui cherchent ailleurs ce qu'ils ont sous la main, et ne savent pas tenir une résolution dans la voie où ils se sont engagés, se persuadant faussement, pour excuser leur lâcheté, que, dans un autre milieu, leur salut leur sera plus facile, les luttes moins nombreuses et moins violentes, et qu'ils toucheront plus vite le Ciel en restant terrestres et imparfaits.

A ceux-ci, il serait bien utile de méditer la vie du thaumaturge de Tolentino, de bien savoir ce qu'il put accomplir

1. Inenarrabili, inimitabili, incredibili. Giorgi, ch. XV, p. 136. — Vixit incredibili abstinentia. *Brev.* — Croiset, ad diem 10 septembris.

2. Bienheureux Jourdain de Saxe. *Vitæ Fratrum*, liv. IV.

dans son Ordre et sous sa règle, et de connaître à quelle
extraordinaire sainteté il put s'y élever.

Comme nous l'avons déjà remarqué, l'amour de la mortification parut en notre Saint dès ses premières années ; il
alla toujours croissant jusqu'à la fin de sa vie. Tant il est
vrai, dit l'Ecriture, que la voie du jeune homme est la voie
du vieillard. Et, chose étrange, cette soif de la souffrance
s'accrut en lui, comme plus tard en sainte Thérèse et en
d'autres saints, par la pensée et le désir du martyre.

Quand il apprit que l'Eglise grecque avait rompu avec
l'Eglise latine l'union solennellement jurée au Concile de
Lyon, il eut la pensée d'aller en Orient prêcher la soumission aux schismatiques, espérant cueillir au milieu d'eux
la palme d'une mort glorieuse pour la défense de la vérité.
Mais l'obéissance ne lui permit pas d'exécuter cet héroïque
dessein ; il résolut alors de se faire souffrir lui-même pour
son DIEU, et de remplacer, par de rigoureuses et volontaires pénitences, les supplices que les hommes lui auraient
infligés (1).

Dès l'âge de quinze ans, il s'interdit absolument l'usage
de la viande ; et pendant quarante-cinq ans, comme il le
déclara à la fille de Marguerite Appillaterra, il demeura
parfaitement fidèle à sa résolution (2). Les trente dernières
années de sa vie, dit le Bréviaire, il s'abstint en outre
d'œufs, de lait, de poisson, de fruits et de tout mets préparé
avec de la graisse (3). Il n'acceptait un peu de potage
maigre que le dimanche, le mardi et le jeudi ; et encore, le
croyant trop bon, il allait à la cuisine avant l'heure du
repas et mettait de l'eau froide dans son assiette (4).

Le lundi, le mercredi, le vendredi et le samedi de
chaque semaine, il ne prenait qu'une seule fois par jour du
pain et de l'eau. Le vendredi, pour honorer la Passion de
Notre-Seigneur JÉSUS-CHRIST, il se faisait servir du fiel

---

1. Giorgi, chap. VII, p. 67. — Giuseppe Renat. liv. I, chap. I.— Lippici,
num. 41.

2. Mater tua vult facere me perdere animam. Sunt quadraginta quinque
anni quod non comedi de carnibus. Absit, quod modo comedam.
                                                              Procès.

3. Annos triginta a carnium esu et ovis, lacte, piscibus, atque etiam pomis
abstinuit, pane dumtaxat et aqua vitam tolerans.   *Brév.*

4. Abjecto brodio ponebat aquam frigidam in coquina.   *Procès.*

mélangé de vinaigre (1). Son jeûne du samedi avait pour but d'honorer la Très Sainte Vierge Marie.

La vie de Nicolas de Tolentino était donc véritablement un miracle ; aussi ceux qui l'entouraient se demandaient-ils comment il pouvait se soutenir, prenant si peu de nourriture, s'accordant si peu de sommeil et se livrant à de si dures pénitences. D'autant, écrit, d'après le procès, Pierre de Bretagne (2), qu'il lui arrivait en outre de passer plusieurs jours sans accepter aucun aliment, pour imiter le jeûne de Notre-Seigneur dans le désert ; et que son lit, auquel il ne voulut jamais rien changer, se composait de deux planches sur lesquelles, pendant ses maladies, on mettait un sac rempli de paille. Il y reposait couvert de son manteau et la tête appuyée sur une pierre. Mais, trouvant cette couche trop commode et trop douce, il lui arrivait souvent de s'étendre sur le pavé de sa cellule pendant les quelques heures qu'il accordait au sommeil, n'interrompant qu'à regret ses oraisons et ses flagellations de la nuit. Il avait également dans sa pauvre chambre deux vieux morceaux de marbre, dont l'un lui servait d'agenouilloir, et l'autre d'appui, quand il était trop fatigué ; appui qui devenait lui-même une mortification à cause de la sensation très vive du froid sur ses bras nus pendant les longues nuits d'hiver.

Les flagellations de saint Nicolas étaient, nous l'avons vu, continuelles et fréquentes ; les coups tombaient sur ses épaules comme la grêle ; et souvent les murs de sa cellule étaient couverts d'un sang qu'il ne réussissait pas toujours à faire disparaître complètement. Ce sang qu'il perdait alors en abondance, lui causait une soif ardente qu'il ne satisfaisait jamais entièrement, puisqu'il ne buvait que trois verres d'eau par jour, et que, pour lui faire accepter un peu de vin, il fallait un ordre formel de son Prieur (3).

Sa discipline se composait de chaînes de fer qui plusieurs fois mirent ses os à nu ; car il rouvrait par les flagellations du soir les plaies faites par celles du matin, si bien que les

---

1. Gustando pure fiele misto ad aceto. Giorgi, ch. XV, p. 134.
2. Pierre de Bretagne, p. 87.
3. Erat contentus tribus parvis scyphis inter vinum et aquam.

Procès.

religieux chargés de l'ensevelir après sa mort, ne purent retenir leurs larmes et leurs cris de compassion et d'admiration ; ils durent même le déposer dans son cercueil avec le cilice dont ses reins étaient entourés, n'ayant pu parvenir à enlever que l'énorme cercle de fer qui le recouvrait, tout en abandonnant les aiguilles dont il était hérissé et qui étaient entrées profondément dans sa chair meurtrie (1). Le Saint emporta donc dans la tombe ce cilice qu'il s'était fait lui-même, comme un vêtement de gloire et d'honneur, comme la parure immortelle de son héroïque courage (2). C'est que la vraie charité a tojours faim et soif de sacrifice et d'immolation, et que, plus Nicolas souffrait pour Dieu, plus il désirait et voulait souffrir encore.

Il n'est d'ailleurs pas difficile de deviner la raison de ces pénitences extraordinaires.

Le procès la déclare en termes formels :

« Aimant la perfection de la chasteté et voulant éviter » les tentations mauvaises, Nicolas crucifia sa chair elle- » même ; il châtia son corps par des jeûnes, des veilles, » des oraisons, de durs tourments ; et il conserva sa vie » droite, pure et chaste. Aussi, dit la bulle de canonisation, » il fut pudique, modeste et chaste (3). »

C'est pourquoi le Bréviaire le nomme un homme vierge choisi par Dieu, et fait de lui, dans l'hymne de sa fête, cette admirable louange : « Il fut l'époux de l'Eglise qu'il serra dans ses bras !... (4) »

Jamais un mot oiseux, vain et inutile, ne sortit de ses lèvres ; la mortification et la modestie rayonnaient dans son regard, dans ses mouvements, dans ses démarches ; et, quand il traversait les rues, la tête inclinée, les yeux baissés, le front si couvert de son capuchon qu'on ne pouvait apercevoir le haut de son visage, il forçait ceux qui le rencontraient à s'écrier, comme nous l'avons déjà dit :

1. Nudos artus aspero cilicio vestiens, quod ferreo cilicio adstringebat. *Brev.* — Quando fuit lavatum corpus, vidit (Berardus) spatulas ipsius multum percussas et decoriatas. *Procès.*

2. E cotanto addentrati nelle carni, che credesi ancor fitto nel sacro suo corpo. Giorgi, ch. XV, p. 140.

3. Bulle de Canonisation. *Procès.*

4. Virgo a Deo electus, Sponsus est Ecclesiæ quam stringit inter brachia. *Brév.*

« Oh ! voyez quel visage angélique a le P. Nicolas (1) ! »

On pouvait, en effet, dire avec raison que le moine augustin avait un aspect et une beauté célestes. Les proportions de son corps étaient remarquables, et l'habitude de la contemplation avait encore augmenté la pureté des lignes et la beauté des traits de son visage, auquel une extrême maigreur et une grande paleur donnaient un reflet angélique qui faisait songer à Notre-Seigneur Jésus-Christ, le plus beau des enfants des hommes.

La nature se sent effrayée et tentée de reculer devant le récit de ce martyre volontaire ; une sorte de terreur envahirait l'âme qui ne songerait pas que les souffrances des saints sont d'un prix inestimable, et que la surabondance de leurs mérites est la source du salut de leurs frères, ou vivants et pécheurs, ou morts et livrés aux flammes expiatrices du purgatoire.

Il ne faudrait pas croire cependant que cette vie de douleurs volontaires fût facile au serviteur de Dieu... Oh ! non ; il eut, au contraire, à soutenir de longues et pénibles luttes, luttes qui en lui sont souverainement intéressantes et dignes d'admiration. L'esprit du mal en vint à l'attaquer directement et à le maltraiter pour l'arrêter dans sa voie et l'ébranler dans ses généreuses résolutions.

Voici ce qu'écrivent à ce sujet ses historiens (2) :

« Le démon, dit le bienheureux Jourdain de Saxe, après
» avoir vaincu nos premiers parents par le vice de la
» gourmandise, et avoir osé tenter le Seigneur Jésus de
» la même manière, multiplia ses assauts pour vaincre
» saint Nicolas en lui suggérant dans l'esprit des pensées
» comme celles-ci : « Tu ne vois donc pas comment tes
» frères sont nourris ?... Tu ne fais pas attention aux
» infirmités qui t'accablent, spécialement aux douleurs que
» tu ressens dans les jointures des membres, aux convul-
» sions de ton estomac, à tes douleurs de tête, à l'affai-
» blissement de ta vue, causés par les rigueurs de ton
» extrême abstinence ?... »

---

1. Cronache del P. Jacopo Filippo da Bergamo. Venise, 1553, p. 295. — Oh ! mirate che faccia di Angelo è quella del P. Nicola. Giorgi, chap. XIV, p. 126.

2. Bienheureux Jourdain de Saxe. *Vitæ Fratrum.* — Anonyme, ch. XXXII, pag. 84.

Il faut croire que les tentations suscitées par Satan contre les mortifications du fils de saint Augustin furent bien violentes et bien extraordinaires, et qu'elles jouèrent un grand rôle dans sa vie, puisque l'auteur anonyme de son histoire s'y arrête très longuement, et ne craint pas d'exprimer en ces termes les suggestions diaboliques dont était tourmenté l'héroïque religieux :

« Nicolas, la règle te commande de dompter ta chair
» par les jeûnes et par les abstinences, dans le boire et
» dans le manger ; en cela réside le bon plaisir de Dieu.
» Mais, avec quelle prudence saint Augustin, ton père, a
» commandé tout cela, le mesurant aux forces et à la santé
» de chacun !... Suivant cette règle, tu ne devrais faire
» aucun jeûne, ton corps est trop épuisé et trop faible ; tu
» n'as pas une force suffisante pour la suivre. Comment
» peux-tu donc t'illusionner au point de te croire dans la
» voie du Seigneur en agissant comme le plus vigoureux,
» et en faisant des choses qui excèdent les forces des plus
» sains et des plus robustes ?... Tu te joues de toi-même,
» ô Nicolas !... N'y aurait-il pas autre mal en toi, cela seul
» suffirait pour te rendre désagréable à ton Souverain
» Maître ; ne t'arrête donc pas à ces tromperies de ton
» imagination. Réfléchis ; tu sais très bien, et tout le monde
» le dit, que tes souffrances doivent être attribuées aux
» oraisons continuelles qui énervent la tête, ainsi qu'à tes
» jeûnes et à tes flagellations... Quel est l'auteur de tout
» cela ?... Dieu ou ton caprice ?... Tu es si loin de suivre
» dans tes pénitences la volonté divine, qu'à cause d'elles
» tu seras condamné sans que tu puisses t'en défendre !...
» Quelle excuse pourras-tu donc alléguer quand tu te
» rends si obstinément le meurtrier de toi-même ?... Dans
» quelle profonde illusion tu es, ô Nicolas !... La singularité
» est dangereuse, elle a toujours été condamnée par les
» maîtres de la vie spirituelle ; toi, tu es entêté, capricieux
» dans tes oraisons, dans tes jeûnes, dans tes cilices, dans
» tes flagellations ; partout tu veux être singulier ; et tu
» sembles ne pas songer aux périls de cette disposition
» de ton âme !... Et cela ne serait pas témérité et présomp-
» tion ?... Oh ! combien tu te trompes dans ta manière
» d'agir !... (1) »

1. Bx Jourdain de Saxe, *Vitæ Fratum*, liv. IV, chap. 10. — Anonyme, *ibid.*

Saint Nicolas fut profondément troublé, et il endura alors les douleurs et les angoisses d'une véritable agonie. S'était-il donc réellement trompé ? Tout ce qu'il avait fait jusqu'alors était-il donc inutile ?... N'avait-il pas réussi à donner à son Maître crucifié des preuves sincères de son amour ?... Etait-il digne de sa tendresse ou de sa haine ?...

Ce généreux serviteur du CHRIST connut alors le poids du doute, poids si douloureux et si écrasant pour un cœur brûlant envers JÉSUS des flammes les plus ardentes et les plus pures. La nuit envahit son âme, et il se sentit livré à une sorte d'abandon complet, semblable à celui du Sauveur sur la croix lorsqu'il s'écria : « Mon Père, pourquoi m'avez-vous abandonné ?... »

Le Bienheureux pensa alors, écrivent les historiens, qu'à cause de ses fautes, ses abstinences et ses sacrifices n'avaient pas été acceptés de la souveraine justice, et qu'il était repoussé de DIEU ; il recourut à la prière et aux larmes : « O mon DIEU, disait-il, venez maintenant à mon aide, vous qui êtes le protecteur et le défenseur de mon âme ; elle se perdra certainement, si vous, ô Seigneur, ne lui prêtez votre secours !... (1) »

Combien de temps dura cet état douloureux ? Nous l'ignorons ; mais nous savons que, parfois, les épreuves sont aussi longues que pénibles pour ceux que le bon Maître veut rendre plus parfaits et plus semblables à Lui !...

Cependant, dit le bienheureux Jourdain, Notre-Seigneur JÉSUS-CHRIST, prince rempli d'une divine compassion pour son généreux soldat, ne voulut pas qu'il combattît jusqu'à la mort et pérît sur le champ de bataille ; il lui apparut donc avec une ineffable tendresse pour le rassurer et le consoler.

« Dépose, ô mon fils, lui dit-il, dépose ta tristesse, et réjouis-toi ; les œuvres que tu fais me plaisent !... » A cette voix, le Saint se sentit inondé de joie et prononça ces paroles du psaume : « Je me suis réjoui dans les choses qui m'ont été dites... » (2)

---

1. Bienheureux Jourdain de Saxe, *ibid.*
2. Bienheureux Jourdain de Saxe, *ibid.*

Assuré alors d'être agréable à son Dieu, saint Nicolas s'élança avec un nouveau courage dans les voies de la mortification et de l'immolation, et il soutint, avec une ardeur plus héroïque encore, les tentations que le démon ne cessa de multiplier autour de lui, à mesure qu'il le voyait avancer dans la sainteté et approcher du terme bienheureux de l'éternelle récompense !...

Chapitre Quatorzième.

DE LA MORTIFICATION DE SAINT NICOLAS PENDANT SES MALADIES.

Les religieux s'opposent aux pénitences et aux privations de saint Nicolas. — Il tombe malade et veut rester fidèle à son régime habituel. — Le Provincial lui ordonne de manger de la viande.— « Ta mère veut-elle que je perde mon âme ? » — Guérison miraculeuse. — Trait de délicatesse divine. — Origine des pains bénits de saint Nicolas. — Perdrix ressuscitées.

A vie de l'homme sur la terre est une guerre continuelle, a dit Job inspiré par l'Esprit-Saint. S'il y a dans la religion un principe clair et incontestable, c'est bien celui-là. On peut facilement comprendre que la vie intérieure suppose un combat et ne promet des avantages qu'à la condition de les emporter à la pointe de l'épée, par la lutte, l'effort et le sacrifice. Saint Augustin n'observe-t-il pas que la vie du juste n'est pas un triomphe, mais un combat ? L'apôtre n'a-t-il pas répété, après le sage, que tous ceux qui veulent vivre saintement en Jésus-Christ, souffriront persécution?

Les saints sont donc eux aussi des hommes faibles et tentés, portés au mal et éprouvant de grandes difficultés à pratiquer la vertu. Parmi eux, il en est qui ont mené une vie plus étonnante sous le rapport de l'autorité, de la mortification ou du zèle apostolique ; c'étaient ceux dont le cœur renfermait de plus grandes passions, mais qui ont su les vaincre plus généreusement et s'en servir pour s'élever à un degré plus héroïque de vertu et de perfection, en méritant par suite de plus magnifiques récompenses.

Après la pratique de la charité qui les unissait à Dieu et les rendait à Jésus-Christ, c'est par le creuset de la tentation que les bienheureux sont arrivés à une éminente sainteté. Aussi en voyons-nous qui ont passé dix, quinze et même vingt années de leur existence dans des peines continuelles, et qui sont sortis de ces luttes terribles avec eux-mêmes, avec le monde ou avec le démon, plus forts, plus purs et plus admirables.

Parfois, et c'est ce que nous allons maintenant étudier en Nicolas, Satan se sert des parents, des amis et des frères pour troubler l'âme dans sa voie, et lui suggérer une tentation d'autant plus dangereuse qu'elle est plus subtile, qu'elle se présente sous les dehors de la compassion et de l'intérêt. Les saints souffrent alors doublement et montent jusqu'à l'héroïsme dans leur résistance ; ils attendent avec confiance le regard de JÉSUS-CHRIST qui, à un jour donné, à une heure marquée, viendra apporter dans leur âme la paix, le calme et la sérénité, apaisant l'orage et faisant cesser la tentation, qui n'aura servi qu'à rendre ces amis de son Cœur plus héroïques dans la foi, dans la mortification ou dans toute autre vertu...

Il sera donc d'un suprême intérêt pour nous de suivre le thaumaturge de Tolentino dans la lutte qu'il eut à soutenir contre ses frères en religion. Ceux-ci, dans un sentiment de tendre compassion pour lui, voulurent d'abord s'opposer à ses pénitences extrêmes et à ses privations continuelles. Sans s'en douter, ils lui suscitèrent par là une nouvelle et délicate tentation, plus difficile à repousser peut-être que celles du démon lui-même. Il s'agissait en effet pour Nicolas de garder l'obéissance, de respecter la règle, de ne scandaliser personne, sans cependant quitter la voie dans laquelle DIEU l'engageait et le soutenait par une protection visible et miraculeuse de sa divine bonté.

Les mortifications excessives du Saint lui occasionnèrent souvent de graves maladies. Etendu alors sur sa dure et pauvre couche, il continuait à refuser tout soulagement et à demeurer fidèle à son régime habituel de pain et d'eau, malgré la fièvre qui le dévorait. De temps en temps, ses forces diminuaient si sensiblement que ses frères, craignant pour sa vie, se réunissaient autour de lui et le suppliaient d'adoucir un peu son extraordinaire pénitence. Plusieurs fois le Prieur unit ses prières à celles des religieux, mais il ne put rien obtenir, il ne put vaincre sa résistance ; ses amis cherchèrent même les moyens de le tromper, mais sans jamais réussir.

Une fois entr'autres, Bérard Appillaterra, instruit du danger dans lequel se trouvait son bienheureux ami, vint le visiter en compagnie d'un médecin, et lui dit avec la plus tendre compassion : « Père Nicolas, voici le médecin. Il faut lui obéir et manger de la viande ; elle vous est tout à fait nécessaire pour reprendre des forces...» Il ajouta à ces paroles toutes les raisons capables de convaincre et de persuader le malade

« Ah ! simple que vous êtes ! reprit familièrement celui-ci, vous ne croyez pas que Dieu puisse mettre, pour me

JÉSUS AU MILIEU DES DOCTEURS
(D'après une fresque du XIVᵉ siècle, conservée dans l'église des Augustins
à Tolentino.)

guérir, autant de vertu dans le pain et l'herbe que dans la viande !... » (1)

Et comme Bérard insistait, Nicolas, après lui avoir fait plusieurs fois la même réponse, ajouta pour se délivrer de ses importunités et lui montrer qu'il n'accepterait ni remèdes, ni médecin : « Mon médecin est Jésus-Christ !... En Jésus-Christ est mon espérance !... Je vous prie donc de ne pas me parler de ces choses-là (2). »

1. Non credis tu quod Deus habeat tantam virtutem in pane, foliis, et aliis sicut in carnibus, qui me liberet sine commestione carnium. *Procès.*

2. Permittas, fili, quia Deus sanabit. *Procès.*

Et certes, le Ciel, par ses miracles, ses apparitions, semblait encourager cette confiance, qui sans cela aurait pu paraître présomptueuse ou audacieuse.

Dans une autre circonstance analogue, Bérard, ne pouvant rien obtenir de son ami, se rendit secrètement à Tréja, où se trouvait alors le Provincial, et obtint de celui-ci une lettre ordonnant à Nicolas, en vertu de l'obéissance, de manger de la viande. Il n'avait pas même confié son projet aux autres religieux ; aussi fut-il profondément étonné, quand il entra dans la chambre du Saint, de l'entendre lui dire en souriant : « Vraiment, Bérard, vous croyez me faire une surprise en m'apportant la lettre du Père Provincial !... Je veux obéir, allez donc me chercher de la viande (1). »

Tout joyeux, Appillaterra se rend chez lui et commande à Marguerite de préparer une perdrix. Il revint bientôt l'offrir au malade en disant : « Voici, ô Père très aimé, voici la viande que j'ai pu me procurer ; elle est prête, prenez-en ; et vous vous trouverez mieux, comme je l'espère. »

Nicolas en accepta un petit morceau ; et, après l'avoir porté à sa bouche, dit à son ami : « Maintenant que j'ai obéi à la lettre du Père Provincial, va et porte le reste à quelqu'un de mes frères infirmes (2). » C'est ainsi qu'il savait toujours trouver quelque pieuse ruse pour désarmer ceux qui le voulaient soigner et pour rester fidèle à sa vie de pénitence et de mortification.

La seule satisfaction qu'il accorda à Bérard, fut de permettre, dans les trois dernières années de son existence, que Marguerite lui fît cuire dans de l'eau pure un peu de farine. On appela ce mets si simple : *la farinata del Padre Nicola* (3). Bérardesca, comme pour accomplir la prophétie du Saint, fut souvent chargée de la porter au couvent des Augustins de Tolentino. Il arriva même une fois que sa mère, guidée par un sentiment de piété filiale

---

1. Tu credidisti facere magnum factum de litteris, quas detulisti a P. Provinciali, quod comedam carnes. Ego volo obedire ; invenies mihi de carnibus.
Procès.

2. Obedivi litteris, o Berarde... et fecit eam portare quibusdam fratribus infirmis. *Procès.*

3. La soupe du père Nicolas.

et de respectueuse compassion, mit dans la *polenta* (1) de Nicolas quelque assaisonnement, mais sans en avertir sa fille. Le malade, avec sa lumière prophétique, connut aussitôt ce que Marguerite avait fait. A peine Bérardesca eut-elle mis le pied sur le seuil de sa cellule qu'il s'écria : « Ta mère veut-elle que je perde mon âme ?... Voilà quarante-cinq ans que je n'ai pas mangé de viande... Dieu me garde d'en manger aujourd'hui !.... » et il ordonna à l'enfant étonnée de porter cet aliment à un autre infirme du monastère (2).

Une autre fois, un Jeudi-Saint, le Prieur de Tolentino dut s'absenter et laisser ses pouvoirs au Père Vicaire. Ce dernier, voyant Nicolas très fatigué, en profita pour le supplier d'augmenter un peu sa nourriture ordinaire ; mais le Saint, après l'avoir écouté, se mit à son tour à le prier de le laisser faire ; et il fut si éloquent que le Vicaire se sentit vaincu et permit au serviteur de Dieu d'agir suivant les inspirations de l'Esprit-Saint (3).

Le Général de l'Ordre, François de Monterubbiano, eut lui-même l'occasion de connaître que la conduite de son fils en saint Augustin était toute selon la volonté de Dieu, et que l'humilité et la mortification dont il faisait preuve étaient souverainement agréables au Ciel. Se rendant en Belgique, il passa par Tolentino et s'y arrêta dans un moment où Nicolas, abattu et affaibli par une grave maladie, luttait contre ses frères et contre le médecin pour ne pas accepter de viande, se confiant à Notre-Seigneur seul et non dans le secours des remèdes humains.

Le Prieur, Père Ange de Sainte-Victoire, avait uni ses instances à celles des religieux et n'avait obtenu que cette réponse digne du Saint : « Pourquoi, mon bon Prieur, pourquoi vouloir me faire de la peine ?... Ne savez-vous pas que si ce misérable corps goûte une seule fois à des mets délicieux, il en demandera d'autres aussitôt ?... Epargnez-moi, je vous en prie. Il vaut mieux mettre un frein à cette chair que de lui lâcher les rênes, de peur qu'elle ne

1. Soupe faite avec de la farine de maïs.
2. *Procès.*
3. Anonyme, ch, XXXII, pag. 86-87.

précipite mon âme dans l'abîme du péché pour sa damnation... (1). »

Le Père Ange, n'osant pas prendre sur lui de s'opposer à la résolution du malade et connaissant le péril imminent où la fièvre l'avait réduit, alla trouver le Général et, lui décrivant l'état de Nicolas, le conjura de donner des ordres pour que les prescriptions du médecin fussent exécutées.

Le Père François de Monterubbiano se rendit aussitôt dans la cellule du religieux, et, après lui avoir cité un grand nombre d'exemples dans lesquels les inférieurs, repris par les supérieurs, leur avaient obéi, il lui commanda au nom de l'obéissance de manger de la viande et de se soumettre à ce qu'on exigerait pour sa guérison.

Le bienheureux malade ne refusa pas et, malgré sa vive répugnance, il fit appeler le Prieur pour lui annoncer qu'il consentait à ce qu'on demandait de lui et allait obéir au Général : « J'avais promis obéissance à mon Sauveur, ajouta-t-il, à la Très-Sainte Vierge et au bienheureux Augustin ; je désire garder cette résolution jusqu'à la mort... (2). »

On prépara donc avec joie la viande prescrite par le médecin. Pendant ce temps, le serviteur de DIEU, placé entre la gourmandise et la violation de ses vœux, était combattu par deux sentiments contraires et ne savait que faire. Prenant enfin une décision, il accepta un tout petit morceau de viande, le goûta et remercia en disant au Prieur : « Voici que j'ai obéi, ne me tourmentez pas davantage sur le vice de la gourmandise ! (3) »

Et le divin Maître, qui avait des attentions si délicates pour ce fils de son Cœur, voulut montrer alors qu'il

---

1. Ut quid, Prior mi, molestus esse cupis ? An ignoras quod corpus hoc, quod ad escam, quam semel gustavit delectandam... etc.
Petrus de Monterubbiano, ch. III.   *Procès.*
Anonyme, ch. XXXII, pag. 86.

2. Hoc est enim quod promisi : hoc Salvatori meo, suæque sanctissimæ Genitrici et beato Augustino obtuli : hoc est quod usque ad mortem servare concupivi.
Petrus de Monterubbiano, ch. III.

3. Ecce parui ; me amplius de gulæ vitio molestare nolite.
Petrus de Monterubbiano, *ibid.*

approuvait sa conduite et bénissait sa constance ; il le guérit complètement et promptement, sans remèdes et sans autre nourriture que le pain et l'eau, son régime ordinaire. Ce céleste et puissant Médecin avait des secrets pleins d'amour pour soutenir miraculeusement les forces de celui qui s'immolait et se privait de tout pour lui plaire.

Aussi, au-dessus de la porte de l'ancien réfectoire de Tolentino, a-t-on placé l'inscription suivante qu'on lit encore aujourd'hui :

« Par ses jeûnes et par ses abstinences, le divin Père » Nicolas a tellement nourri son âme de vertus, que jamais » il ne prit ni chair, ni choses nourrissantes, ni rien » d'agréable au goût, se contentant seulement de pain et » d'eau. Mais la divine clémence, ayant pitié de la lan- » gueur du bienheureux vieillard, changea plusieurs fois, » dans ce lieu, l'eau en vin. »

Il arriva souvent, en effet, que Notre-Seigneur transforma l'eau de la petite coupe dont se servait pour boire son héroïque serviteur, en un vin délicieux et céleste.

Voici ce que raconte, au sujet d'un de ces miracles de la délicatesse divine, l'historien Pierre de Bretagne (1) :

« Un ecclésiastique d'Urbisaglia, ayant été invité par le Prieur des Augustins de Tolentino à dîner au monastère, demanda comme une grâce d'être placé à table auprès de Nicolas, dont il avait tant de fois entendu louer l'abstinence et admirer la mortification. Pendant le repas, lorsque le Bienheureux, qui ne mangeait que du pain, voulut prendre de l'eau, le prêtre désira avoir l'honneur de lui en verser dans sa tasse ; mais il s'aperçut aussitôt que cette eau se trouvait subitement changée en vin, et le Saint lui dit dou- cement : « Vous m'avez trompé !... »

L'ecclésiastique, au comble de l'étonnement, garda le silence, tout en se promettant de s'assurer une seconde fois de ce changement miraculeux. Ayant, un autre jour, demandé et obtenu la faveur de revenir dîner à la même place, il prit les précautions les plus minutieuses pour bien connaître la vérité. Il présenta de nouveau de l'eau à Nicolas et la vit encore se changer en vin. Devant la

1. Pierre de Bretagne, pag. 89.

sûreté du fait, il voulut à l'instant relever le miracle et le proclamer ; mais l'humble moine le pria avec tant d'ardeur et de modestie de garder le silence, qu'il y consentit et n'en parla qu'après la mort du Saint. Le prêtre, témoin heureux du prodige, l'attesta dans les informations qui se firent par l'autorité du Siège Apostolique pour connaître tous les miracles de la vie du thaumaturge de Tolentino (1).

Voici un autre fait merveilleux qui fut l'origine des pains bénits de saint Nicolas, touchante coutume et pieuse tradition perpétuée dans l'Ordre de Saint-Augustin. Le bienheureux Jourdain de Saxe le raconte ainsi :

« Un quatrième dimanche de Carême, le serviteur de Dieu, étant si gravement malade qu'on désespérait de sa vie, se vit pressé d'employer les remèdes humains par ceux qui l'entouraient, et il se recommanda à Notre-Seigneur, à la Vierge Marie et à saint Augustin, les suppliant de lui porter secours. Un suave sommeil s'empara alors de lui, et voici que la Mère de Dieu lui apparut avec un visage ineffable, ayant près d'elle le grand Docteur d'Hippone. Le malade, levant ses regards vers cette vision céleste, s'écria avec admiration : — « Qui êtes-vous donc, ô dame si belle, pour venir vers moi, qui suis cendre et poussière ?... » — « Je suis, répondit celle-ci, la Vierge Marie, Mère de ton Sauveur !... Tu m'as tout à l'heure appelée à ton secours avec Augustin qui est ici près de moi. Nous voici, nous sommes venus pour te donner un conseil, afin que tu recouvres la santé.... » Et indiquant du doigt une maison de la place voisine, la Reine du Ciel ajouta : « Envoie quelqu'un vers cette femme, et qu'elle donne un pain frais pour toi, au nom de mon Fils !... Quand tu l'auras reçu, tu le mangeras trempé dans l'eau, et par lui tu jouiras du bienfait de la santé... (2). »

Le Saint s'éveilla alors. Sans parler de sa vision, il pria son serviteur d'aller demander, au nom de Notre-Seigneur, un pain à la femme désignée par la Très-Sainte-Vierge. Lorsqu'il l'eut reçu et qu'il l'eut fait tremper dans l'eau, il

1. *Procès.* Depositio D. Conradi in ordine testium CLXXIII.

2. Bienheureux Jourdain de Saxe. *Vitæ Fratrum.* — Saint Antonin, ch. 49, n. 20.

en goûta une toute petite parcelle. A l'instant même, il quitta son lit et se leva parfaitement rétabli (1).

« O Très-Sainte Vierge, ajoute le bienheureux Jourdain, en lui indiquant ce remède, vous lui avez donné un juste conseil !... »

Telle fut l'origine admirable des pains de saint Nicolas. La Mère de Dieu en fut elle-même l'auteur, l'Eglise en a reconnu l'authenticité, un nombre presque infini de miracles en ont montré la divine origine. D'après une tradition conservée dans l'Ordre des Ermites de saint Augustin, saint Nicolas lui-même commença à bénir des pains en se servant de la formule commune. Nous verrons plus loin les prodiges que le Ciel opéra par ce moyen.

Mais, avant de terminer ce chapitre, nous voulons raconter un dernier et merveilleux trait de saint Nicolas au sujet de sa constance à garder sa résolution de jeûne et d'abstinence perpétuels. Comme nous avons pu le remarquer, les faveurs de Dieu, loin de détourner le Bienheureux de son genre de vie, ne faisaient que l'y affermir davantage. Les mets délicats lui devinrent tellement en horreur qu'il répondait au Frère Augustin, quand il lui en présentait : « Allez porter ces choses à ceux qui sont plus malades que moi. »

Malgré ces refus persistants et cette rare énergie, les religieux de Tolentino continuèrent à tourmenter doucement leur saint Frère, et devinrent ainsi souvent l'occasion de gracieux prodiges comme celui que nous allons citer et dont s'est emparée la peinture.

La faiblesse de Nicolas, se joignant à son âge, l'avait conduit aux portes du tombeau ; elle augmentait tous les jours et lui causait les plus graves infirmités. Ne sachant plus que faire pour soulager et sauver le Bienheureux, le Prieur résolut de faire près de lui une nouvelle tentative et de se montrer plus ferme que jamais, pour donner et maintenir l'ordre formel de faire manger de la viande au malade, et cela en vertu de l'obéissance. Un bienfaiteur du monastère ayant gracieusement envoyé au couvent

---

1. Absque intermedio aliquo, sanitatis plenissime recepto beneficio exsurrexit. Petrus de Monterubbiano. — Bienheureux Jourdain de Saxe. — Saint Antonin.

deux perdrix, elles furent immédiatement rôties et portées à Nicolas (1).

Celui-ci remercia son supérieur de toute son âme, peut-être avec cette joie intime et cachée des saints qui savent que DIEU les soutiendra toujours dans les heures difficiles. Il inclina la tête en signe de soumission et de reconnaissance et, prenant un très petit morceau de viande, le porta à ses lèvres.

Mais alors, comme si une voix divine l'eût appelé à d'ineffables communications, il leva tout à coup vers le Ciel ses yeux et sa main droite, puis traça le signe sacré de la croix sur les perdrix rôties et déjà divisées en plusieurs morceaux. Aussitôt les gracieux oiseaux, se couvrant de nouvelles plumes et revenant à la vie, s'envolèrent avec rapidité vers le cloître, en chantant leur liberté miraculeusement recouvrée (2).

Cet éclatant miracle fut certifié par Monseigneur Bérard, évêque de Camérino. On conserve encore à Tolentino avec les bras du Saint, avec son bâton et plusieurs autres reliques dont nous parlerons, l'assiette sur laquelle les perdrix rôties furent présentées au Bienheureux.

La fenêtre par laquelle elles s'envolèrent ressuscitées existe encore. Elle est ornée aujourd'hui d'une fresque représentant ce prodige, qui explique pourquoi on place souvent un oiseau au pied des statues de thaumaturge de l'Ordre augustinien.

---

1. Cum duæ perdices mortuæ fuissent præsentatæ divo Nicolao ut comederet, etc.   *Procès.*

2. In plura frusta dissectas fuisse, ac deinde per crucis signum novis plumis instructas avolasse.

Bienheureux Jourdain de Saxe.

Chapitre Quinzième.

SAINT NICOLAS
DANS SES LUTTES AVEC LE DÉMON.

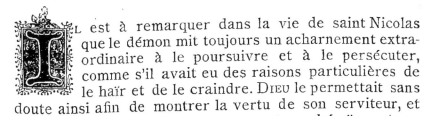

Prière continuelle de saint Nicolas. — Rage du démon.— Première bataille.— Le démon pénètre dans la cellule de saint Nicolas sous la forme d'un oiseau noir. — Persécutions nouvelles. — Victoire éclatante.

L est à remarquer dans la vie de saint Nicolas que le démon mit toujours un acharnement extraordinaire à le poursuivre et à le persécuter, comme s'il avait eu des raisons particulières de le haïr et de le craindre. Dieu le permettait sans doute ainsi afin de montrer la vertu de son serviteur, et de faire briller à tous les yeux sa constance héroïque et son admirable patience.

Le pieux Ermite était avant tout et par-dessus tout un homme d'oraison. Nous savons par la parole même du Sauveur : « Veillez et priez pour ne pas entrer en tentation », que la prière est la source de toute force surnaturelle et l'arme de toute victoire spirituelle. Aussi fut-ce contre les oraisons continuelles et contre les rigoureuses pénitences de notre Saint que Satan dirigea ses attaques. Il ne le tenta pas d'une manière extraordinaire sur l'humilité, la pauvreté et les autres vertus qui sont l'ornement du véritable religieux ; mais il voulut à tout prix l'empêcher de prier et de se mortifier. Tous ses historiens, en effet, s'accordent à dire que la ferveur que Nicolas apportait à l'oraison, fut la principale cause de ses combats extérieurs avec le démon. Cet ennemi acharné de tout bien semblait avoir juré de le vaincre de ce côté, sachant que, s'il lui faisait perdre le sentiment de la présence de Dieu, il arriverait à le détourner de la pénitence, arrêterait par là sa force surnaturelle, et rendrait moins nombreux et

moins importants les miracles et les conversions qui en
étaient la suite.

Nous avons déjà vu quelle défaite subit Satan du
côté des abstinences et des mortifications du serviteur de
Dieu. Nous allons constater maintenant qu'il ne fut pas plus
heureux en ce qui concerne la prière.

Nicolas de Tolentino, dit le Bréviaire, avait pour l'oraison un zèle incroyable ; il priait sans cesse, la nuit et le
jour, et partout. Venait-on le visiter, on le trouvait inva-
riablement prosterné dans la contemplation ou occupé à
lire la Sainte Ecriture.

On ne peut dire combien de temps il employait chaque
jour et chaque nuit à la prière ; il était tellement assidu
à ce saint exercice, dit le procès, qu'il s'y livrait depuis
Complies jusqu'au chant du coq, depuis Matines jusqu'au
jour. Après la Messe, à moins qu'il ne fût obligé d'entendre
des confessions, il recommençait jusqu'à Tierce ; et depuis
None jusqu'à Vêpres, s'il n'était pas retenu par quelque
obédience (1).

Ainsi, en s'arrêtant aux expressions mêmes du procès,
Nicolas employait à la plus fervente oraison, à l'exception
de trois heures par jour, tout le temps que ne lui pre-
naient pas les devoirs de l'obéissance et de la charité.
Encore arriva-t-il plus d'une fois que ces trois heures
furent marquées par des visions et des extases du Bienheureux.

Elles étaient fréquentes, ces grâces extraordinaires !
Nous avons raconté celles que son humilité a permis de
connaître ou que certaines circonstances indépendantes
de sa volonté rendirent publiques. Mais nous savons que
les extases du Saint ne l'empêchaient pas de dire journellement les heures canoniales agenouillé sur la terre, les
psaumes graduels et ceux de la pénitence avec les litanies
des saints, l'office de la croix et celui des morts, ajoutant
à toutes ces prières un grand nombre d'*Ave Maria* en
l'honneur de la bienheureuse Mère de Dieu, qu'il saluait

---

1. Orationi erat assiduus : post completorium usque ad galli cantum ; post
matutinum usque mane ; post missam, nisi confessionibus occupatus, usque ad
tertiam ; et post nonam, nisi obedientiis intentus, usque ad vesperam... Integras sæpe noctes pervigil ducebat... in quo solebat orationi vacare.

Procès. — Brev.

toujours à genoux et pour laquelle il avait une dévotion très spéciale, un amour tendre et naïf comme celui d'un enfant pour sa mère bien-aimée (1). Dès les premières années de sa vie religieuse, Nicolas avait placé dans sa cellule une image de la *Pietà*. On nomme ainsi, en Italie, la Vierge des Sept-Douleurs tenant sur ses genoux son Fils descendu de la croix. Il prodiguait les témoignages les plus visibles de sa vénération filiale à cette sainte gravure ; il restait de longues heures à la contempler, prosterné devant elle, faisant là une partie des prières qu'il s'était imposées, y répandant des larmes abondantes d'amour et de compassion. Nous verrons comment Marie le récompensa de cette tendre piété et avec quelle rage le démon poursuivit le serviteur de la Reine du Ciel.

Chaque vendredi Nicolas se rendait dans la sacristie, où était conservée une relique de la Vraie Croix qu'il avait fait enchâsser dans un crucifix d'argent, et il y demeurait de longues heures en oraison (2). L'amour brûlant qu'il ressentait pour le Sauveur dans sa Passion, le portait aussi à vénérer avec une piété singulière les images de Jésus crucifié. Une d'elles entr'autres, placée devant la porte de l'ancienne sacristie de Tolentino, recevait constamment les hommages du pieux Ermite, qui l'affectionnait particulièrement et la saluait avec un respect et une vénération extraordinaires. Ceci sans doute fut cause que le démon attaqua Nicolas de ce côté et s'efforça de l'éloigner de cette image bénie, comme nous le verrons bientôt.

Tolentino fut le principal champ de bataille où l'enfer déploya toutes ses ruses et toute sa rage pour vaincre notre Saint, sans pouvoir jamais y réussir. Les attaques de Satan y furent plus fréquentes et plus violentes qu'ailleurs ; sa méchanceté et sa haine s'y montrèrent avec

---

1. Dicebat Canticum Graduum, Crucis et Mortuorum officia, Psalmos Pœnitentiales cum Lytaniis, et multas Salutationes angelicas B. Virginis Mariæ genuflectendo... Quasi semper orabat... orandi vero studium in eo incredibile. *Procès. — Brev.*

2. Crucem argenteam bonarum personarum hujus Castri eleemosynis factam me laborante, ubi Lignum veridicum S. S. Crucis me vidente interpositum est.

Bienheureux Jourdain de Saxe, *Vita Fratrum*, lib. II, cap. 13.

une plus grande audace, surtout dans les trois dernières années de sa vie. Toutes les malices semblaient bonnes à l'ennemi du genre humain ; il les employait contre le fils d'Augustin qui, lui, ne cessait pas de le mépriser et de le traiter comme il le méritait. Ces combats donnent à la physionomie de notre bienheureux Ermite les traits les plus étranges, mais non les moins dignes de notre admiration.

Un jour, Nicolas avait préparé deux morceaux d'étoffe pour raccommoder son habit. Pendant qu'il récitait l'office des morts, l'infernal voleur lui en déroba un que le Saint chercha ensuite partout sans pouvoir le trouver. Accoutumé qu'il était déjà depuis longtemps aux tours diaboliques, il s'écria alors en s'adressant au Ciel :

« O Dieu saint, qui donc a pu se jouer ainsi de moi, sinon, véritablement, celui qui n'est pas digne d'être nommé ?... »

A cette parole de mépris, Satan répondit aussitôt :

« — Oui, c'est moi ; je t'ai trompé et je te tromperai encore !

... Et encore t'attaquerai-je d'une autre manière, puisque jusqu'ici, en agissant comme je l'ai fait, je ne suis pas parvenu à te vaincre.

» — Qui donc es-tu ? demanda Nicolas.

» — Je suis Bélial, envoyé pour ébranler ta sainteté ; je ne te laisserai pas un moment de repos, puisque tu ne fais pas autre chose que de nous tourmenter. »

Employant alors, comme Notre-Seigneur, les paroles mêmes de l'Ecriture, le Saint s'écria, mettant, par dédain, son terrible adversaire au-dessous de sa nature, et l'égalant aux hommes pervers qui se font ses esclaves et ses suppôts :

« — Si mon Dieu vient à mon aide, je ne craindrai pas ce que l'homme pourra me faire ! (1) »

Cependant l'ange déchu devait tenir sa parole et faire chèrement payer à son ennemi le peu de cas qu'il faisait de lui. Il ne manquera désormais aucune occasion de

---

1. Cum gaydam unius suæ tunicæ alteri vellet consuere, quærens et requirens, et invenire non valens, dicebat : Sancte Deus... Diabolus respondit dicens : Illusi et illudam... Et dictus Nicolaus respondit : Quis es tu ? Ego sum Belial... etc...

Procès.

lui nuire ou de le tourmonter ; et il multipliera tellement ses attaques et même ses coups que, sans une protection spéciale de la Providence, Nicolas aurait certainement perdu la vie.

Le Frère Giovannuccio, témoin de toutes les luttes soutenues par l'héroïque moine de Tolentino, déposa, sous la

NOTRE-DAME DES SEPT-DOULEURS
Image léguée par Marguerite d'Autriche à l'église des Augustins de Brou (Ain).

foi du serment, dans le procès de canonisation, qu'il était impossible de compter les coups reçus par le Saint de la main du démon, et de raconter toutes les atroces persécutions de ce monstre infernal pour arriver à le distraire et à l'empêcher de prier.

Ainsi, pendant une nuit du mois d'août 1304, Nicolas priait dans sa chambre avec le Frère Giovannuccio, alors âgé d'environ quatorze ans, lorsqu'un peu avant Matines, le démon ouvrit tout à coup la porte, en faisant un bruit épouvantable, et vint près des deux religieux sous la forme d'un énorme oiseau noir au plumage hérissé, au regard effrayant. Le jeune compagnon du Bienheureux s'étant mis à trembler de peur, celui-ci, pour remonter son courage, lui dit avec une ineffable douceur :

« — Viens ici, Giovannuccio, mets-toi près de moi et ne crains pas cette bête qui vole à travers la cellule ; car Dieu nous viendra sûrement en aide. »

A cet instant, l'ennemi du genre humain, irrité de ce langage, se jeta avec fracas sur la lampe suspendue dans un coin de la chambre par un cercle de fer, et, l'éteignant d'un coup d'aile, il la jeta à terre et la brisa en mille morceaux.

Le pauvre Frère Giovannuccio était presque mort de frayeur ; mais le Saint le rassura encore et lui dit :

« — Va !... appelle le Frère Bonaventure qui est près de nous dans l'autre cellule... ; allez ensemble chercher une lumière que vous m'apporterez !... »

Les deux religieux obéirent et, descendant au rez-de-chaussée du couvent, cherchèrent la lumière demandée ; mais le feu de la cuisine, la lampe de la sacristie, tout était complètement éteint, sans doute par Satan lui-même. Après plusieurs recherches inutiles, les pauvres Frères, pleins de regret et de tristesse, remontèrent vers Nicolas, afin de lui faire part de leur peine et de leur embarras ; mais, ô miracle !... quel ne fut pas leur étonnement de voir dans les mains du Saint la lampe entièrement refaite, remplie d'huile et jetant une vive clarté autour de lui ! (1)

Un autre fait presque semblable se trouve enregistré dans le procès. Le Père Ambroise Frigerio le raconte ainsi :

Le serviteur de Dieu, se tenant une nuit agenouillé devant l'autel où il adorait avec un cœur enflammé le Très-Saint Sacrement, vit le démon s'approcher de lui et

---

1. Venias ad me, et sedeas hic, et non timeas de isto, qui vadit per istam cellam, quia Deus juvabit nos... Voca Fratrem Bonaventuram... Invenerunt illam speram in manibus Fratris Nicolai integram, plenam oleo, et illuminatam sicut prius. *Procès.*

saisir la lampe attachée au mur par une forte chaîne pour l'éteindre, en verser le contenu sur son habit et la réduire ensuite en mille morceaux. Nicolas se releva pour aller changer de vêtements ; il lui fallait pour cela en emprunter à ses frères. Il se mit à ramasser toutes les petites parties du verre qui gisaient à terre, et, s'adressant à Notre-Seigneur, il lui dit avec une voix pleine de douce tristesse :

« Ne souffrez pas une telle indignité devant votre Majesté, ne tolérez pas une si grande audace dans l'ennemi qui ose vous faire de si indignes outrages !... »

Aussitôt, par un insigne miracle, les débris que le Saint tenait dans sa main se rejoignirent, et la lampe se retrouva tout entière avec son huile et sa lumière vacillante qui éclairait de nouveau l'église (1).

Est-ce que Notre-Seigneur ne prouvait pas ainsi à son serviteur qu'il était réellement présent dans le tabernacle, et qu'avec sa tendre et puissante protection, il veillait sur lui et le gardait de la rage et des entreprises de l'enfer ?...

Près de l'endroit où est placée encore aujourd'hui la lampe du Très-Saint Sacrement, on lit l'inscription suivante destinée à conserver la mémoire de ce fait prodigieux : « A la lampe brisée par le malin esprit, le pieux Nicolas rendit sa forme première ; et, quand elle fut éteinte, en priant, il l'alluma (2). »

Le Frère Giovannuccio, qui paraît avoir été le compagnon privilégié du thaumaturge de Tolentino, sans doute à cause de son innocence et de sa docilité, fut encore témoin d'un troisième miracle analogue aux précédents.

Il s'agit, cette fois, de l'image de Jésus crucifié placée au-dessus de la porte de la sacristie, et devant laquelle nous avons dit que le Saint aimait à prier. Un samedi qu'il était en oraison devant ce tableau, vers l'heure de Tierce, le démon vint briser devant lui la lampe placée au-dessous de la pieuse image, et en répandre toute l'huile sur son habit qui en fut couvert. Le Frère Giovannucio, qui com-

---

1. Frigerio, chap. XV, pag. 66.

2. Lampadam a torvo spiritu extractam in formam restituit integram, atque extinctam sine igne pius Nicolaus orans accendit.

mençait probablement à s'accoutumer aux méchancetés
de Satan, courut chercher un autre vêtement, afin d'enlever
les taches de celui du serviteur de Dieu ; mais, à son
retour, il s'arrêta profondément étonné en voyant celui-ci
ramasser tranquillement les morceaux épars du verre
brisé qui se réunissaient et se rejoignaient à mesure dans
ses mains. Bientôt la lampe reconstituée se trouva pleine
d'huile et allumée, de façon que le Saint put la remettre à
sa place et continuer ses prières comme s'il n'était rien
arrivé.

Quand elles furent terminées, Giovannuccio s'approcha ;
mais c'était pour avoir un autre objet d'étonnement ; car
la tunique de Nicolas se trouvait propre et sans aucune
trace de l'huile renversée par le diable (1).

Cet infernal ennemi perdait donc sa peine, c'était visible ; pourtant, il n'en continua pas moins ses persécutions
et ses violences à l'égard de sa victime, dont la douceur,
l'oraison continuelle et la puissance surnaturelle semblaient
l'exaspérer et redoubler sa rage. Dès que le serviteur
de Dieu commençait à se recueillir pour prier, il venait
l'assaillir par des tentations de toutes sortes, par des ima-
ginations bizarres ; ou bien il l'écrasait sous le poids d'une
fatigue extraordinaire ; il en vint enfin aux menaces et aux
coups.

Un soir que Nicolas était descendu dans un oratoire
situé près de l'église du couvent, avec l'intention d'y passer
une partie de la nuit devant le tabernacle, il avait à peine
commencé ses amoureux colloques avec le Dieu de l'autel,
que le démon, qui connaissait sa pieuse coutume, se mit à
rugir d'une manière épouvantable en imitant les hurlements
des animaux sauvages. Le Saint, plongé dans la contemplation de Jésus-Hostie, ne s'occupa nullement de ce
tapage infernal, et continua son oraison comme si le plus
profond silence eût régné autour de lui. Alors une foule
d'esprits mauvais s'agitèrent sous ses yeux, poussant des
cris et des clameurs, et remuant avec une violence inouïe
les tuiles du toit de l'oratoire, qui paraissait sur le point
de s'effondrer. Le courageux adversaire de Satan demeurait toujours dans la même position et semblait ou ne rien

1. Frigerio, chap. XV, pag. 65.

entendre ou se moquer de l'enfer. Devant cette attitude impassible du Saint, le monstre infernal entra dans une épouvantable fureur, et, prenant un bâton noueux, il frappa l'héroïque moine avec tant de force que le bâton se rompit. (C'est cassé en deux qu'on conserve encore à Tolentino ce bâton dans un riche étui d'argent) (1).

Le Saint se releva alors tout meurtri et porta pendant longtemps les traces visibles des coups de son bourreau.

Ce ne fut pas la seule fois qu'il fut blessé par lui ; car saint Antonin assure que l'esprit infernal le frappa souvent ; et le Frère Giovannuccio a attesté dans le procès, comme nous l'avons dit, qu'il est impossible de compter les tours, les complots, les luttes que soutint notre Saint contre le démon pendant les trois dernières années de sa vie. Auparavant, et presque dans tous les couvents où il avait passé, le glorieux fils d'Augustin avait été tourmenté par Satan ; mais ce fut surtout quand il approcha de la fin de son existence, que l'enfer déploya toutes ses ruses et ses violences pour arracher au Seigneur cette âme si pure et si magnanime. C'est alors que Bélial en arriva aux mauvais traitements et aux coups.

Un jour, par exemple, le démon frappa si cruellement le Saint qu'il le laissa couvert de blessures fort graves. Son confident, Giovannuccio, fut profondément ému en le voyant étendu sans force et presque sans vie au milieu de sa cellule. Il le questionna sur la cause de son mal : « C'est le diable, répondit simplement l'admirable soldat du Christ ; mais, par les mérites de la Vierge Marie, j'espère qu'il ne me vaincra pas !... (2) »

Une autre fois, Nicolas, qui avait coutume de devancer l'heure des Matines, qu'on disait alors à minuit, se leva la

1. Super oratorii tectus stans, voces diversarum ferarum formabat... tectum revolvere videbatur. At ille ludibria illa et terriculamenta nihili pendens, majore animi contentione precibus incumbebat.

Procès.

2. Frater Joannutius... invenit Nicolaum murmurantem cum patientia et dicentem : Fili mi, juva me quia multum sum verberatus a diabolo ; tamen non vincet me cum gratia Beatæ Mariæ, et ipse Joannutius vidit tumefactiones magnas in facie, spatulis, ac brachiis dicti Nicolai... Ipse Nicolaus hoc occultabat quantum poterat.

Joannutius in Proc. in ordine testium, CCXXI.

nuit pour se rendre au chœur. Trouvant la porte de l'oratoire fermée, il voulut entrer dans le réfectoire pour y prier devant l'image de Notre-Seigneur crucifié.

Le démon, survenant derrière lui, le frappa alors si violemment qu'il le renversa, la tête sur le seuil de la porte, presque sans connaissance. Lorsque le Saint put enfin respirer et remuer, il prononça amoureusement le nom de JÉSUS-CHRIST et se releva pour entrer quand même et faire son oraison en ce lieu. Dans un excès de rage impossible à dépeindre, son terrible ennemi le jeta une seconde fois sur le sol et le flagella cruellement. Contraint de se retirer, le serviteur de DIEU, brisé et sans force, chercha à s'appuyer à l'angle de la muraille ; mais les monstres infernaux le poursuivirent et l'accablèrent de tant de coups qu'ils lui brisèrent le pied. C'est pour cette raison qu'il dut, pendant tout le reste de sa vie, marcher à l'aide d'un bâton (1).

Nicolas était presque mourant. Cependant les esprits mauvais n'étaient pas encore satisfaits ; ils voulaient aller plus loin cette fois, afin d'achever leur victime. Ils prirent le Saint dans leurs bras et, comme pour jouer, se le jetèrent les uns aux autres à travers l'espace, sous les colonnes du cloître.

Le bruit fait par les démons et les hurlements de joie qu'ils poussaient furent tels que les religieux, éveillés en sursaut, accoururent pleins de frayeur. Ils aperçurent alors le soldat du CHRIST étendu à terre, tout sanglant, tout meurtri et à moitié mort. Le prenant à leur tour dans leurs bras, ils le portèrent respectueusement sur son pauvre lit.

Or, chose admirable !... cette douce victime de Satan ayant invoqué le nom de JÉSUS, Notre-Seigneur lui apparut aussitôt et s'entretint avec lui. Que se passa-t-il ?.... Le Saint n'a jamais dévoilé le secret de la divine visite ; mais on le vit, réconforté et instantément remis, se lever et, appuyé sur son bâton, la blessure de la jambe seule n'étant pas guérie, se rendre au chœur pour réciter Matines et remercier Celui qui avait fait pour lui un nouveau et ineffable miracle.

---

1. In limine ostii refectorii a Beliali impingitur et ad terram prostratus et iterum verberatus a diabolo.   *Procès.*

Pour conserver le souvenir de ce fait merveilleux, les religieux gravèrent encore sur la porte du réfectoire l'inscription suivante qu'on y lit aujourd'hui :

« Cette porte fut illustrée par un combat très important de Nicolas. Frappé, là, très cruellement pendant la nuit par l'ennemi du genre humain, il fut étendu sur le sol, sans vie et le pied brisé. Mais, aidé par les Pères et ayant invoqué le nom du CHRIST, il fut guéri!... » (1)

1. Porta hæc gravissimo Nicolai certamine insignita, ubi ab humani generis hoste nocturnis horis acerrime impulsus, claudo pede humi exanimis procubuit. At Christi nomine invocato, a Patribus adjutus surrexit.

Chapitre Seizième.

L'ÉTOILE DE LA PRIÈRE.

L'oratoire de Tolentino. — L'étoile présage de sainteté. — Elle précède Nicolas jusqu'à l'autel. — Saint Nicolas croit que son dernier jour est proche. — « Je dors, mais mon cœur veille. »

'AMOUR ardent de saint Nicolas pour son DIEU le poussait sans cesse vers la solitude et le silence, afin de se recueillir et de s'entretenir cœur à cœur et sans témoin avec son divin Maître. Son âme avait faim et soif des choses infinies et des biens éternels ; rien sur la terre ne parvenait à la rassasier et à la désaltérer. Il sentait profondément le vide et l'inanité de ce qui passe, le néant de ce qui n'est pas DIEU ; et il avait vraiment fait de Notre-Seigneur JÉSUS-CHRIST le seul but et l'unique tout de sa vie.

Aussi la prière et l'oraison étaient-elles un besoin pour son cœur ; le silence et la solitude de la cellule ne lui suffisaient pas. A peine arrivé dans un nouveau couvent, il cherchait aussitôt un endroit écarté et propice au recueillement et à la contemplation.

C'est ce qu'il fit, en 1275, lorsque ses supérieurs l'envoyèrent à Tolentino. Dès qu'il eut visité le monastère, il choisit et adopta une chambre touchant l'église, dont la petite fenêtre s'ouvrait sur le tabernacle. Séparée de la cellule du Saint seulement par une grande pièce qui servait alors de sacristie et fut changée depuis en salle capitulaire, cette chambre devint l'humble oratoire du serviteur de DIEU, qui n'avait que quelques pas à faire pour s'y rendre. Il y allait presque furtivement, en se cachant, avec des précautions qu'on pourrait appeler de pieuses ruses ; et il le faisait toutes les fois que ses occupations le lui permettaient. Alors, seul avec son DIEU, il se laissait aller aux libres élans de la tendresse la plus expansive et la plus ardente. Comme nous l'avons vu, il aimait surtout à passer les nuits devant le Très-Saint Sacrement, dans d'intimes et amoureux colloques avec l'hostie qui renfermait son Seigneur et son Maître. Très souvent les premiers rayons du soleil le surprenaient agenouillé encore près de la petite fenêtre et perdu dans la douce contemplation des beautés ineffables de son Bien-Aimé (1).

Il y avait plusieurs années déjà que Nicolas fréquentait ce lieu et y goûtait de véritables délices spirituelles, quand le Seigneur lui accorda une faveur extraordinaire sur laquelle le bienheureux Jourdain de Saxe, Pierre de Monterubbiano, le Bréviaire, les Bollandistes et tous les historiens du Saint, s'arrêtent avec une particulière complaisance. Comme, sous l'ancienne loi, DIEU fit voir en songe à Joseph douze étoiles qui lui présageaient sa grandeur future, de même il fit également apparaître aux yeux de notre Thaumaturge une étoile merveilleuse, comme le gage béni des grâces nouvelles qu'il lui préparait et du tendre amour qu'il portait à son âme si pure et si sainte !...

Voici le fait : Une nuit, après avoir longtemps prié dans sa cellule devant l'image de la Piété et devant la relique de la Vraie Croix, le serviteur du CHRIST, s'étant paisiblement endormi, vit en songe une étoile très brillante et d'une grandeur extraordinaire qui s'avançait très rapidement en ligne droite, depuis le château de *Saint-Ange-in-Pontano*, où Nicolas avait vu le jour, jusqu'à l'autel situé derrière l'oratoire, où il avait coutume de célébrer chaque matin le sacrifice de la Messe et de passer de longues heures en prière. Cet astre merveilleux se tenait à peu de distance du sol, à la hauteur d'un homme, et semblait attirer des peuples de tous pays et parlant diverses langues ; il s'arrêta devant l'autel, comme étant parvenu au terme de sa course miraculeuse.

Ce prodige se renouvela plusieurs nuits, comme pour donner au Saint une preuve certaine de la réalité de sa vision.

Aussi une sorte de crainte envahit son âme, et il désira

---

1. Integras sæpe noctes pervigil ducebat.   *Procès.*
S. Nicolas de Tolentino.

savoir ce que signifiait cette étoile merveilleuse. Il s'ouvrit donc confidentiellement de ce qu'il avait vu à l'un de
ses frères, religieux de bon jugement et de grande science.
Celui-ci, après avoir écouté attentivement cette confidence,
répondit à Nicolas ces paroles qu'on peut considérer
comme prophétiques :

— « Père, cette étoile est le présage de votre sainteté !
Je ne doute nullement que votre corps ne soit un jour placé
au lieu où cet astre a semblé achever sa course, et que
parmi les nombreux miracles qui y seront opérés, il n'y ait
celui de voir accourir à votre tombeau et honorer votre
nom des peuples qui ne vous auront pas connu !... »

Le serviteur de Dieu, effrayé de ce discours si bien fait
pour troubler sa profonde humilité, se retira en disant :
« N'ayez pas de moi cette opinion, ô mon frère. J'ai toujours été un serviteur inutile du Christ..... Mais le Seigneur lui-même me fera connaître la signification de cette
vision que vous n'avez pas comprise (1). »

Peu de jours après cet entretien, Nicolas, entrant, selon
sa coutume, dans l'oratoire, vit de nouveau la mystérieuse
étoile qui s'avançait très lentement et le précédait jusqu'à
l'autel, telle qu'il l'avait aperçue en songe. Depuis cet
instant, il la trouvait devant lui chaque fois qu'il se rendait
à la prière. Le Saint comprit alors que l'explication qui lui
avait été donnée de ce songe, était bien réellement l'expression de la vérité et des desseins du Ciel.

Cependant, craignant encore d'être trompé et pour
s'assurer positivement du miracle, il rentra dans l'oratoire,
fit une profonde salutation, pria quelques instants et tra-
versa la pièce dans toute sa longueur. Dès qu'il se fut
éloigné de l'autel, l'étoile, qui l'avait précédé jusque-là,
devint invisible ; puis elle reparut quand il se rapprocha
de nouveau. La même expérience fut renouvelée plusieurs
fois par l'humble religieux ; toujours le résultat fut le
même. Il put donc être désormais absolument certain de
la faveur céleste qui lui était accordée, d'autant mieux
que cet éclatant prodige dura de longues années. C'est
pourquoi, sans doute, Nicolas, se rappelant les paroles de
son confrère et ne voulant pas s'opposer à la volonté de

---

1. Pierre de Monterubbiano.   *Bolland.* tom. III, p. 652, n. 30.

Dieu, demanda, dans sa dernière maladie, à être enseveli au-dessous de l'endroit où se montrait l'étoile, et à n'en être jamais éloigné pour aucune raison et dans aucun temps.

— « O vérité du Christ, s'écrie ici Pierre de Monterubbiano, toi qui ne trompes jamais, et qui vois ce que cachent les ténèbres dans la lumière de ton admirable clarté, tu as montré cette étoile et tu l'as fait précéder cet homme vénérable comme le signe de sa sainteté, attirant à lui, même après son trépas, des peuples nombreux et de diverses races (1)!.... »

En effet, pendant de longues années, au jour anniversaire de la mort du Saint, pendant que des foules de tout pays se rassemblaient sur son tombeau pour honorer ses restes précieux et obtenir de nombreux miracles de guérison, l'étoile paraissait toujours immobile et radieuse au-dessus de la dépouille mortelle de Nicolas (2). Dieu ne voulait-il pas faire comprendre par là que son bienheureux Serviteur jouissait au Ciel de la magnifique et éternelle récompense méritée par ses héroïques vertus, et qu'il avait le pouvoir de secourir encore ceux qui recouraient à son intercession comme pendant sa vie ?..

Cet astre béni fut chanté par un grand poète de Mantoue, Giovanni Mantovano; Pierre d'Uzeda, songeant à la fois à l'étoile merveilleuse et aux perdrix ressuscitées, a fait ces gracieux vers : « Je donne des oiseaux au Ciel, le Ciel me rend des étoiles, afin que, brillant par elles, je sois vraiment la demeure de Dieu (3). »

Le Pape Eugène IV, touché de la faveur surnaturelle accordée à ce grand Thaumaturge, prescrivit que ses statues et ses images porteraient l'étoile rayonnante placée sur la poitrine du Saint. Il semble ainsi que cette étoile brille encore de son pur éclat sur l'Ordre qui eut le bonheur de posséder et de donner à l'Église l'illustre Nicolas de Tolentino.

---

1. Pierre de Monterubbiano, chap. IV.

2. Et multis sane annis continuis ipsâ die obitus ejus...... stella illa videbatur, *Pierre de Monterubbiano*, chap. IV.

3. *Joannes Baptista Mantuanus*, lib. III.
   Do volucres cœlo : cœlum mihi sidera reddit,
   Ut nitidus stellis sim domus apta Dei. *Petrus de Uzeda.*

Pour ce fils béni de saint Augustin, du jour où il fut
certain de la vérité de sa vision, il pensa que cette grâce
merveilleuse était un avertissement du Ciel qui le pressait
de se préparer à la mort, et lui annonçait que le terme de
son pèlerinage n'était pas éloigné. Il crut donc pouvoir se
réjouir de quitter enfin cette vallée des larmes où tout
semblait si petit et si imparfait à son âme avide de l'infinie
Beauté ; il voulut se préparer à voir bientôt face à face ce
Dieu qu'il ne connaissait que sous le voile épais et sombre
des mystères de la foi !

Hélas ! l'amour ardent de son cœur le trompait cette
fois, et lui faisait prendre ses désirs pour de célestes
réalités ; car le Seigneur avait décidé de le laisser encore
embaumer la terre du parfum de ses admirables vertus ; il
ne lui envoyait cette étoile que pour l'exciter à croître de
plus en plus dans la ferveur et dans la pratique de l'union
perpétuelle avec le Christ. Aussi, aux doux feux de cet
astre béni, l'âme de Nicolas s'ouvrit tout entière à l'action
divine, et il devint tellement un homme d'oraison et de
prière, que rien ici-bas ne pouvait interrompre et troubler
son intime union avec Notre-Seigneur ; de sorte qu'on
pouvait lui appliquer cette parole profonde des Cantiques :
« Je dors, mais mon cœur veille. »

Chapitre Dix-septième

LES CONCERTS ANGÉLIQUES.

Saint Nicolas se prépare à la mort. — Célestes mélodies. — Nina de Tolentino. — Symptômes de la mort. — Apparition divine. — Trois jours après ma Nativité, tu passeras de ce monde au royaume du Ciel. — Réjouistoi, ta prière a été exaucée. — La nouvelle de la maladie de saint Nicolas se répand dans la ville de Tolentino. — Émotion générale. — Nouveaux miracles.

ENFIN, l'heure de l'union parfaite et définitive, de l'union sans ombre et sans fin, approchait, et l'héroïque fils d'Augustin allait goûter la joie et la douceur de la mort des saints sur le cœur du CHRIST ! Il allait voir DIEU face à face et s'abîmer en Lui pour jamais !... Cette espérance le remplissait d'une ineffable consolation, consolation suprême et mystérieuse que le Seigneur réserve à ceux qui, sur la terre, l'ont servi vaillamment dans la douleur et la pénitence, au prix de mille sacrifices et des plus pénibles tentations. Quitter la terre comme on quitte un lieu d'exil, monter rapidement vers une patrie désirée, toucher à l'objet des vœux les plus ardents de l'âme, sentir que le souffle dont on est agité va enfin renverser la barrière qui sépare le temps de l'éternité, quelle suprême ivresse, quelle joie inénarrable, quelle récompense magnifique pour le cœur aimant d'un saint !... Il s'élève doucement, ce saint, vers l'espace infini, ses liens tombent peu à peu, une lumière divine commence à briller à ses yeux, le *veni* de l'Epoux se fait entendre, et le tressaillement de l'âme à cet appel lui ouvre le séjour du repos et du bonheur ; le Ciel est à lui pour toujours !...

A l'époque où nous sommes arrivés dans la vie de Nicolas, notre Bienheureux éprouvait tout cela. Il était heureux de voir approcher la mort ; car rien ne l'attachait à la terre, et il se sentait fatigué de la vie ! Aussi ses désirs du Ciel redoublaient, et il saluait la maladie comme la messagère céleste qui lui en ouvrirait les portes.

Depuis qu'il avait été maltraité et flagellé par le démon, l'héroïque soldat du CHRIST était resté infirme et boiteux. Il se traînait péniblement en s'appuyant sur un bâton, ses souffrances s'aggravaient de jour en jour;le mal devint enfin si violent et si continu que, malgré son courage et son indomptable énergie, il fut obligé de s'aliter.

Ce fut dans les premiers mois de l'année 1305 que Nicolas sentit clairement dans ses membres les avertissements et les réponses de la mort. Une fièvre ardente consumait sans cesse ses forces, causée et entretenue par ses mortifications et ses longues prières auxquelles il ne voulait pas renoncer, ambitionnant de rester fidèle à sa résolution jusqu'à son dernier soupir, afin que le déclin de sa vie ressemblât au commencement. Aussi était-il presque impossible aux religieux de Tolentino de faire accepter le plus léger adoucissement à leur saint Frère, tant dans la nourriture que dans le coucher et les soins corporels. Mais comme le Seigneur est infiniment bon, dit le bienheureux Jourdain de Saxe, il récompensa la fidélité de son serviteur non seulement par le don des miracles, mais encore en lui donnant,dans ses derniers jours,une sorte de certitude sur la gloire dont il allait être couronné. Pendant les six mois qui précédèrent sa bienheureuse mort, Nicolas, chaque nuit, avant l'heure des Matines, entendait des mélodies angéliques, et ces cantiques, il les entendait non en esprit, mais avec son corps et de ses propres oreilles (1).

Ainsi que l'histoire nous l'apprend d'autres saints, de saint François d'Assise et de saint Bernard en particulier, les esprits célestes descendaient vers lui pour le réjouir et le consoler par l'harmonie de leurs hymnes. Ils arrivaient toujours au même moment, dans le silence des ténèbres. Ils continuèrent à l'enivrer de leurs ineffables mélodies jusqu'à son dernier soupir.

---

1. Ipse per sex menses ante obitum omni nocte ante matutinalem horam etiam corporalibus auribus canticum Angelorum suavissimum audivit.
Bienheureux Jourdain de Saxe, liv. II, chap. 13.

L'étoile de la prière ne brillant plus que rarement, puisque le Saint ne pouvait se rendre à l'autel du Saint-Sacrement, il semble que, par une délicatesse admirable, digne du cœur de DIEU, le Ciel ait voulu la remplacer par ces concerts angéliques, avant-goût des chants de l'éternelle patrie et gage béni des récompenses qui attendaient le vaillant soldat de JÉSUS-CHRIST!...

En entendant ces suaves harmonies, celui-ci, transporté d'une douce ivresse, s'écriait souvent : « Je désire me dissoudre pour être avec le CHRIST !...» (1) Il ne s'y trompait pas, ces hymnes de l'autre monde lui annonçaient l'arrivée de l'Epoux céleste, l'approche de la réunion sans fin avec son Créateur et son DIEU. Aussi, véritable séraphin de la terre, il voyait ses ailes croître avec rapidité. Semblable à l'aiglon qui se penche sur le bord de son aire et mesure d'un regard déjà assuré l'espace lumineux dans lequel il planera bientôt, lui aussi contemplait le Ciel avec d'ardents désirs et d'ineffables frémissements ; il en parlait à ceux qui l'entouraient avec des accents de joie et d'impatience qui les ravissaient et leur faisaient penser que la mort était proche.

Ces accords merveilleux, qui durèrent jusqu'au dernier soupir de Nicolas, s'étaient fait entendre pour la première fois au mois de mars 1305. Un certain nombre de ses historiens ajoutent que ces mélodies du Paradis ravissaient le Saint, et que ces ravissements allégeaient le poids de son corps et le soulevèrent à diverses reprises sur son pauvre grabat (2).

Mais chose plus merveilleuse encore, qui montre quelle était la force d'âme et de caractère du fils d'Augustin, il continuait à s'occuper paisiblement de ses œuvres et des personnes confiées à sa direction, malgré ses extases, ses continuelles souffrances et son extrême faiblesse. En voici un exemple :

Une jeune femme de vingt-cinq ans, appelée Nina, épouse de Joncarello de Tolentino, se confessait habituel-

---

1. Ex quo (cantico angelico) delectabiliter provocatus dicebat : Cupio dissolvi et esse cum Christo.
                    Bienheureux Jourdain de Saxe, *ibid.*
2. Giorgi, chap. XVII, pag. 154.

lement à Nicolas. Il lui arriva de tomber dans une faute grave, absolument secrète, et, le Jeudi Saint de l'année 1305, elle se rendit à l'église des Ermites pour recevoir l'absolution, fermement résolue à ne point accuser son péché. Après avoir attendu quelque temps son saint confesseur, qui se rendait ordinairement à cette même heure au tribunal de la Pénitence, elle alla prier le Frère Simon de demander à Nicolas s'il pourrait venir l'entendre.

— « Si vous voulez un autre Père, répondit le portier, je l'appellerai volontiers ; mais pour celui que vous désirez, il ne faut pas y songer, car il est au lit gravement malade. Vous savez bien que, quand il peut descendre, il n'attend pas qu'on l'appelle pour se rendre à son confessionnal. »

Le Frère avait à peine prononcé ces paroles qu'il aperçut, avec une véritable stupeur, Nicolas qui s'avançait péniblement, appuyé sur son bâton, au-devant de sa pénitente. Dieu venait de lui faire spirituellement connaître l'état dans lequel se trouvait celle-ci, et son ardente charité avait triomphé encore une fois de la fièvre et de la faiblesse occasionnée par la maladie. Nina demeurait immobile et étonnée devant le Saint qui, s'approchant d'elle, lui dit de manière à n'être pas entendu : « Tu as honte de confesser le péché que tu as commis !... Chasse toute crainte, voici ce que tu as fait...» Et il lui fit en quelques mots le récit de la faute qui la faisait rougir, et dont elle avait été tentée de garder sacrilègement le secret au tribunal du pardon.

La pauvre pécheresse, saisie d'effroi, de stupeur et de remords, tomba à genoux et se confessa avec d'abondantes larmes et un véritable repentir. En quittant Nicolas, elle ne put s'empêcher de lui dire, comme elle l'a avoué dans le procès de canonisation : « Ah ! mon Père, nul, sinon Dieu, ne pouvait connaître mon péché (1) ! »

Vers la fin d'août de cette année, le Saint parut reprendre quelques forces et pouvoir traîner quelque temps encore sa vie languissante ; son visage, blanc comme la neige et semblable à une lampe d'albâtre éclairée par

---

1. Tu verecundaris confiteri peccatum tuum quod fecisti : noli verecundari quia tu fecisti hoc et hoc... Dixit Nina : Hoc peccatum non poterat scire nisi solus Deus.   *Procès.*

une flamme intérieure, s'était un peu ranimé ; mais, le premier septembre, un accès de fièvre, qu'il dissimula d'abord, se déclara et le força à s'aliter dès le troisième jour. Il s'étendit sur sa pauvre couche pour ne plus se relever, et sa faiblesse devint telle dès l'instant même, que

SAINT NICOLAS

ENTENDANT LES CONCERTS ANGÉLIQUES.

(D'après le tableau de Gagliardi conservé dans l'église de St-Augustin à Rome.)

les hommes de l'art, consultés malgré le malade, déclarèrent que son pouls battait à peine et qu'il touchait à ses derniers moments. Nicolas, averti surnaturellement que sa mort était en effet très proche, en prévint aussitôt les religieux et leur dit avec une grande joie au moment où, de leur côté, ils songeaient à lui annoncer la gravité de son

état : « Réjouissez-vous, mes frères, je suis aux portes !...
Je vous prie donc de prendre l'image de la Piété que
j'aime tant et de la mettre ici devant mes yeux (1) !.. »

En faisant cette demande, Nicolas avait une intention
toute particulière. Dès que la Madone fut exposée devant
lui, il se mit à la prier avec la sainte et ravissante familia-
rité des amis de Dieu qui savent qu'ils seront toujours et
sûrement exaucés. Il demandait à la Vierge Marie de vouloir bien le visiter sur sa couche d'agonie et de se montrer
visiblement à lui en compagnie de Notre-Seigneur JÉSUS-
CHRIST et de saint Augustin, son Père (2). Pendant deux
jours, il ne cessa de prier la Reine du Ciel avec les plus
pressantes et les plus amoureuses instances, s'efforçant,
par sa ferveur et son inébranlable confiance, de hâter le
moment béni de la grâce qu'il implorait et sur laquelle il
comptait. Il avait joui déjà autrefois en secret de cette
vision consolante, et il savait qu'une Mère comme Marie
ne refuserait rien à un fils aimant, à un dévot serviteur sur
le point de mourir !

Le cinq septembre, pendant que Nicolas demandait
cette faveur dans une oraison fervente, voici que le divin
Sauveur, la Très Sainte Vierge et le Patriarche de l'Ordre
apparaissent près de son lit et se montrent à ses yeux
ravis (3). Quelle immense et inexprimable joie pour le
vénérable agonisant ! De douces larmes coulent sur son
visage amaigri, les plus tendres sentiments de reconnaissance s'échappent de son cœur, il demeure plongé dans
un ravissement surnaturel !... Cependant il revient à lui-
même, et, afin de montrer pour quelle raison il a tant
désiré cette visite céleste, il demande simplement à la
Mère de Dieu de lui faire connaître si, comme il l'espère,
il quittera cette vie périssable dans six jours... Il entend
cette consolante réponse tombée des lèvres de Marie :
« Sois plein de joie, ô Nicolas, trois jours après ma Nativité tu passeras de ce monde au royaume du Ciel. Reçois

---

1. Bienheureux Jourdain de Saxe, liv. II, chap. 13.

2. Et rogavit Virginem Mariam, et B. P. Augustinum, ut apparitiones
Christi, et ipsorum consolationem reciperet.   *Procès.*

3. Tertia vero die post devotas orationes apparuit Christus cum Beata Maria,
sicut ipse Frater Nicolaus petiit.   *Procès.*

donc les sacrements de l'Eglise et hâte-toi de te préparer (1). »

A ces mots, l'âme du Saint fut inondée de la joie la plus
pure. Enfin il était sûr de mourir bientôt et d'être dans
quelques heures avec JÉSUS-CHRIST! Sa Mère elle-même
l'en assurait ; elle le présenterait à son Juge! Mais cette
consolante assurance ne suffisait pas au bienheureux agonisant, qui, devant l'ineffable et maternelle tendresse de la
Vierge, osa demander à son cœur si bon une autre grâce,
et plus rare et plus singulière :

« Chère Mère, reprit-il, avec la simplicité d'un enfant,
vous savez combien j'ai combattu contre les démons
pendant ma vie : je vous supplie de les éloigner de moi à
l'heure de ma mort (2). »

Cette fois, Marie ne répondit pas, elle disparut avec
Notre-Seigneur et saint Augustin.

Nicolas allait-il donc trouver encore ses cruels ennemis
sur le chemin du Paradis ?.. Ses terribles et douloureux
combats avec Satan allaient-ils se renouveler ?... Sa filiale
confiance résista à cette épreuve et ne fut en rien ébranlée
par le silence de la Vierge ; il s'abandonna entièrement à
elle et contempla avec un redoublement d'amour la douce
image de la Piété qu'il ne quittait pas.

Mais, le sept septembre, l'héroïque serviteur de Marie
fut rassuré pleinement, et récompensé de sa ferme espérance par la voix d'un ange qui prononça distinctement à
son oreille les paroles suivantes : « Réjouis-toi, Nicolas, ta
prière a été exaucée !... » (3)

« Alors, ajoute dans son naïf langage l'auteur anonyme
que nous citons, les dragons qui s'agitaient déjà pour rôder
autour de ce modèle de sainteté, furent domptés par la
vertu du Très-Haut et reçurent la rigoureuse défense de
mettre le pied dans sa cellule, qui devait être désormais
le vestibule et l'avant-goût du Paradis pour le vénérable
agonisant (4).

---

1. Tertia die post Nativitatem meam de hoc mundo transibis ad regnum
cœlorum : Sacramentis igitur Ecclesiæ receptis, te præparare festina. *Procès.*

2. Et tunc dictus Nicolaus ab ea petiit, quod in hora mortis suæ nullus
occurrat inimicus, cum quo sic pugnaverat vivus. *Procès.*

3. Angeli audivit vocem dicentem : Exaudita est oratio tua. *Procès.*

4. Anonyme, ch. XXXV, pag. 95.

Pendant ce temps, la triste nouvelle de la gravité de la maladie de Nicolas se répandait dans toute la ville, et les Tolentinois, en proie à la plus vive inquiétude, encombraient les rues et les portes du monastère, demandant des nouvelles, se désolant et pleurant, sans pouvoir ajouter foi à la triste certitude qui les menaçait.

Les malades surtout étaient plongés dans la plus grande douleur ; car ils allaient perdre leur consolateur et leur médecin, celui qui, par Dieu, leur rendait l'espérance, la santé et la vie.

« Quand il était moribond, écrit le bienheureux Jourdain » de Saxe, le Saint fut visité par un grand nombre de » personnes, et, sur son lit de souffrances, il eut ainsi » occasion d'opérer beaucoup de miracles, imitant son » glorieux Père Augustin qui, malade lui-même, avait » cependant guéri un autre malade (1). »

Et le même écrivain cite plusieurs de ces prodiges accomplis pendant les dernières et précieuses heures de l'existence du Thaumaturge de Tolentino. Qu'on nous permette d'en citer quelques-uns.

Blanda de Tolentino souffrait depuis quinze ans de violentes douleurs de tête qui parfois la rendaient sourde et aveugle. Etant venue trouver l'auguste mourant sur son lit d'agonie, elle lui demanda en grâce de lui toucher l'endroit douloureux, siège de la maladie. Nicolas étendit la main sur le front de la pauvre femme en y traçant le signe de la croix, et aussitôt les douleurs de tête disparurent pour toujours (2).

Un religieux de l'Ordre de Saint-Augustin venait de mourir, laissant dans le monde une sœur qui l'aimait tendrement et restait inconsolable de sa perte. Cette sœur pleura beaucoup, et si continuellement, qu'une grave inflammation se déclara dans les yeux, et que trois tumeurs survinrent au visage et la privèrent de la vue. C'est alors qu'elle fut conduite vers le Thaumaturge. Quand celui-ci connut la cause de sa cécité, il fut profondément touché de compassion ; car il savait que la mort du Père Thomas était aussi une épreuve pour les Ermites de Saint-Augustin,

1. Bienheureux Jourdain de Saxe, liv.II, ch. XIII.
2. Frigerio, ch. XXII, pag. 105.

qui faisaient une véritable perte en la personne de ce vénérable religieux.

Se tournant donc avec bonté vers cette sœur affligée, et mêlant ses larmes aux siennes, il lui dit en traçant sur elle le signe de la croix : « Que mon Dieu et Seigneur Jésus-Christ ait pitié de ta tristesse ; qu'il te rende la vue, afin que tu puisses voir le chemin du Ciel, maintenant et pendant toute ta vie ! »

Grandement consolée par les paroles du Saint, la pauvre aveugle quitta sa cellule, pleine d'espérance, et entra dans l'église du monastère pour remercier Dieu. A l'instant même, il lui sembla qu'une clarté nouvelle et subite frappait ses yeux : « Voyez donc, s'écria-t-elle en s'adressant à ceux qui l'accompagnaient, voyez donc si mes yeux ont encore quelque mal ; car tout à l'heure j'étais aveugle et maintenant je vois !... »

En effet les tumeurs ou boutons avaient complètement disparu, et elle put retourner dans sa demeure, seule, sans aucune trace de maladie ou d'infirmité (1).

Saint Antonin raconte aussi qu'une pénitente de Nicolas, Angèle, épouse d'Agapit de Tolentino et femme de très sainte vie, fut atteinte de violents maux de tête par suite d'une fluxion maligne, et devint ensuite complètement aveugle et incapable, à cause de cela, de tenir sa maison. S'étant fait conduire dans la chambre où se mourait le serviteur de Dieu, et ayant réussi à percer la foule qui encombrait les abords du lit, elle se prosterna sans rien dire.

Le glorieux Thaumaturge, sans attendre de demande et d'explication, fit sur ses yeux fermés au jour le signe de la croix. Aussitôt, a-t-elle dit plus tard dans le procès, aussitôt je vis, et mieux que je n'avais jamais vu ! (2)

C'était ainsi que Nicolas, de sa main défaillante, prodiguait encore, au nom de Dieu, les bienfaits et les miracles à tous ceux qui recouraient à lui ; leur laissant par là entrevoir, de la pauvre couche où il mourait, les premiers rayons de la gloire dont il allait être justement couronné.

1. Frigerio, chap. XXII, pag. 105.
2. *Procès*, fol. 219, pag. 2. — Saint Antonin, *in vita.*

Chapitre Dix-huitième.

MORT DE SAINT NICOLAS.

Saint Nicolas choisit l'endroit de sa sépulture. — Il reçoit les derniers Sacrements de l'Eglise. — La relique de la Vraie Croix. — Apparition céleste. — Il prend congé de ses frères. — Il rend à Dieu sa grande âme.

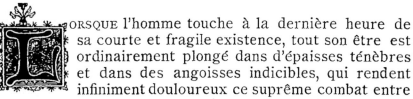

ORSQUE l'homme touche à la dernière heure de sa courte et fragile existence, tout son être est ordinairement plongé dans d'épaisses ténèbres et dans des angoisses indicibles, qui rendent infiniment douloureux ce suprême combat entre l'âme et le corps, entre la vie et la mort. Mais Nicolas, arrivé au terme de son héroïque carrière, semblait, au contraire, entouré d'une auréole lumineuse et plongé dans une atmosphère de paix et de bonheur ; le trépas avait pour lui des charmes et des délices qu'il n'a pour personne, et si le Saint était doux envers la mort, selon le langage de Bossuet, on peut dire que la mort, elle aussi, était douce et consolante pour lui. Les dernières heures qu'il passa sur la terre ne nous apparaissent-elles pas illuminées d'une clarté vraiment divine, premier rayon de sa gloire future ?... Ne montra-t-il pas, à cet instant suprême, l'énergie et la présence d'esprit de la véritable sainteté, qui tient alors à ne laisser perdre aucune partie des grâces et des mérites qu'elle peut recevoir et acquérir, réglant toute chose et faisant ses préparatifs de départ avec une clairvoyance et un calme admirables ?... Nicolas, oubliant la prochaine dissolution de son corps, ne pensait plus qu'à son âme qui allait s'envoler vers son Créateur pour lui être unie à jamais. Rien n'est plus édifiant et plus émouvant que les détails laissés par les historiens sur les derniers moments du Thaumaturge de Tolentino.

« Etant déjà près du grand passage, écrit le bienheureux
» Jourdain de Saxe, il pria ses frères d'avoir la charité,
» lorsqu'il les aurait quittés, d'ensevelir son corps près de
» l'autel de l'oratoire, et de ne jamais l'enlever de ce lieu
» dans l'avenir. Il était assurément convenable de placer
» cette sainte dépouille en cet endroit, comme souvenir
» perpétuel des mérites et des miracles de Nicolas. Là, en
» effet, au temps de ses prières, l'esprit de cet homme de
» Dieu s'était élevé aux plus sublimes contemplations,
» comme l'avait témoigné la céleste et radieuse étoile qui
» y avait brillé si longtemps... (1) »

Après avoir demandé à son Prieur de vouloir bien
entendre sa confession, le mourant manifesta un ardent et
pressant désir de recevoir le saint Viatique ; il le fit dans
les termes touchants que rapporte fidèlement Pierre de
Monterubbiano.

« Je vous supplie très humblement, Père Prieur, de
» me donner l'absolution de tous mes péchés. Daignez me
» conférer les Sacrements de l'Eglise. Accordez-moi
» surtout de participer au Corps du Seigneur. Quand
» j'aurai reçu le saint Viatique, je n'aurai pas de défaillance
» en m'en allant de ce monde à la patrie ; et si, à cause de
» mes iniquités, Bélial, mon ennemi, se présente devant
» moi, j'aurai assez de force pour m'opposer à lui (2). »

Le Prieur lui donna alors sa bénédiction avec le vif
regret et la tendre affection d'un père qui voit partir pour
toujours son fils le plus cher ; puis, descendant à la chapelle
du monastère, suivi de toute la communauté qui avait en
main des cierges allumés, il prit le Très-Saint Sacrement
et le porta au vénérable mourant. Lorsque celui-ci vit
entrer son Seigneur et son Dieu dans sa pauvre cellule, il
s'écria dans un transport d'amour, le visage transfiguré et
comme éclairé d'une lumière céleste : « Béni soit Celui qui
vient au nom du Seigneur !... » Après qu'il eut reçu l'adorable sacrement de l'Eucharistie, Nicolas demanda à
recevoir l'onction de l'huile sainte des infirmes pendant
qu'il était en parfaite connaissance, et, vaillant athlète du
Christ, il répondit lui-même à toutes les prières du prêtre
qui lui administrait l'Extrême-Onction.

1. Bienheureux Jourdain de Saxe, livre II, chap. 13.
2. Pierre de Monterubbiano, num. 42.

Cependant, la maladie s'aggravait et faisait de si rapides progrès, que bientôt elle ne laissa plus aucune espérance de guérison ; les forces déclinaient à vue d'œil et tout faisait prévoir que cette vie admirable touchait à son terme. C'était le 10 septembre, troisième jour dans l'octave de la Nativité de la Sainte Vierge, qui avait promis à son fidèle serviteur de lui ouvrir, ce jour-là même, les portes de l'éternelle patrie.

« Je vous prie, dit encore le Bienheureux à son Prieur, » je vous prie de vouloir bien m'apporter la relique de la » Vraie Croix. Par sa vertu, elle sera pour moi le bâton » de la souveraine puissance et je pourrai, avec lui, tra- » verser librement le Jourdain de ce siècle et parvenir » heureusement au Paradis... (1) »

Cette dernière demande fut aussitôt exaucée, car les religieux allèrent immédiatement chercher la sainte Relique et l'apportèrent solennellement en procession dans la cellule du malade. Des larmes de consolation et de joie inondèrent alors le pur visage de Nicolas, qui ne put retenir les sentiments de son cœur.

« Salut, ô Croix précieuse, s'écria-t-il dans les transports » de son amour, salut !... Je vous adore, ô Croix qui avez été » digne de porter le prix du monde ! Celui qui a été attaché » à ce bois, celui qui, au milieu des tourments, a accordé » sa miséricorde au larron qui l'implorait, qu'il me défende » à cette heure, par votre vertu, contre l'esprit mau- » vais !... (2) »

Et, saisissant la précieuse Relique, Nicolas la couvrait des plus tendres baisers et la pressait sur sa poitrine avec mille marques de vénération et d'amour. Enfin, après avoir longtemps tenu dans ses mains défaillantes le bois sacré, il le fit placer en face de son lit, à côté de l'image de la Sainte Vierge, afin de l'avoir constamment devant les yeux. Les religieux se retirèrent alors, craignant de fatiguer l'auguste mourant, et laissèrent près de lui le Frère Giovannuccio. Se voyant seul, le serviteur du CHRIST recommença son oraison avec plus de ferveur et de liberté :

« Je me suis appuyé sur vous, ô mon DIEU, disait-il tout

---

1. Pierre de Monterubbiano, num. 43.
2. Bienheureux Jourdain de Saxe, livre II, chap. 13.

» haut, je me suis appuyé sur vous dès que je suis venu au
» monde, et vous avez été mon protecteur dès le sein de
» ma mère. Seigneur, vous avez été mon espérance dès
» ma jeunesse ! Je publierai vos grandeurs, parce que vous

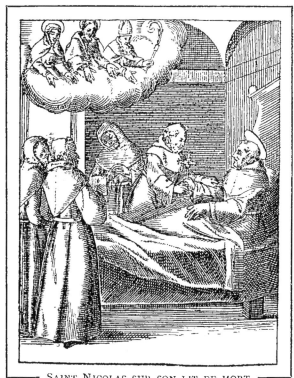

SAINT NICOLAS SUR SON LIT DE MORT.
(D'après une gravure du XVIe siècle.)

» m'avez relevé, et que vous n'avez pas donné lieu à mes
» ennemis de se réjouir à mon sujet (1). »
    Quand ces vifs élans de tendresse et de confiance, dépas-
sant ses forces, le fatiguaient trop, il se mettait à prier à
voix basse ; puis, tout à coup, comme si les flammes qui

1. Pierre de Monterubbiano. Num. 49.

embrasaient son cœur eussent voulu s'échapper malgré
lui, il reprenait de nouveau et plus haut :

« Je serai agréable au Seigneur dans la terre des vivants !
» Je prendrai le calice du salut et j'invoquerai le nom de
» Dieu ! Vous avez rompu mes liens ; c'est pourquoi je
» vous sacrifierai une hostie de louange !... (1) »

Après ces paroles, comme mû par une inspiration soudaine, Nicolas appela son gardien et lui dit : « Frère
Giovannuccio, quand ma chair affaiblie ne me permettra
plus de parler, vous murmurerez souvent à mes oreilles
ces quelques mots consolants : « Vous avez rompu mes
liens, ô Seigneur, je vous sacrifierai une hostie de
louange ! (2) »

Le bon Frère promit d'être fidèle à cette recommandation. Alors, les traits de l'auguste agonisant brillèrent
d'une joie céleste, sa voix éteinte sembla reprendre son
timbre ordinaire, et il parut entrer en colloque intime avec
un personnage invisible et présent. L'entendant entonner
un cantique avec une voix si forte qu'il fut entendu des
cellules voisines, Giovannuccio s'approcha, ému et surpris,
pour le questionner sur le motif de cette allégresse extraordinaire et subite ; mais le Saint ne lui fit aucune réponse.
Cependant, comme cette joie divine paraissait redoubler,
le fidèle gardien redemanda une seconde fois quelle en
était la cause et insista pour la connaître : « O mon Père,
dites-moi donc d'où vient votre satisfaction ?... » Cédant
enfin aux importunités du Frère, l'heureux mourant trahit
son céleste secret et répondit :

« Il y a ici, auprès de mon lit, Notre-Seigneur Jésus-
» Christ entre sa sainte Mère et saint Augustin, mon Père.
» Il m'a dit : Courage, bon et fidèle serviteur, entre dans
» la gloire de ton Seigneur !... (3) »

Les religieux, avertis à l'instant de l'insigne et dernière
faveur accordée au mourant, comprirent que l'heure du

1. Pierre de Monterubbiano. Num. 49.

2. Et Fratri Joannutio... dixit, quod semper diceret ad aures suas : Dirupisti, Domine, vincula mea. Tibi sacrificabo hostiam laudis. *Procès.*

3. In cella dicti Nicolai vox gaudii audiebatur...... Quid tibi gaudii et lætitiæ, Pater ?...... Post multa rogamina respondit : Deus et Dominus meus Jesus Christus qui suæ Matri, et meo Patri Augustino inhærens, dixit mihi : Euge, serve bone et fidelis, intra in gaudium Domini tui. *Procès.*

départ était sonnée pour lui et accoururent, afin de l'entourer et d'assister à ses derniers moments. En les apercevant près de lui, Nicolas, selon saint Antonin et Pierre de Monterubbiano, leur adressa textuellement ces paroles :

« Mes frères très chers, bien que ma conscience ne me
» reproche rien, je ne dois pas cependant me croire justifié
» pour cela. Si j'ai offensé quelqu'un de vous d'une manière
» ou d'une autre, pardonnez-moi pour l'amour de DIEU ;
» ainsi, vous mériterez que le Seigneur vous pardonne
» aussi vos péchés (1). »

C'était le suprême adieu de ce grand Saint à ses frères qui, le cœur brisé, les yeux pleins de larmes, commencèrent les prières des agonisants autour de son lit. Alors, lui, dans un dernier effort, leva ses mains défaillantes vers le ciel, jeta un long regard sur la Vraie Croix et prononça distinctement ces mots du CHRIST mourant : « C'est entre vos mains, ô mon DIEU, que je remets mon esprit !... (2) »

Et la tête de Nicolas s'étant doucement inclinée, son âme s'envola dans le sein de Celui qu'il avait tant aimé et si généreusement servi pendant soixante ans. C'était un samedi, 10 septembre 1305.

Le thaumaturge de Tolentino était d'une taille au-dessus de la moyenne ; son front était large ; ses yeux pleins de feu, mais d'un feu tempéré par une extrême douceur ; son port était grave et modeste, et toute sa personne respirait l'affabilité et la simplicité des saints, vertus qu'il tenait moins de la nature que de ses combats contre lui-même, et qui l'entouraient, de son vivant, d'une auréole de calme et de paix qu'on ne retrouve sur la terre qu'au front des élus et des saints.

---

1. Octavâ die ægritudinis suæ (id est decima septembris) humiliter veniam petiit offensarum.   Procès.

2. Et dixit postea : In manus tuas, Domine, commendo spiritum meum. Junctis manibus, ad cœlum oculis ante Crucem levatis, jucundo vultu et hilari spiritum Domino commendavit.   Procès.

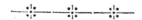

Chapitre Dix-neuvième.

FUNÉRAILLES DE SAINT NICOLAS.

Consternation générale à Tolentino. — Obsèques. — Les infirmes se font porter à l'église des Augustins pour y recouvrer la santé. — La possédée de Trapani. — Rage du démon. — Délivrance miraculeuse.

E glorieux Thaumaturge de Tolentino avait à peine exhalé son âme dans un suprême et dernier acte d'amour, que son visage devint d'une remarquable beauté ; ses lèvres fraîches et vermeilles, comme celles d'une personne vivante, étaient entr'ouvertes par un doux et radieux sourire ; sa chair, aussi blanche que l'albâtre, semblait transparente et laissait apercevoir, à travers la peau, les os et les nerfs de ce corps, temple de l'Esprit-Saint ; un parfum céleste et inconnu remplissait toute la chambre du Bienheureux.

Dès qu'on se fut assuré de la mort de Nicolas, les religieux voulurent renvoyer toutes les personnes présentes, afin de procéder plus librement à l'ensevelissement de leur frère ; mais Marguerite Appillaterra (1), demandant, en grâce, qu'on lui permît, avant de se retirer, de laver les pieds et les mains de son bienfaiteur, cette faveur lui fut accordée, et elle eut le bonheur de rendre ce pieux et dernier devoir à Nicolas. Elle conserva précieusement l'eau qui lui servit en cette circonstance, et la garda pendant vingt-huit ans, toujours aussi fraîche et aussi limpide qu'à l'heure où elle l'avait employée. Tous les biographes

---

1. La cellule de saint Nicolas étant située au rez-de-chaussée du couvent, elle se trouvait en dehors de la clôture monastique. Ceci explique la présence de Marguerite auprès de Nicolas au moment de sa mort.

du Saint assurent qu'un grand nombre de miracles furent opérés au seul contact de cette eau bénie (1).

Autour du pauvre et dur grabat sur lequel l'héroïque soldat du Christ semblait ainsi dormir d'un calme et doux sommeil, se pressèrent pour les derniers soins tous les religieux du monastère, avec le fidèle Giovannuccio, Bérard Appillaterra et le médecin, Jacques Salvastri. Aucun d'eux ne put retenir des larmes de pitié et d'admiration, lorsqu'on découvrit ce corps angélique, et qu'on vit à quel pitoyable état Nicolas l'avait réduit par ses pénitences et ses mortifications excessives, auxquelles s'étaient jointes souvent les graves blessures faites par le démon. Il était amaigri et déchiré, la peau avait complètement disparu sur les épaules, et des plaies plus ou moins profondes entr'ouvraient en plusieurs endroits les chairs encore sanglantes (2). Un pieux effroi saisit les cœurs devant le spectacle d'une pareille souffrance, et cependant les regards se fixaient, sans pouvoir s'en détacher, sur cette précieuse dépouille d'un Saint, sur ce corps meurtri comme celui du Sauveur descendu de la Croix, sur ces blessures qui étaient bien celles du soldat qui vient de tomber sur le champ de bataille, tenant encore dans ses mains inanimées le drapeau de la patrie défendu par lui jusqu'à l'effusion du sang, jusqu'à la mort. C'était bien là l'héroïsme dans toute sa mâle beauté !... Lorsqu'on voulut revêtir le Saint de ses habits de religion et, pour cela, lui arracher son cilice, on s'aperçut aussi que les pointes acérées de cet instrument de pénitence avaient entièrement pénétré dans sa chair et qu'il serait impossible de les en retirer (3). On le recouvrit alors de sa tunique, lui laissant ce glorieux vêtement de mortification, et on le déposa dans une bière découverte.

Pendant que les religieux de Tolentino étaient occupés

---

1. Aqua lavaturæ manuum et pedum divi Nicolai, quæ post ipsius obitum reservata continue duravit et durat ita clara sine aliqua corruptione sicut hodie tracta fuisset de fonte, et quando aliquæ personæ patiuntur in aliqua parte corporis, posito de dicta aque super locum dolentem statim liberabuntur.

Procès.

2. Vidit Berardus spatulas ipsius Nicolai multum percussas et decoriatas.

Procès.

3. Giorgi, chap. XV, page 140.

à rendre les derniers devoirs à leur frère, les cloches, qui sonnaient tristement, apprenaient au peuple, par leur lugubre son, que tout était consommé, et qu'un Saint de plus était entré au Ciel. Une consternation générale succéda à l'agitation précédente, on n'entendit plus que des cris et des sanglots : les Tolentinois avaient perdu leur père !

Il n'y avait personne dans la ville qui ne regrettait profondément celui qui venait de disparaître, et qui ne le pleurait comme un être chéri ; mais les pauvres surtout, qui avaient toujours été le principal objet de ses soins, se montraient inconsolables et versaient d'abondantes larmes sur leur protecteur, leur appui et leur charitable avocat. On porta ensuite la précieuse dépouille en procession jusqu'à la chapelle du monastère, où l'on chanta tout l'Office des morts, puis un religieux de l'Ordre célébra la sainte Messe ; mais les chants liturgiques furent souvent interrompus par les sanglots des assistants et par les acclamations de la foule, qui proclamait déjà hautement la sainteté du mort et son entrée dans la gloire éternelle. On eut beaucoup de peine à contenir le peuple qui assiégeait les abords du couvent et s'agitait dans les rue voisines, qui ressemblaient à une mer mouvante roulant des flots humains. On avait cru prudent d'entourer le cercueil d'une forte balustrade qui ployait sous l'effort des visiteurs, tous voulant baiser respectueusement la dépouille angélique du Thaumaturge, ou du moins contempler de près ce visage vénérable empreint de la béatitude céleste. On coupait ses vêtements, on posait sur les mains, sur les pieds, sur le front du Bienheureux des objets de piété ou des linges qu'on emportait comme de précieuses reliques. On ne peut se figurer le mouvement qui se produisit alors autour des restes du pauvre et humble moine, mouvement qui devint une véritable ovation quand l'on vit des infirmes de toutes sortes, aveugles, boiteux, sourds et muets, recouvrer la santé en les touchant. Il fut alors impossible de descendre de suite le corps dans le lieu de sa sépulture, car les peuples voisins se joignaient aux habitants de Tolentino et accouraient de toutes parts pour vénérer la dépouille de l'homme de Dieu, et obtenir quelque nouvelle grâce par son intercession. Chose admirable, ce corps meurtri et déchiré, exposé ainsi de longs jours dans l'église, ne cessa d'exhaler et de répandre autour de lui une odeur suave et toute céleste.

Le docteur Jacques Salvastri, qui avait été présent à la mort et à l'ensevelissement de Nicolas, ne cessait de dire au Père Prieur des Augustins : « Révérend Père, rendez tous les honneurs à cette dépouille ; car votre frère était un grand saint !... » Et il en donnait comme preuve le miracle suivant opéré deux ans auparavant en faveur de sa fille, que l'art était impuissant à guérir :

« — Nous étions venus tous deux dans sa cellule, racon-
» tait-il. Il nous regarda et, bien qu'il devinât, sans nul
» doute, ce que nous attendions de lui, il nous demanda
» cependant qui nous étions et ce que nous voulions.

« — Nous sommes venus, lui répondis-je, pour que vous
» obteniez la santé à cette jeune fille abandonnée et déses-
» pérée des médecins. »

Alors, dans sa profonde humilité, Nicolas s'écria :
« Comment ? pourquoi venez-vous à moi ? Il y a ici tant de
» bons religieux dont les prières valent mieux que les
» miennes, et auxquels vous pouvez avoir recours. Je suis
» un pécheur, je ne puis rien. Allez donc, invoquez le
» Seigneur ; c'est Lui qui vous délivrera !.. »

» Atterrés et confus, nous nous disposions déjà à partir,
» ne comptant plus sur la guérison, lorsque le Saint se
» retourna et dit tout haut en nous donnant sa bénédiction:
« Que le bon Dieu vous vienne en aide !... » Immédiatement
» ma fille fut guérie et la perte de sang qui la conduisait
» au tombeau, s'arrêta. — « Gardez-vous bien de publier
» ce que vous venez de recevoir, » ajouta alors notre Bien-
» faiteur en nous congédiant (1)... »

Si les regrets furent unanimes et profonds, si tous les cœurs furent plongés dans la douleur à la mort du glorieux Thaumaturge, il est certain que Satan, lui, se réjouit de ce trépas, comme il le montra clairement dans le fait suivant que rapportent la plupart des historiens de Nicolas.

Une jeune fille de Trapani, ville de Sicile, étant possédée du démon, son père la conduisit à un religieux augustin qui jouissait d'une grande réputation de sainteté, afin de la

1. Procès — Anonyme — Giorgi.

faire exorciser. Mais l'ennemi de tout bien ne voulait pas abandonner sa victime et ne cédait en rien aux prières du prêtre ; il vomissait au contraire mille injures contre lui, et finit un jour par lui dire : « Je ne te crains d'aucune manière ! Pour me faire sortir de ce corps, il faut le Père Nicolas. »

Le père de la malade, ayant alors demandé ce que c'était que ce religieux nommé par Satan, l'exorciste lui répondit que ce pieux Ermite de Saint-Augustin habitait Tolentino, avait une grande réputation de sainteté et passait pour être favorisé du don des miracles. Voulant à tout prix obtenir la guérison de sa fille, cet homme désolé quitta immédiatement la Sicile et se dirigea en toute hâte vers la Marche d'Ancône. En arrivant à Rome, il apprit que Nicolas venait de mourir. Sans se laisser accabler par cette nouvelle, il continua son voyage, gardant encore une inébranlable confiance dans son cœur. A peine entré à Tolentino, il courut s'agenouiller dans l'église, devant le cercueil encore ouvert où reposait celui qu'il cherchait. Couvrant de baisers et de larmes la main du Thaumaturge, il ne cessa pendant de longues heures de lui recommander sa pauvre enfant et de le prier de venir à son aide. Cette filiale confiance fut exaucée d'une manière extraordinaire, car, au moment où le pieux voyageur, touchant par dévotion les doigts du Bienheureux et les soulevant les uns après les autres, s'étonnait de les trouver si flexibles, le pouce se détacha de lui-même et resta dans sa main, à la grande frayeur et à la grande joie de ce père affligé. Favorisé d'un don si précieux accordé par Nicolas lui-même, le Sicilien, ne doutant plus de la guérison de sa fille, repartit aussitôt pour Trapani. Quand il y arriva, la pauvre possédée était dans l'église des Augustins pour y être exorcisée de nouveau.

— « Voici, s'écria l'heureux voyageur, voici le doigt de Nicolas ! »

— « Ah ! traître Nicolas, repartit alors le démon, je ne puis plus demeurer ici ! »

Et au même instant le monstre sorti de l'enfer s'éloigna, laissant la jeune fille calme, libre, et si reconnaissante de sa parfaite délivrance, qu'elle conserva jusqu'à la mort la plus tendre dévotion pour son libérateur céleste.

Le père, au comble de la joie, voulut montrer à la foule étonnée le doigt qu'il avait apporté de Tolentino, et lui raconter le miracle opéré en sa faveur ; puis il remit la précieuse relique aux religieux de l'Ordre qui résidaient à Trapani, et ceux-ci la placèrent dans leur chapelle avec le profond respect dû aux choses saintes (1).

Devant ces faits miraculeux et beaucoup d'autres qui se multiplièrent autour du corps de Nicolas, comme aussi pour contenter la dévotion des peuples qui se succédaient et se pressaient autour du cercueil et sur le tombeau, les Ermites de Tolentino placèrent dans une urne, cette même année 1305, les restes parfaitement conservés de leur glorieux frère, et les exposèrent sous l'autel où avait brillé l'étoile de la prière, accomplissant ainsi la double prédiction du grand Évêque de Myre et de l'astre merveilleux.

Maintenant que nous avons suivi la dépouille mortelle du Thaumaturge à travers les vicissitudes du temps, jusqu'à l'autel à l'ombre duquel elle repose, il ne nous reste plus qu'à jeter un regard en arrière, et à pénétrer plus profondément dans la nature des vertus pratiquées par saint Nicolas. Comme, à la mort d'un être chéri, les parents et les amis se réunissent dans sa demeure et se racontent mutuellement les joies et les douleurs de celui qu'ils ont perdu, ainsi allons-nous ensemble repasser l'admirable vie et les héroïques vertus de notre héros, ranimant notre foi au souvenir de la gloire dont il est couronné, au souvenir de la puissance dont il jouit maintenant encore au Ciel, comme pendant les jours de son existence sur la terre.

1. Frigerio. — Rocchus Pirrus, tom. II, *Siciliæ sacræ notitia.* — Saint Martin *in vita S. Nic.* — Zacconi, chap. 97. — Ceppi, *Il sangue miracoloso di S. Nicola.* Roma, MDCCXIII, pag. 13.

Chapitre Vingtième.

VERTUS DE SAINT NICOLAS.

Foi. — Espérance. — Charité. — Obéissance. — Humilité.

L n'est pas un seul fait dans la vie de saint Nicolas qui n'implique son éloge, ne provoque l'admiration et ne puise un charme particulier dans ce trait saillant de son existence et de sa sainteté : il fut toujours et resta, malgré tout, un simple moine, un humble religieux. Nullement mêlé aux luttes politiques, si ardentes et si périlleuses, de son époque, il demeura trente ans caché dans son couvent de Tolentino, multipliant autour de lui les miracles, convertissant les pécheurs et, avant tout, aimant passionnément Notre-Seigneur et lui prouvant cet amour par une exacte fidélité à la règle qu'il avait embrassée, et par la pratique de toutes les vertus poussée chez lui à un degré héroïque. Sa ravissante et pure figure se détache avec un magnifique relief dans l'Ordre de Saint-Augustin, résumant en elle tout ce que la tradition nous a conservé des vieux cénobites de la Gaule et de l'Italie, et réalisant parfaitement l'idée des peuples sur le vrai moine, dans lequel il veut trouver, avec l'onction sacerdotale qui l'évangélise, la puissance près de Dieu, puissance qui le protège, le sauvegarde et le guérit. Cette physionomie à part de Nicolas apparaît douce et majestueuse dans ce treizième siècle, apogée du moyen-âge, et son souvenir reste gravé dans la mémoire reconnaissante des nations, pendant que celui de tant de grands et fameux personnages est effacé par le temps et tombe dans un éternel oubli.

Ses frères, sur lesquels il exerça une action si marquée ; les peuples qu'il combla de bienfaits, l'ont placé, dans leur vénération, à côté des Louis de Gonzague, des Vincent Ferrier, des Antoine de Padoue, même de l'illustre saint

Benoît, le moine des temps barbares, moine voulu de DIEU pour l'époque bouleversée où il vécut, comme le thaumaturge de Tolentino fut le moine véritable du siècle de la chevalerie. Tous invoquent, à l'égal des plus grands saints, ce glorieux fils d'Augustin, plus aimé, plus connu, à mesure que les temples qui lui sont dédiés se multiplient avec ses miracles, à mesure que de nouveaux malheurs frappent le monde coupable et perverti.

Malheureusement, les chroniqueurs, dans ces temps lointains, ne s'occupaient qu'à recueillir des faits saillants, plus ou moins merveilleux, sans en chercher la cause et la preuve, sans les classer avec la précision demandée par l'histoire. C'est ce qui rend aujourd'hui la vie de saint Nicolas très difficile à écrire et à recomposer. Cependant, il est encore possible d'arriver à tracer exactement le portrait physique et moral du thaumaturge de Tolentino. Alors l'esprit demeure émerveillé de ce caractère, qui ne sait pas plus fléchir, quand il s'agit de reprendre et de condamner le mal, qu'il ne peut rester insensible et froid devant le spectacle de la souffrance et de la douleur de ses semblables. Il est impossible, en effet, de ne pas se sentir profondément étonné et ravi devant ce Saint, véritable moine et parfait religieux d'abord, puis apôtre ardent, prédicateur éloquent et thaumaturge puissant, type admirable de ce que peut produire la règle si belle et si judicieuse du grand Evêque d'Hippone ; car on a toujours remarqué que Nicolas s'est plus volontiers livré à la pratique des vertus journalières et modestes, telles que l'humilité, la patience, la mortification, le support du prochain ; mais il s'y est adonné d'une manière bien supérieure au commun des justes, c'est-à-dire dans un degré héroïque et rare.

Ces vertus doivent être, en effet, ici-bas, le glorieux cortège de l'âme chrétienne qui tend à la sainteté. Parmi elles, les trois théologales sont appelées, par leur beauté et leur importance, à tenir le premier rang. Aussi, le fils d'Augustin, regardant la foi comme la pierre angulaire sur laquelle il devait élever l'édifice de son salut, remercia-t-il DIEU, tous les jours de sa vie, de l'avoir fait naître dans le giron de l'Eglise catholique, ne cessant d'inviter tous ceux qui vivaient près de lui à s'unir à lui, pour rendre à DIEU de continuelles actions de grâces d'un bienfait aussi signalé (1).

La haute idée que Nicolas avait de la foi le portait à la répandre avec zèle autant qu'il le pouvait ; de là, les caté-chismes, les instructions qu'il faisait très souvent ; de là, sa vive et profonde joie lorsqu'il apprenait que cette divine foi avait fait quelque progrès, quelque nouvelle con-quête ! (2)

De cette vertu fondamentale naît toujours l'espérance : quiconque croit, espère. Cette confiance en DIEU, large, ferme, constante, surnaturelle, fut éminemment celle du Saint dont nous avons écrit la vie ; et on peut dire de lui qu'il a souvent espéré contre l'espérance même. N'imitant en rien les âmes vulgaires qui, tout en ayant le Ciel pour but, ont le secret de rendre cette vertu étroite, égoïste et bornée, Nicolas, tout simple religieux qu'il était, parvenait facilement, par son héroïque confiance, à calmer les inquié-tudes les mieux fondées, à relever les courages les plus abattus. Ce résultat, il l'obtenait sans compter jamais ni sur lui, ni sur les hommes, mais uniquement sur DIEU, sa suprême ressource. Plusieurs fois, dans ses sermons, il annonça la protection du Ciel d'un ton si décisif, qu'on put croire qu'il avait des raisons certaines et secrètes de compter sur elle, sur le secours providentiel du Très-Haut. Notre Bienheureux espéra donc toujours en DIEU, qui ne lui fit jamais défaut. Mais, après le Seigneur, c'est sur la glorieuse Vierge Marie qu'il appuya et plaça sa con-fiance filiale. Nul ne s'en étonnera, sachant quelles raisons avait Nicolas de compter sur sa toute-puissante et divine Mère. N'avons-nous pas vu dans le cours de sa vie qu'elle fut son avocate, son soutien, sa consolation ?... — Il est raconté qu'une fois, on pria le saint moine de s'occuper d'une affaire difficile et dont la solution favorable parais-sait moralement impossible à obtenir : « J'espère cela, répondit-il simplement, de la protection de la Vierge !...(3)» Dans une autre occasion, ayant été frappé par Satan, il

---

1. Forti, liv. II, pag. 205.
2. *Idem*, p. 206.
3. Spero questo nella grazia di Maria Santissima.

Giorgi, chap. XII, pag. 109.

dit au Frère Giovannuccio : « C'est le démon !..: mais j'espère de la protection de Marie qu'il ne me vaincra pas (1). »

Enfin, si le glorieux fils d'Augustin fut si ardent et si ferme dans sa foi, si désintéressé et si inébranlable dans son espérance, que dut-il être dans son amour ?... Dans son âme, la charité pour DIEU domina tout et fut la source de l'héroïsme de ses vertus : amour pur, actif, généreux, poussé jusqu'au sacrifice ; amour réel et véritable, manifesté dans le travail sans repos, dans la mortification sans relâche, dans un dévouement à toute épreuve et de tous les instants.

Constamment soumis aux volontés du Seigneur, qu'il aimait si passionnément, Nicolas en vint à une complète indifférence pour tout ce qui lui venait de DIEU ; la maladie, la santé, la vie, la mort, tout lui était égal pourvu que le Seigneur fût obéi et satisfait. Plusieurs auteurs rapportent qu'on voyait rayonner une sérénité constante sur son pâle visage, et l'on a remarqué que cette paix et cette joie croissaient en proportion des afflictions.

Cependant, vers les dernières années de son existence, le désir de s'unir à DIEU devint tellement violent chez notre Saint, qu'il ne pouvait ni le cacher, ni le maîtriser. Il s'écriait à chaque instant avec saint Paul : « *Cupio dissolvi et esse cum Christo !* Je désire mourir pour être avec JÉSUS-CHRIST ! (2) »

Cet ardent amour pour le divin Maître se manifestait chaque matin à la Messe que Nicolas célébrait avec la plus touchante dévotion, toujours après avoir reçu l'absolution et s'être purifié par l'accusation de ses moindres imperfections, accusation faite avec des sentiments admirables de contrition et de charité surnaturelle.

A l'égard de la Vierge Marie, son unique espérance, l'amour du Bienheureux était tendre, profond et tout filial. Il jeûnait au pain et à l'eau tous les samedis de l'année et toutes les veilles de ses fêtes ; il récitait tous les jours son Office en entier et s'agenouillait, chaque fois qu'il entrait dans sa cellule ou qu'il en sortait, devant l'image de Notre-

---

1. Tamen non vincet me cum gratia Beatæ Mariæ.
Procès, in ordine testium, CCXXI.
2. Dicebat : Cupio dissolvi et esse cum Christo. *Procès*.

Dame des Sept-Douleurs, image qu'il aimait à saluer par beaucoup d'*Ave Maria* (1).

Vers la fin de sa vie, l'existence de Nicolas sembla se fondre tout entière dans ce double amour : DIEU et sa sainte Mère. La vieillesse, en diminuant peut-être quelques-unes de ses facultés, développa sensiblement ces deux sentiments de son âme, qui grandirent comme la flamme grandit lorsque tout aliment est consumé autour d'elle.

La charité, en remplissant le cœur du thaumaturge de Tolentino de la seule passion de DIEU, y avait par là même fait éclore l'admirable et difficile vertu d'humilité qui, outre le renoncement aux idées, aux intérêts, aux gloires de ce monde, exige encore, pour être véritable et solide, le renoncement absolu à soi-même, l'oubli de soi, le mépris de soi, en un mot, la perfection chrétienne.

Tout jeune et malgré sa première éducation, le fils d'Augustin aima les offices les plus bas du couvent : balayer, servir à table, soigner les infirmes et leur donner les soins les plus répugnants pour la nature (2). Après s'être acquitté de tout ce que l'obéissance lui permettait, il se disait, avec la plus profonde conviction, un serviteur inutile, cendre et poussière, ainsi qu'il lui arriva dans une des apparitions de la Sainte Vierge dont il fut favorisé : « Eh ! qui suis-je, ma belle Dame, dit-il à la Reine du Ciel, qui suis-je pour que vous veniez à moi ? Vous savez que je ne suis que cendre et poussière ! »

Cette humilité profonde de Nicolas fut souvent récompensée par des miracles, et merveilleusement approuvée du Seigneur, qui entrait dans ses vues et semblait obéir à ses désirs de silence et d'obscurité.

Un samedi de l'année 1301, quatre ans par conséquent avant sa mort, le Saint fut chargé de demander l'aumône et de quêter de porte en porte pour la communauté. Or, s'étant présenté dans la maison d'une dame nommée Alessia, qui demeurait près du monastère, celle-ci offrit de suite un pain au Bienheureux, malgré sa pauvreté, qui était si grande que son mari, Rinalduccio, n'achetait jamais qu'une très petite quantité de froment à la fois.

---

1. Dicebat multas Salutationes angelicas. .... genuflectendo.   *Procès.*
2. Mercuri, chap. IV.

Le saint mendiant reçut le pain avec reconnaissance, le baisa et dit simplement :

« Que le Seigneur Jésus-Christ accorde à cette maison » la bénédiction et la grâce ! Que Dieu multiplie la farine » que tu possèdes, puisque, pour son amour et malgré ta » pauvreté, tu m'as fait l'aumône d'un cœur si joyeux. »

Quand cette femme voulut pétrir un nouveau pain, elle trouva son arche pleine jusqu'au bord d'une farine fraîche et abondante. Elle s'empressa de remercier de cette faveur le Ciel et le Bienheureux auquel tant de puissance avait été accordé. Ce dernier lui ayant instamment recommandé de garder le secret sur ce bienfait de Dieu, elle crut devoir n'en parler à personne. Quand le temps de renouveler la petite provision arriva, Rinalduccio, en bon père de famille, s'inquiéta d'un nouvel achat, et parut fort étonné lorsque Alessia lui répondit que la consommation n'ayant pas été extraordinaire, il restait encore beaucoup de farine. Mais ayant renouvelé la question les jours suivants et voyant que son épouse accusait toujours la même abondance, il voulut savoir ce que cela signifiait. Pressée par son mari, Alessia consentit enfin à s'expliquer. Elle lui raconta le miracle et le conduisit devant l'arche encore pleine : « Il » ne faut pas acheter de farine, dit-elle, le Frère Nicolas » a béni cette maison, et tu vois l'arche encore toute » pleine ! »

Rinalduccio, transporté de joie, ne fut malheureusement pas si discret que sa femme ; il publia partout le prodige. Dieu le punit en ne continuant pas le miracle et en permettant que la provision s'épuisât.

« Ah ! disait alors à Alessia cet homme attristé, si nous » n'avions pas raconté le fait, nous aurions toujours eu du » pain !... (1) »

Nicolas ne consentait jamais à révéler les choses merveilleuses qui le concernaient, son humilité lui faisait un devoir et un besoin de les cacher à tous les yeux ; pour obtenir qu'il en parlât, il ne lui fallait rien moins qu'un ordre de son supérieur.

C'est ainsi que Bérard Appillaterra, ayant demandé, à différentes reprises, à son saint ami de lui montrer les

---

1. *Procès*, fol. 81, pag. 2.

plaies et les blessures que le démon lui avait faites, n'en avait reçu que cette seule réponse : « Ah ! mon cher Bérard, il ne faut pas croire tout ce que l'on vous dit !... (1) » Cependant, ce dernier ne se contenta pas de ces paroles évasives, et il supplia le Prieur de Tolentino de donner là-dessus un ordre formel au Bienheureux, qui céda alors et montra à ce fervent chrétien la plaie de sa jambe, si grande et si douloureuse, avec cette simple recommandation : « Faites attention et ne racontez à personne ce que vous avez vu (2). »

Mais il faudrait allonger indéfiniment cette vie si belle pour en rapporter tous les traits saillants, relatifs aux différentes vertus pratiquées par le glorieux thaumaturge de Tolentino. Aussi terminerons-nous ici en disant seulement que cette existence fut sainte, héroïque, parfaite et merveilleuse, et que Nicolas est mort chargé d'innombrables mérites, enrichi de toutes les vertus chrétiennes et religieuses qui, seules, peuvent ouvrir aux élus les portes de l'Eternité bienheureuse et les rendre dignes de posséder Dieu pour toujours !...

---

1. Non vogliate, mio Berardo, credere a tutto quello che sentite.

Giorgi, chap. X, pag. 95.

2. Giorgi, *ibid.*

Chapitre Vingt-et-unième.

LE THAUMATURGE (1).

Premières faveurs de saint Nicolas au peuple de Tolentino. — Il guérit un fils de Bérard Appillaterra— Il guérit une femme du mal de la pierre. — Il apparaît à Françoise Angeli.— Guérison de Nanzio de Camérino.— Punition de Tomassina. — Premier anniversaire de la mort du Saint. — Nouveaux miracles.— L'étoile de la prière apparaît sur son tombeau.— Quarante-cinq miracles dans une seule nuit.— Plusieurs résurrections.

ES premiers jours qui suivirent la mort de Nicolas, furent des jours de deuil pour la ville de Tolentino. Les larmes de ce peuple reconnaissant ne venaient pas d'une de ces émotions passagères que le temps emporte si rapidement avec lui. On pleurait sincèrement, on regrettait profondément le Bienheureux ; on savait quelle perte irréparable la ville venait de faire en donnant au Ciel celui qui en était le soutien, le secours, le puissant avocat près de Dieu. Au milieu de la stupeur universelle et de l'afflictions générale, personne ne pouvait s'appliquer au travail et se livrer à ses occupations ordinaires. La foule se pressait dans l'église des Augustins, s'agenouillait pieusement sur le tombeau et suppliait le Thaumaturge de ne pas l'oublier dans la gloire. Les enfants parcouraient les rues en pleurant et en disant tout haut : « Le Saint est mort ! Le Saint est mort !.. » Dans toutes les maisons où gémissaient des malades et des mourants, on entendait cette plainte douloureuse : « Ah ! si Nicolas vivait encore, ils seraient vite guéris ! »

Mais lui, le bienheureux disciple d'Augustin, le serviteur héroïque et fidèle du Christ, avait déjà franchi le seuil de la gloire éternelle ; il s'apprêtait à montrer aux habitants

---

1. Thaumaturge, signifie faiseur de miracles.

de Tolentino combien leur affection et leur reconnaissance lui étaient agréables, en jetant à pleines mains sur leur terre et sur ses amis les bénédictions et les grâces dont Dieu venait de le faire dépositaire. Aussi, quand on examine la liste des miracles dressée dans le procès de canonisation, est-on frappé tout d'abord de voir Nicolas distribuer ses premières faveurs au peuple de cette ville, en commençant par une famille qui l'avait tendrement aimé, aidé et servi pendant le cours de sa vie mortelle.

En effet, quelques jours seulement après la mort du Saint, le jeune Tuzio, fils de Marguerite Appillaterra, fut atteint d'épilepsie. Comme les crises se succédaient d'une manière inquiétante, la mère désolée, se souvenant de son protecteur ordinaire, s'écria avec une admirable confiance : « Je veux recourir au Bienheureux Nicolas, notre Bienfaiteur (1). » Prenant son enfant dans ses bras, elle alla immédiatement se prosterner devant le tombeau vénéré. Là, priant et pleurant pour obtenir cette guérison, elle fit suspendre au-dessus de l'autel une image qu'elle avait promise, gage anticipé de sa reconnaissance. Le secours ne se fit pas attendre. Marguerite était encore à genoux que son fils était déjà guéri, et si complètement qu'il ne se ressentit jamais de cette terrible maladie (2).

Une femme de Tolentino appelée Monaldesca souffrait de la pierre depuis douze ans. A bout de force et de courage, elle voulait en finir avec la vie et attenter à ses jours. Sa sœur, Aldisia, cherchait en vain à la détourner de son coupable dessein, et à lui faire accepter ses douleurs avec des vues de foi et de résignation. Une fois, que les souffrances de la malade étaient presque intolérables, Aldisia profondément attristée lui dit : « Recommandez-vous à » Nicolas, je vais aux Augustins prier pour votre guérison. » Unissez votre intention à la mienne, et sûrement le Saint » nous exaucera. » Laissant sa sœur accablée par ses terribles crises, elle alla se prosterner devant le tombeau du Thaumaturge : « Je te demande, ô bienheureux Nicolas, » dit-elle, de prier Notre-Seigneur Jésus-Christ de délivrer » ma sœur du mal qui la fait souffrir depuis tant d'années.

1. Volo recurrere ad Beatum Nicolaum.   *Procès.*
2. *Procès,* fol. 89, pag. 1.

» Exauce-moi donc si cette guérison peut contribuer au
» salut de son âme ! » Cette prière achevée, Aldisia se
sentit consolée et portée à remercier son Bienfaiteur avec
toute l'effusion de son cœur, comme si on venait de l'avertir
qu'elle était déjà exaucée. En rentrant chez elle, elle
trouva la malade complètement guérie. Celle-ci l'attendait
avec impatience pour lui montrer, comme preuve de sa
délivrance, une pierre plus grosse qu'une fève (1).

De Tolentino la puissance du Saint s'étendit rapidement
sur toutes les villes voisines, comme le prouvent de nombreux miracles arrivés vers la même époque. En voici un,
entre beaucoup d'autres :

Une femme de Sanseverino, Françoise Angeli, était
réduite à une complète immobilité depuis deux ans, par
une paralysie générale qui, augmentant peu à peu, l'avait
rendue incapable du moindre mouvement. Depuis neuf
mois surtout, image vivante de Job sur son fumier, elle ne
pouvait plus descendre de son lit pour les nécessités indis-
pensables du corps. Son mari, André Angeli, homme igno-
rant, cruel et superstitieux, la laissait manquer de soins,
l'accablait d'injures et de reproches, attribuant l'infirmité
de cette malheureuse à ses fautes contre la fidélité conju-
gale, fautes qui lui avaient mérité, disait-il, cette terrible
punition de DIEU.

Vers le milieu du mois d'octobre 1305, une des amies de
cette pauvre femme, émue de pitié, lui conseilla de s'adresser, pour obtenir la cessation de ses souffrances, à un religieux Augustin qui venait de mourir en odeur de sainteté
à Tolentino. L'infirme obéit avec joie et promit à Nicolas
de faire un pèlerinage à son tombeau et d'offrir cinq aunes
de toile fine pour couvrir l'autel sous lequel il reposait.
S'étant endormie après ce double vœu, un personnage
vêtu en moine augustin lui apparut en songe et lui dit :
« Comment allez-vous ? — Je suis très souffrante, répondit
Françoise. Mais dites-moi qui vous êtes ? — Je suis Nicolas
de Tolentino, reprit l'apparition.... — O mon bon Saint,
s'écria alors la malade, si vous m'accordez la grâce que je
vous demande, je porterai ou j'enverrai tous les ans sur
votre tombeau, en dehors de ce que je vous ai déjà promis,

_____

1. *Procès*, fol. 101, pag. 1.

deux jambes en cire, comme témoignage de ma reconnaissance ! »

Le Bienheureux, s'approchant alors de la suppliante, fit
le signe de la croix sur plusieurs parties de son corps et la
consola par ces paroles, après lesquelles il disparut :
« Ayez confiance en Dieu, parce qu'il vous rendra la santé
en exauçant mes prières ! »

Françoise se réveilla. Ses douleurs avaient complètement cessé et ses membres avaient recouvré toute leur
souplesse et leur première force. Aussi, un mois plus tard,
elle faisait à pied la route qui sépare Sanseverino de Tolentino, chargée de la toile et des ex-voto qu'elle avait promis
à son Bienfaiteur céleste (1).

A la même époque et presque le même jour, le jeune
Nanzio de Camérino, voulant franchir un mur, tomba si
malheureusement en arrière, qu'une énorme pierre qu'il
entraîna dans sa chute lui écrasa complètement la cuisse
gauche. Le membre fut brisé du genou à l'aine, et les os
réduits en poussière sortirent en abondance par l'horrible
ouverture. Le pauvre enfant demeura comme mort pendant
deux jours ; la plaie, mal soignée, s'envenima, se remplit de
vers et répandit une odeur infecte. Il ne pouvait ni boire,
ni manger, ni même parler, ni faire un seul mouvement.
Aussi le médecin, désespérant de le soulager, l'aban-
donna-t-il, en déclarant que Dieu seul pouvait, par un
miracle, guérir un mal aussi affreux. On n'attendait donc
plus que le dernier soupir de Nanzio, lorsque ses parents
eurent la pensée de le vouer à saint Nicolas de Tolentino.
Celui-ci ne fit pas attendre son secours. Il ne se passa pas
un temps aussi long que celui qui est nécessaire pour prononcer le nom de Jésus, dit l'auteur anonyme, avant que
l'enfant commençât à parler, à demander à boire, et avant
que les couleurs de la vie reparussent sur son visage mourant. En quelques instants, il fut entièrement guéri.

Plusieurs médecins constatèrent avec étonnement qu'il
ne restait aucune trace de l'horrible blessure, et, le jour
même, Nanzio, accompagné de ses parents, se rendit à
pied de Camérino à Tolentino, pour suspendre une jambe
de cire sur le tombeau de son puissant protecteur (2).

1. *Procès*, fol. 201, pag. 2.
2. *Procès*, fol. 133, pag. 1.

Les miracles se multipliant de jour en jour, les religieux Augustins, gardiens de la précieuse dépouille, prirent la coutume de sonner les cloches toutes les fois qu'un prodige était opéré sous leurs yeux, afin que le peuple de Tolentino pût en être témoin et fût ainsi, de plus en plus, porté à la dévotion et à la confiance envers le glorieux Nicolas. Les miracles se succédant presque sans interruption, les cloches du monastère ne cessaient pas de répéter leur joyeux appel à tous les habitants des alentours. Or, il arriva qu'une femme nommée Tomassina, fille de François Adinolfi, eut la téméraire pensée, en entendant cette perpétuelle sonnerie, que tout ce bruit n'était qu'un artifice des moines, qui cherchaient ainsi à attirer les foules dans leur église par un moyen ingénieux. Dieu la punit immédiatement de ce jugement défavorable, en rendant aveugle son fils Muzio qu'elle tenait alors sur son sein. La cécité instantanée de l'enfant ouvrit les yeux de la mère, qui, reconnaissant le juste châtiment de sa faute, se jeta à genoux et implora de Nicolas son pardon et la guérison de Muzio. Elle promit en même temps par vœu d'offrir à l'autel du Saint un corps en cire ayant le poids du petit aveugle. Tomassina ne s'adressa pas en vain au Bienheureux Ermite, et connut bientôt la bonté et la tendresse de son cœur. Une heure ne s'était pas écoulée que l'enfant ouvrait de nouveau les yeux et souriait à la lumière du jour. La mère reconnaissante alla suspendre elle-même son ex-voto près des reliques du bienfaiteur de son cher Muzio (1).

Ces éclatants miracles, et beaucoup d'autres qu'il est impossible de raconter ici, montrèrent de quelle paternelle et puissante protection Nicolas entourait ceux qui lui étaient dévoués et qui l'invoquaient avec confiance ; ils rendirent son nom béni de plus en plus célèbre et populaire. On ne parlait que de saint Nicolas et on ne cessait de rendre grâces au Seigneur qui glorifiait si visiblement et si vite son fidèle serviteur. Aussi, l'anniversaire de sa mort ébranla tout le pays des Marches et toutes les régions environnantes. Le 10 septembre 1306 vit se renouveler à Tolentino les merveilles des anciens âges. On se rendit en

1. *Procès*, fol. 160, pag. 1.

foule au tombeau pour implorer le Bienheureux, pour lui
rendre grâces des guérisons déjà obtenues, ou pour accomplir des vœux. Il arriva alors que des femmes de St-Genêt,
s'acheminant vers Tolentino, rencontrèrent sur la route la
fille d'un habitant de cette ville, nommée Jeanne, et lui
proposèrent de les accompagner pour visiter l'église où
reposaient les reliques du Thaumaturge : « A Tolentino
vont les infirmes, et moi je me porte bien, » répondit incon-
sidérément cette femme. Mais, à peine avait-elle prononcé
ces paroles, qu'elle ressentit une douleur aiguë dans un des
côtés de son corps, qui demeura paralysé. La leçon était
sévère, l'infortunée le comprit, et, se joignant aux pieuses
pèlerines, se fit porter jusqu'au tombeau, malgré ses vives
souffrances. Là, elle offrit un cierge ayant sa propre longueur, et pria avec larmes pour obtenir le retour de sa
santé. Elle quitta Tolentino parfaitement guérie et retourna
seule dans sa maison (1).

Au milieu de la foule qui se pressait dans l'église des
Augustins, il y avait une dame aveugle depuis neuf ans.
Son infirmité était connue de toute la ville. Après avoir
entendu la messe, elle resta en prières jusqu'à l'heure de
Tierce. A ce moment, les religieux, qui commençaient à
chanter l'office, l'entendirent pousser un cri si fort qu'ils
la crurent malade, et s'empressèrent autour d'elle. — « Je
vois, dit-elle simplement, saint Nicolas m'a rendu la vue!.. »
Le Père Léonard de Montefalco et un autre moine lui
présentèrent alors un livre, afin de vérifier le miracle ;
l'aveugle y lut sans aucune difficulté (2).

Un autre fait plus prodigieux encore vint porter au
comble le pieux enthousiasme des fidèles et accroître,
d'une manière inexprimable, la popularité du Saint de
Tolentino, fait unique, par lequel le Ciel sembla vouloir
récompenser à la fois et la sainteté de son serviteur et la
confiance des foules. Au milieu du profond silence qui
régnait dans l'église, l'étoile brillante et merveilleuse qui
avait tant de fois conduit Nicolas vers le lieu de son tombeau, apparut dans tout son éclat, rayonnant douce et
pure sur les peuples agenouillés. Elle semblait leur dire

1. *Procès*, fol. 143, pag. 1.
2. *Procès*, fol. 27, pag. 1.

que leur protecteur, toujours bon et puissant, entendait leurs prières et s'apprêtait à les exaucer. La prophétie faite au Bienheureux par un de ses frères en religion, se réalisait donc entièrement ! Une immense clameur retentit à la vue de ce nouveau miracle, des cris de joie et de bénédiction interrompirent les chants et la psalmodie des Ermites de Saint-Augustin, et bientôt la ville entière accourut pour voir l'astre merveilleux. Des gens de tout pays, qui n'avaient jamais connu Nicolas, arrivèrent aussi en grand nombre, poussés par une force mystérieuse. Chaque année, pendant plus de vingt ans, selon le calcul des Bollandistes, les foules eurent le bonheur de contempler la radieuse étoile éclairant d'une douce lumière l'arche sacrée où reposait l'Élu du Seigneur (1).

L'année 1310 fut aussi très célèbre dans l'histoire posthume du glorieux Thaumaturge de Tolentino. La nuit de la Toussaint, l'église, remplie de fidèles et surtout d'aveugles, d'estropiés, de possédés et d'infirmes de toutes sortes, retentit de mille acclamations et de chants de reconnaissance. En un même moment, quarante-cinq miracles furent opérés par le Saint, et quelques instants plus tard, un quarante-sixième prodige de guérison vint s'ajouter aux autres. En mémoire de cette heure bénie, on a placé dans le clocher de l'église l'inscription suivante qu'on lit encore aujourd'hui : « Pendant que, dans la nuit solen-
» nelle de Tous les Saints, un grand nombre de fidèles
» tourmentés de diverses infirmités veillaient, par suite
» d'un vœu, dans l'église de saint Nicolas, le salut fut
» donné aux malades ; une femme infidèle fut amenée à la
» foi ; les cloches s'ébranlèrent d'elles-mêmes en signe de
» joie ; quarante-cinq miracles furent opérés dans la même
» nuit par le divin Nicolas (2). »

A mesure que la piété populaire augmentait, les preuves

---

1. Et multis sane annis continuis ipso die obitus ejus, quo homines innumeri e diversis locis ad reverendum corpus ejus obtinendæ sanitatis causa confluebant, non autem vel antea vel postea, stella illa videbatur.
Pierre de Monterubbiano, chap. V, num. 34.

2. Illa eadem nocte omnium sanctorum B. Nicolaus fecit quadraginta quinque miracula in Ecclesia S. Augustini de Tolentino.... In illa nocte campanæ prædictæ Ecclesiæ pulsabantur ex se, et non tangebantur ab aliquo.
Procès, fol. 126, pag. 2.

de la puissance de saint Nicolas se multipliaient et deve-
naient de plus en plus éclatantes. Les maladies, les infirmités n'étaient pas seules l'objet de ses bontés ; mais la
mort elle-même ne pouvait lui résister, et de nombreuses
résurrections ont été constatées dans le procès de canonisation. En la même année 1310, dans la ville de Camérino,
un des habitants, nommé Ansovino Atti, qui se disposait à
monter à cheval, effraya l'animal par un mouvement de
son fouet et le vit lui échapper, entraînant impétueusement
les rênes et jetant l'effroi sur son passage. Un petit enfant,
nommé également Ansovino, que la frayeur renversa sur
le sol, fut écrasé par le cheval furieux, et tellement foulé
par ses pieds, que les marques des fers demeurèrent
empreintes sur son corps. La mort fut presque instantanée.
L'enfant fut transporté chez lui, les entrailles découvertes
et le corps meurtri d'horribles blessures. Cet affreux accident plongea les malheureux parents dans une profonde
douleur. Andreola, la mère, qui était inconsolable, se mit
à prier Nicolas avec des sanglots et des larmes, demandant avec confiance la résurrection de son fils et promettant de déposer sur le tombeau du Saint de Tolentino
un gros cierge et une image de cire. Encore une fois, le
Thaumaturge se montra sensible aux supplications qui
lui étaient adressées. Le prodige ne se fit pas attendre.
Ansovino revint aussitôt à la vie, sans que son corps
portât aucune trace de meurtrissures, aucune empreinte
livide. Le jour suivant, il courait et jouait comme la
veille, avec les enfants de son âge (1).

En l'année 1317, trois résurrections éclatantes eurent
lieu. Nous ne citerons ici que la plus intéressante. La veille
de la fête de saint Jean-Baptiste, un enfant nommé Puccio,
âgé de quatre ans et quelques mois, fils de Jeanne et
d'Ange Bénintesi, tomba dans le canal d'un moulin et fut
entraîné vers l'ouverture qui communiquait avec la roue
de ce moulin. Celle-ci cessa de tourner, gênée par le corps
de l'enfant qui fermait entièrement cette ouverture. Les
eaux frappaient avec impétuosité le corps inerte du pauvre
petit, qui expira avant que personne eût pu lui porter
secours. Une heure après l'accident, la mère éplorée accou-

---

1. *Procès*, fol. 116, pag. 1.

rut à l'endroit où l'on apercevait la victime. Personne n'osait s'aventurer à aller chercher le petit corps, les eaux étant très gonflées en ce temps. Jeanne parvint, après mille efforts, à ramener sur le bord du canal le cadavre de son fils, mort depuis longtemps et couvert de meurtrissures horribles. A genoux devant le corps inanimé de son Puccio, cette mère désolée versait d'abondantes larmes. Tout à coup, pleine d'une admirable confiance, elle s'écria: « Ah ! » Nicolas, vous qui êtes le Saint des miracles, ressuscitez-

ORATOIRE DE SAINT NICOLAS A TOLENTINO.

» moi mon Puccio. Comment pourrais-je vivre sans lui ?...
» Accordez-moi, je vous en prie, la grâce que je vous
» demande. Je vous promets de jeûner, chaque année, la
» veille de votre fête, d'en respecter le jour en m'abste-
» nant de tout travail manuel, et de placer les vêtements
» de mon fils sur votre autel à Tolentino. »
Elle priait encore que l'enfant, recouvrant la vie, ouvrait les yeux et souriait à sa mère. Celle-ci, en présence de tous ceux que le bruit de l'accident avait attirés, dépouilla Puccio de ses habits afin de les offrir à l'autel du Thauma-turge. Or, double miracle, le petit corps ne portait plus

aucune trace de ses blessures et des coups violents des flots qui l'avaient frappé si longtemps (1) !

La troisième résurrection que nous allons citer ici, est si merveilleuse, écrivent les Bollandistes, qu'il n'est pas facile de trouver un miracle semblable. C'est pourquoi, ajoutent-ils, nous le raconterons en citant les propres paroles du bienheureux Joudain de Saxe.

« Non loin de Padoue, sur le Monte Rotondo (aujourd'hui Mont Ortona), un homme traversait seul un chemin, quand il fut assailli par ses ennemis qui avaient juré sa perte et l'attendaient là pour lui ôter la vie. Ne pouvant s'échapper de leurs mains, ce malheureux les supplia, pour l'amour de Dieu et de saint Nicolas, de faire au moins venir un prêtre pour entendre sa confession et l'absoudre avant de mourir. Mais les ennemis furent inflexibles. Ils le tuèrent sur-le-champ pendant que leur victime continuait à se recommander à Dieu et à saint Nicolas de Tolentino. Prenant alors le cadavre, ces hommes cruels le jetèrent dans un lac voisin qui était alimenté par une source d'eau bouillante. Le corps s'enfonça aussitôt dans les profondeurs du lac et disparut complètement. Sept jours se passèrent. Le huitième, Nicolas apparut, vêtu en Ermite de Saint-Augustin. Tirant le mort de l'eau, il lui rendit la vie, le fit marcher sur le bord du lac et le conduisit lui-même jusqu'à Monte Rotondo. Quand cet homme ressuscité fut arrivé devant sa demeure, il frappa à la porte. Celle-ci s'ouvrit. Sa femme et ses fils furent au comble de l'étonnement et de la joie en retrouvant vivant celui qu'ils croyaient mort. Ce fait merveilleux avait lieu la nuit. Dès qu'il fut entré, le protégé du Saint de Tolentino voulut se coucher et réclama un prêtre. Il savait que la vie ne lui avait été rendue qu'afin qu'il pût se préparer, selon ses désirs, aux jugements de Dieu. Le prêtre accourut pour le confesser et lui administrer le Viatique et l'Extrême-Onction. Cet homme fit ensuite son testament, mit ordre à ses affaires, dit adieu à son épouse, à ses enfants et à tous ceux qui étaient présents, après leur avoir raconté en détail comment Nicolas l'avait protégé, ressuscité et reconduit jusqu'à eux. Enfin, il mourut de nouveau vers neuf heures du matin.

1. *Procès*, fol. 110, pag. 2.

» Immédiatement après ce décès extraordinaire, la chair du cadavre disparut, et les ossements devinrent blancs et calcinés comme ceux d'une personne brûlée vivante. Le Bienheureux Jourdain de Saxe assure que, de son temps, on conservait encore à Monte Rotondo ces ossements dépouillés et polis, comme le précieux gage et comme souvenir d'un prodige si éclatant (1). »

Ne pouvant citer les innombrables miracles du Thaumaturge de Tolentino, nous nous arrêterons à ces trois résurrections dont la certitude est évidente et a été suffisamment prouvée. Elles nous donneront une idée de la puissance céleste de Nicolas qui, au dire de l'historien Lanteri, dans l'œuvre intitulée : *Postrema sæcula sex*, ressuscita 107 morts, sans parler de toutes les guérisons merveilleuses qui ont fait partout connaître et bénir son nom.

1. Bienheureux Jourdain de Saxe, *Vitæ Fratrum*, liv. II.

SITUATION DE L'ÉGLISE AU XIVe SIÈCLE.

Le pape Jean XXII publie la bulle : *Pater luminum.* — Trois cent soixante-douze témoins. — Le Père Thomas de Fabriano va à Avignon. — Louis V de Bavière se fait couronner empereur à Aix-la-Chapelle. — Élection d'un anti-pape. — Béatification de Nicolas. — Un schisme. — Le pape Eugène IV obtient la réconciliation par l'intercession de Nicolas. — Trois cent un miracles.

ES Ermites de Saint-Augustin, émus par l'éclat et la multiplicité des miracles de leur Thaumaturge, autant que fiers de l'héroïcité de ses admirables vertus, supplièrent alors le Saint-Siège d'instruire le procès de la canonisation de Nicolas et de le placer sur les autels. Plusieurs évêques joignirent leurs instances à celles de l'Ordre, et toutes les personnes dévouées à la cause purent espérer voir cette importante affaire promptement se terminer à la gloire du Saint de Tolentino. Mais les difficultés sans cesse renaissantes qui accablaient alors les papes de cette époque, s'étant de beaucoup aggravées, vinrent entraver ces pieux projets et déjouer toutes les espérances ; la situation de l'Eglise ne permit pas au Souverain-Pontife de répondre immédiatement à ces justes désirs. Nicolas était mort à l'époque des démêlés du roi de France, Philippe-le-Bel, avec Boniface VIII, et bien que Benoît XI, qui succéda à ce dernier sur le Siège de saint Pierre, eût essayé de rétablir la paix en modifiant quelques dispositions de son prédécesseur, et en se réconciliant personnellement avec son puissant ennemi, la guerre durait encore. Philippe-le-Bel voulait absolument obtenir du pape qu'il flétrît la mémoire de Boniface VIII. Comme ses prétentions étaient injustes et sans fondement, Benoît XI s'y refusait énergiquement. Lorsqu'il mourut, Bertrand de Goth, qui lui succéda sous le nom de Clément V, fut occupé exclusivement, pendant son pontificat, par son changement de résidence en se fixant à Avignon, par le Concile de Vienne et par le fameux procès des Templiers.

Ce ne fut donc que vingt ans seulement après la mort de Nicolas que le pape Jean XXII publia la bulle : *Pater luminum,* conférant l'autorité apostolique pour le procès de canonisation à l'évêque de Sinigaglia, à celui de Césena et à Ugolin, abbé de Saint-Pierre de Pérouse. Ces trois délégués se rendirent à Macérata et, le 3 juillet 1325, firent appeler le Provincial, Pierre Castelli, le Prieur de Tolentino et le Père Simon de Montecchio, avec trois chanceliers et plusieurs notaires qui devaient rester au service du tribunal. Trois cent soixante-douze témoins furent alors entendus (1) ; les rapports personnels que la plupart d'entr'eux avaient eus avec Nicolas, donnèrent à leurs dépositions une très grande autorité. Cette enquête de Macérata dura un peu plus d'un an. Un Ermite de Saint-Augustin, le Père Thomas de Fabriano, fut chargé d'en porter toutes les pièces à Avignon, avec ordre formel de ne les déposer qu'entre les mains du Souverain-Pontife lui-même.

Le 5 décembre 1326, le Père Thomas fut reçu en plein consistoire (2). Le pape fit rompre les scellés en présence des cardinaux, et, après avoir pris connaissance des précieux documents, chargea trois princes de l'Eglise de les examiner très sévèrement. C'étaient Vitale del Forno, Gancelin Cossa et Jacques Gaëtani. Mais, au moment où l'Ordre augustinien voyait avec joie commencer enfin la grande œuvre tant désirée de la canonisation de saint Nicolas, de nouveaux obstacles surgirent, et Jean XXII fut forcé d'interrompre les procédures pour mieux sauvegarder son indépendance menacée, et l'intégrité de la foi attaquée alors par plusieurs hérésies naissantes.

Louis V de Bavière venait de se faire couronner empe-

---

1. *Procès.* — Giorgi, IIe Partie, chap. III, pag. 223.

2. Quæ quidem omnia sub testimonio sigillorum dictorum Episcoporum... per Fr. Thomam de Fabriano dicti Ordinis Sac. Theol. Professorem, die Veneris 5 Decembris A. D. MCCCXXVI. Sanctissimo Domino Nostro, et Sac. Colleg. DD. Cardinalium in Consistorio præsentata fuerunt. *Procès.*

reur à Aix-la-Chapelle, pendant que les électeurs faisaient
sacrer à Cologne le fils d'Albert Ier, Frédéric-le-Bel. La
guerre civile éclata, d'autant plus cruelle que les deux
rivaux étaient proches parents. Après avoir répandu
beaucoup de sang, ils se décidèrent à faire vider leur que-
relle par trente champions seulement ; mais ce combat ne
put terminer cette guerre désastreuse. Il ne fut que le
prélude d'une bataille dans laquelle Louis de Bavière fut
vainqueur. Cette bataille, avec quelques autres qui suivirent,
le rendit maître absolu de l'empire.

Le pape avait tenu jusqu'alors à conserver la neutralité
entre les partis, espérant que Louis, dont il connaissait le
peu de religion et les mauvaises qualités, serait obligé de
céder la couronne à Frédéric, qui était un prince sage et
vertueux. Après la bataille de Muhldorf, il ordonna au
vainqueur de suspendre l'exercice de ses droits pour les
soumettre au jugement du Saint-Siège, qui avait à se plaindre de lui et se voyait obligé de lui adresser plusieurs
monitoires, pour avoir favorisé les hérétiques et les ennemis de l'Eglise romaine. Louis ne tenant aucun compte des
avertissements et des remontrances du Pontife, celui-ci
déclara l'empire vacant, pendant que l'empereur furieux
en appelait du *pape mal instruit* au *pape mieux instruit* et
ensuite à un Concile général qui l'excommunia. Jurant
alors de se venger du Saint-Siège, cet indigne prince
marcha vers l'Italie, entra à Rome, s'y fit couronner de
nouveau, procéda à l'élection d'un anti-pape, Pierre de
Corbière, et entreprit de placer des évêques de son choix
sur plusieurs sièges, en chassant ceux qui les possédaient
légitimement. Il alla même jusqu'à prononcer une sentence
de mort contre le successeur de Pierre et contre le roi de
Naples, son défenseur et son ami, les condamnant tous deux
à être brûlés vifs.

Le Pontife romain, accablé de maux de toutes sortes,
entouré de dangers pressants et de difficultés sans nombre,
suspendit forcément le procès du Thaumaturge de Tolentino ; mais il se promettait bien de le reprendre et de le
poursuivre, dès qu'il le pourrait, afin d'achever cette œuvre
à laquelle il tenait. Aussi, pour montrer combien il avait à
cœur cette canonisation, il fit vœu, en 1330, en présence
de ses cardinaux, de placer Nicolas sur les autels, dès que

la persécution aurait cessé, et que la paix serait rendue à l'Eglise. En même temps, il décernait au fils d'Augustin le titre de bienheureux (1). Cette première décision fut accueillie avec une vive allégresse ; car on proclamait déjà bien haut que les faits extraordinaires enregistrés à Macérata avaient tous le caractère du miracle, et on concluait de là que le pape pouvait, dès qu'il le jugerait convenable, inscrire Nicolas au nombre des confesseurs. L'Ordre des Augustins surtout, qui souhaitait depuis longtemps que le culte public de Nicolas lui fût permis, ainsi qu'à tout le diocèse de Tolentino, sentit renaître toutes ses espérances. Dès cette même année, il célébra solennellement, le dix septembre, l'anniversaire de la mort de son glorieux Fils, et l'Italie entière s'unit aux Ermites pour fêter la béatification du nouvel élu. Dans plusieurs villes, le 10 septembre fut dès lors considéré comme un jour de bénédiction et d'allégresse publique (2)..

Cependant les persécutions et les troubles qui continuaient toujours autour du Saint-Siège, ralentirent encore une fois ce mouvement d'enthousiasme et de zèle pour la cause de Nicolas. Ceux qui y travaillaient en vinrent à croire l'entreprise impossible pendant ces tristes temps, et à l'abandonner peu à peu, tout en lui restant fidèles et en ayant grand soin de noter et de relater tout ce qui pourrait plus tard contribuer à la réussite de la canonisation : l'accroissement rapide du culte de Nicolas, les miracles nombreux et éclatants que la piété des fidèles avait obtenus par son intercession. On comptait déjà à cette époque seize résurrections et plus de trois cents prodiges certains et avérés, sans s'arrêter aux grâces et aux faveurs de moindre importance, dont le récit et les preuves arrivaient chaque jour de partout. Notre Saint est le seul depuis les apôtres qui ait opéré tant de miracles, ainsi que l'a déclaré Eugène IV (3).

Le grand schisme d'Occident, qui vint déchirer l'Eglise du CHRIST pendant un demi-siècle, contribua beaucoup

1. Bolland, tom. III, § II.
2. Herrera. Alphabeth. August. ad annum 1307.
3. Neminem inde jam ab Apostolorum ævo vixisse, qui prodigiorum aut magnitudine aut multitudine Nicolaum superavit.
Eug. IV, apud Corn. Curt. in vita S. Nicolai.

aussi à retarder la canonisation du fils d'Augustin ; mais
Dieu, dans ses desseins impénétrables, ne lui faisait
attendre son complet et définitif triomphe, que pour rendre
ce triomphe plus éclatant et plus magnifique. Un événement important allait, en réunissant l'Eglise grecque à
l'Eglise latine, avancer la cause du Thaumaturge et la
faire arriver enfin à un résultat glorieux. Les Turcs augmentant leurs anciennes conquêtes par de nouvelles
victoires et par la prise de Thessalonique, en 1431, l'Empereur de Constantinople craignit avec raison que l'Empire
ne devînt aussi leur proie et n'y trouvât sa fin. Ne pouvant
espérer de secours que du côté des Latins, il souhaita
l'union de l'Eglise grecque avec celle de Rome. Il en fit la
proposition au pape Eugène IV, qui lui envoya des légats
pour le maintenir dans ce dessein, et pour lui faire savoir
qu'il comptait convoquer un concile à Ferrare pour cette
affaire. Jean Paléologue se rendit en personne à cette
assemblée, l'an 1438, avec le patriarche de Constantinople,
vingt des premiers dignitaires de l'Eglise schismatique, et
les ambassadeurs des souverains de Trébizonde, de Mos-
covie, de Géorgie, de Serbie et de Valachie. Ils furent
tous reçus à Ferrare avec une magnificence extraordinaire ;
mais quelques mois plus tard, le Concile ayant été trans-
féré à Florence, à cause de la peste, ils suivirent les Pères
dans cette seconde résidence. Le pape Eugène en personne,
tout le collège des cardinaux et plus de cinquante évêques
représentaient l'Eglise latine.

Pendant dix-huit mois, les plus savants théologiens de
l'Orient et de l'Occident examinèrent ensemble les traditions des deux Eglises et arrivèrent, le 6 juillet 1439, à la
conclusion de la paix, d'une manière solennelle et très
glorieuse pour le Siège apostolique de Rome. Ainsi se ter-
minait ce schisme de Photius qui avait tant affligé l'Eglise
catholique depuis plusieurs siècles.

Le pape Eugène IV, qui avait obtenu cette grande et
étonnante réconciliation par l'intercession du Bienheureux
Nicolas, ainsi qu'il l'attesta lui-même, revint à Rome tout
disposé à accorder à son protecteur les honneurs de la
canonisation (1). Une nouvelle commission fut donc chargée

1. Sed et illud celeberrimum extitit ipsius Eugenii voto expetitum et suc-

d'examiner l'état de la cause. Elle se composait de Jean, cardinal-évêque de Palestrina, de Jean, cardinal-prêtre du titre de Saint-Laurent in Lucina, et de Prosper, cardinal-diacre du titre de Saint-Georges in Velabro. Ces trois cardinaux résumèrent le procès et en donnèrent lecture en plein consistoire, devant le Souverain-Pontife, le Sacré-Collège et tous les évêques présents dans la Ville Eternelle. Bien que, pour la canonisation d'un saint, on n'ait besoin que de trois miracles, la Congrégation en approuva alors trois cents que DIEU daigna augmenter encore, en opérant un nouveau prodige en présence du Pape et des cardinaux. L'avocat consistorial qui devait lire à haute voix le long et important rapport, était bègue de naissance. A peine eut-il ouvert la bouche pour commencer la lecture du procès et glorifier Nicolas, que sa langue se délia, et il continua sans s'arrêter, et sans hésiter une seule fois, la lecture du procès et des trois cents miracles.

Devant ce prodige, Eugène IV, plein d'enthousiasme, leva la séance en disant : « J'approuve trois cent un miracles, » et en ordonnant d'enregistrer immédiatement le dernier à la suite des autres. Ces paroles du successeur de Pierre furent saluées par les applaudissements et les chants de reconnaissance de l'auguste assemblée, qui voyait en elle les premières lueurs de l'aurore du beau jour où Nicolas de Tolentino serait canonisé (1).

---

cessorum pontificum oraculo firmatum, quod Ecclesia Romana S. Nicolai meritis summam præter spem tranquillitatem consecuta est.
                    Off. Canonizationis. Die V Junii.

1. Giorgi, IIᵉ Paitie, chap. V, pap. 248. — Centena terque illustria patrata fulgent thaumata, quæ lingua blæsa edisserit, soluta Divi munere.
                    Hymn. in Off. Canoniz.

Chapitre Vingt-troisième.

CANONISATION DE SAINT NICOLAS.

Le Souverain Pontife publie la bulle de canoni-
sation. — La canonisation fixée à la fête de la
Pentecôte, 5 Juin 1446. — Canonisation. —
Nouveaux miracles. — Rome, Pavie, Venise. —
Reconnaissance de Nicolas envers le Pape Eu-
gène IV. ◇◦◇◦◇◦◇◦◇◦◇◦◇◦◇◦◇◦◇◦◇◦◇◦◇◦◇◦◇

ENDANT qu'on adressait au Souverain Pontife de
touchantes supplications pour le presser de
décerner à Nicolas les suprêmes honneurs de
la canonisation, l'Ordre auquel il avait appar-
tenu organisait partout des quêtes pour couvrir
les frais considérables du procès. Le Général, le Père
Barthélemy de Venise, avait, en 1397, ordonné à tous les
Provinciaux présents au Chapitre de Munich de lui envoyer
dans ce but les fonds dont ils pourraient disposer, d'après
les revenus de leurs couvents (1). Les personnes chargées
des quêtes destinées à cette sainte entreprise s'employè-
rent avec tant de zèle et d'activité à cette œuvre, qu'en
peu de temps les Augustins purent disposer d'une somme
suffisante pour le procès et pour les préparatifs de la fête,
dont la splendeur étonna tous les auteurs contemporains.

Enfin, le premier février 1446, le Souverain Pontife
accorda la bulle de canonisation (2) si longtemps attendue,
si vivement désirée, et fit connaître son intention de pré-
sider lui-même la solennité dans l'église de Saint-Augustin
de Rome. Le Père Julien de Sémellio, alors Général de
l'Ordre, voulut remercier Eugène IV de l'honneur qu'il
daignait faire à la famille monastique du grand Évêque

---

1. Indicta est collecta pecuniarum pro expensis faciendis in Canonizatione
Sancti Nicolai de Tolentino.

Ex Comm. Ord. sub anno 1397.

2. Voir l'appendice n° III à la fin de ce volume.

d'Hippone, en lui offrant lui-même, au nom de l'Ordre, un superbe pallium portant les armoiries de la sainte Eglisë, du Saint-Siège, des Ermites de Saint-Augustin, de saint Nicolas et de la ville de Rome.

Après quatre mois de préparatifs, le jour tant désiré se leva enfin, jour mémorable et glorieux, jour de bénédictions et de miracles. Le 5 juin 1446, fête de la Pentecôte, le canon du fort Saint-Ange et les cloches de toutes les églises saluè-rent, dès l'aube, la grande solennité qui se préparait. D'après les auteurs du temps, on n'avait jamais vu pareille fête dans la Ville Eternelle. Des draperies d'or et de velours, de magnifiques bannières représentant les princi-paux miracles de Nicolas, ornaient tout le parcours que devait suivre le cortège pontifical, depuis l'église Saint-Augustin jusqu'à celle de Saint-Celse (1).

Les cérémonies commencèrent par une procession géné-rale composée du clergé séculier et régulier de Rome, des curés et des vicaires perpétuels de la ville, des chanoines de toutes les collégiales et de toutes les basiliques mineures et patriarcales. Tous les évêques présents à Rome y assistaient avec les cardinaux, tous, le front couronné de mitres éclatantes de blancheur. A leur suite, s'avançait le Souverain Pontife, porté sur la chaise *gestatoria*, tenant un cierge allumé de la main gauche, et de la droite, bénis-sant la foule qui l'acclamait avec des cris de joie et d'en-thousiasme. Il serait difficile de décrire l'impression et les transports que la présence du successeur de Pierre causait alors, comme aujourd'hui, aux multitudes accourues de tous les points du monde pour le voir et faire honneur aux héros du christianisme nouvellement placés sur les autels ! La procession défila lentement dans les rues de la cité, chantant les litanies des Saints et les autres prières pres-crites. Arrivée sur le pont Saint-Ange, elle fut un instant arrêtée par la foule de plus en plus grande qui se pressait sur le parcours. Il arriva alors qu'au milieu de ce flot humain, un enfant qui marchait sur le bord du fleuve fut poussé dans l'eau et emporté rapidement au loin, si loin

---

1. Per lo amore a dicto sancto foro coperte e adornate le strade de'drappi d'oro e de'velluti, e de lana et mondate tutte da Sancto Agostino a Sancto Celso.   Petronio. Cod. Vatic.

que, malgré d'actives et promptes recherches, on ne put le sauver, ni même retrouver son cadavre.

Pendant ce temps, le père du petit noyé, qui était trompette dans le cortège pontifical, ne se doutait nullement de l'accident et du malheur qui le frappait ; il continuait à glorifier le thaumaturge par la voix de son instrument.

Arrivée à l'église de Saint-Augustin, la procession s'arrêta ; le Pape descendit de son siège et, après les cérémonies d'usage, fit chanter solennellement le *Veni Creator*. L'hymne terminée, le successeur de Pierre, s'étant assis sur son trône, la tiare en tête, déclara que, pour l'honneur de la sainte et indivisible Trinité, pour l'exaltation de la foi catholique et l'accroissement de la religion chrétienne, par l'autorité de Notre-Seigneur JÉSUS-CHRIST, des apôtres Pierre et Paul et la sienne propre, il déclarait et définissait que le bienheureux Nicolas de Tolentino, de l'Ordre des Ermites de Saint-Augustin, était saint, et qu'il l'inscrivait au catalogue des Saints, statuant que sa pieuse mémoire devait être honorée avec dévotion, chaque année, par l'Eglise universelle, le dix septembre.

La grande nouvelle fut annoncée et saluée par toutes les cloches de Rome et par le canon du fort Saint-Ange, pendant que le Souverain Pontife, dans l'oraison qu'il avait composée lui-même pour la Messe de ce jour mémorable, reconnaissait devoir à la protection de saint Nicolas la paix et la tranquillité de l'Eglise (1).

Mais, le soir de ce jour, au milieu des illuminations et des fêtes, un homme, portant encore l'uniforme de trompette, se rendait sur les bords du Tibre, où l'on venait de lui apprendre que son fils avait disparu le matin. Tout espoir de le retrouver était perdu, car on avait multiplié les recherches, on avait plongé et replongé dans les flots sans rien découvrir, et le soleil, disparaissant à l'horizon

---

1. « Concede quæsumus, omnipotens Deus, ut Ecclesia tua, quæ ineffabili providentia, B. Nicolai Confessoris tui virtutum et miraculorum gloria coruscat, ipsius meritis et intercessione, eliminatis erroribus, perpetua pace atque unitate lætetur.» Oratio in die festi ab Eugenio IV composita.— Post ejus relationem in numerum Sanctorum *celeberrimum maximumque illud miraculum* extitit, quod Ecclesia Romana, jam per annos amplius quinquaginta schismatum dissidiis graviter afflicta, *hujus beati viri meritis et intercessione*, sublatis erroribus, pacem præter spem summam consecuta est.

Sixtus V, in Bulla diei XVII Januarii MDLXXXV.

pour faire place au crépuscule, très dangereux à Rome, allait empêcher de nouvelles tentatives. Cependant, plusieurs égoutiers charitables, émus de la douleur de cet homme, voulurent bien tenter un dernier et suprême effort et ramenèrent enfin sur le rivage le petit corps déja gonflé, il y avait plus de dix heures qu'il était au fond de l'eau !...

Le père, penché sur ce froid cadavre, le couvrait de baisers et l'arrosait de ses larmes, se plaignant respectueusement à saint Nicolas de ce qu'il avait permis, en ce jour mémorable, un si triste événement et un si profond chagrin... « Ah ! s'écriait-il, si vous me rendez mon fils, je le consacrerai à DIEU !... » Or, à peine avait-il prononcé ces

COUPE TRANSVERSALE DE LA NOUVELLE ÉGLISE DES AUGUSTINS A TOLENTINO.

paroles que l'enfant, ressuscité, le regardait en souriant et le caressait tendrement (1).

En cette même solennité du cinq juin, le thaumaturge de Tolentino opéra une autre merveille, non moins surprenante, non moins touchante. Depuis près de sept siècles, le corps de saint Augustin, patriarche et fondateur des Ermites qui portent son nom, reposait, à Pavie, dans l'église de son Ordre. Le jour de la canonisation de Nicolas, au moment même où le Pape proclamait sa sainteté, les

---

1. Insigni miraculo hæc ipsa celebritas nobilitata fuit ; puer enim, tubicinis cujusdam filius, ab Ælio Ponte, prementibus turbis, in Tyberim dejectus, atque inde urinatorum opera exanimis vix demum extractus, patre pro eo S. Nicolao votum nuncupante, paulo post summa omnium admiratione revixit.

Brev. V. Junii. — Item omnes historici S. Nicolai.

habitants de cette ville le virent dans les airs, environné de lumière et de gloire. Après avoir salué la tombe bénie de son Père, Nicolas descendit dans les rues, entra dans les prisons et brisa les chaînes des détenus, auxquels le gouverneur de Pavie n'osa pas refuser une liberté que le Ciel avait voulu leur accorder si miraculeusement (1).

Mais, si Rome et Pavie avaient eu leur miracle, Venise, patrie d'Eugène IV, devait aussi avoir le sien. En cette fête, saint Nicolas voulait ainsi témoigner sa céleste reconnaissance au Pontife qui lui avait procuré les suprêmes honneurs de la canonisation. Dès que les Augustins de cette dernière ville eurent appris le triomphe de leur saint Frère, ils voulurent aussi célébrer solennellement un événement si consolant et si glorieux pour leur Ordre. Pendant les fêtes qui eurent lieu à cette occasion, un enfant tomba dans le grand canal de Murano, et disparut si promptement et si complètement dans les eaux profondes et rapides, que son corps échappa aux plus minutieuses et aux plus persévérantes recherches.

La mère inconsolable répandait d'abondantes larmes et suppliait le nouveau Saint, dont elle connaissait la merveilleuse puissance, de venir à son secours en lui rendant son fils. Vers le soir, alors qu'elle errait encore sur le bord du canal, elle aperçut son enfant au-dessus des eaux, vivant et sans blessures. Il vint vers elle avec un visage joyeux en lui disant : « Bonne mère, je suis demeuré pendant toute cette journée auprès d'un religieux très beau, ayant des vêtements noirs fort brillants. Il me souriait et me consolait avec de douces caresses. »

La mère reconnut alors que son fils avait été délivré par saint Nicolas lui-même, pendant que les habitants de Venise, témoins de ce miracle, vouèrent au Saint une tendre et particulière dévotion qui dure encore de nos jours (2).

---

1. Papiæ anno 1446 die V Junii S. Nicolaus de Tolentino visibiliter omnibus apparuit, incarceratos omnes liberavit. Hoc miraculum depictum cernitur supra portam civitatis.   Elsius, Edit. Bruxellis an. 1654.

2. Intra Murani grandiorem canalem...... puerum quemdam absorbuit, funditus in imas partes demersit, integraque totius diei mensura sub aquarum tegmine continuit...... Pia mater ipsum Divo Nicolao glorioso commendavit... Vespere facto super aquarum decurrentibus undis...... puer vivus, atque ab

Enfin, à la mort du pape Eugène IV, Nicolas voulut encore et de nouveau lui témoigner sa reconnaissance. Au moment même où le Pontife expirait à Rome, le portrait du thaumaturge conservé à Tolentino versa d'abondantes larmes. Les témoins de ce prodige, dont ils ignoraient d'abord la cause, répétèrent hautement qu'on devait s'attendre à quelque grand malheur. Trois jours plus tard, en effet, on apprenait partout que le successeur de Pierre, le pape qui avait canonisé Nicolas, était descendu dans la tombe (1).

omni prorsus lesione immunis ante omnium cculos oblatus emersit...... dicens: O mater, totius hodiernæ lucis curriculo penes quemdam apprime pulcherrimum fratrem nigris indutum vestibus immoratus fui.

Scipio Jardinus,cap. 30. Apud Bolland. Tom. 3, p. 695.— Anonyme, p. 128.

1. Hæc imago abunde sudavit in morte Eugenii Papæ IV.

Inscrip. asservata in Ecclesia S. Nicolai Tolent.

SAINT NICOLAS, PROTECTEUR DE L'ÉGLISE.

Le pape ordonne au Général des Augustins de procéder à l'ouverture du tombeau de saint Nicolas.
— Bruits inquiétants.— Un attentat.— Le Prieur
de Tolentino cache dans un souterrain le corps
de saint Nicolas. — Le sang prophétique. — Le
pape Alexandre VII déclare saint Nicolas protecteur de l'Eglise universelle.

ORSQUE le glorieux Thaumaturge de Tolentino
eut été canonisé et placé avec tant d'honneur
sur les autels ; lorsque partout de nombreux et
éclatants miracles eurent fait bénir son nom et
connaître sa puissance, on s'étonna de ce que,
contrairement aux usages catholiques, aucune relique du
Saint n'eût été encore exposée à la vénération des fidèles
de Rome et d'ailleurs. Des bruits étranges avaient bien
couru, à propos d'un attentat commis sur les précieux
restes ; mais ces bruits, déjà anciens, s'étaient éteints d'eux-
mêmes et personne n'y ajoutait plus foi. Cependant de
nombreuses et pressantes demandes de reliques étaient
sans cesse adressées au Général de l'Ordre, qui n'y répondait pas et semblait peu désireux d'extraire de sa châsse
le corps de Nicolas. Pourquoi ?... On en cherchait la cause
secrète, lorsqu'Eugène IV étant mort, son successeur,
Nicolas V, fit appeler, en 1450, le Père Julien Falciglia de
Salem, Général des Augustins, et lui ordonna de se rendre
au tombeau de saint Nicolas avec quelques personnes dési-
gnées, et de procéder à l'ouverture de la précieuse châsse.
Le Père fut très embarrassé du commandement ; mais il
n'osa pas refuser d'obéir au Souverain-Pontife. Il partit
donc pour Tolentino, faisant répandre devant lui le bruit
que le corps du Saint avait été enlevé et que le sépulcre
ne renfermait plus que les bras. C'était vrai. Au jour
marqué par le pape, le Général et les Commissaires apos-

toliques, ayant ouvert la châsse, n'y trouvèrent que les deux bras de Nicolas, mais couverts de chair et tout baignés d'un sang frais et vermeil (1).

Cet événement força alors les Ermites de Saint-Augustin à divulguer tous les détails secrets concernant les précieuses reliques, tels que nous allons les raconter dans ce chapitre.

Quarante ans environ après la mort du Saint, en 1345, un Frère convers de l'Ordre, appelé Théodore, qui habitait un des anciens couvents augustins de la Germanie, ayant entendu raconter les merveilles opérées à Tolentino, sollicita la permission d'accomplir ce pèlerinage. Sa demande ayant été agréée du supérieur, il partit seul et se rendit à pied jusqu'au saint tombeau. S'étant présenté au Prieur du monastère de Tolentino, le Père Gauthier de Fermo, et lui ayant montré ses papiers, il obtint de lui toute liberté de vénérer les reliques du Thaumaturge de son Ordre. Le pieux voyageur avait l'intention de ne s'arrêter que quelques jours ou quelques semaines seulement dans le lieu de son pèlerinage ; mais les premiers transports de sa dévotion furent si vifs à la vue des miracles qui s'opéraient tous les jours sous ses yeux, qu'il sollicita du Père Gauthier la permission de passer le reste de sa vie auprès du tombeau du grand Nicolas. Le bon Prieur, ayant accédé à ses pieux désirs, l'accueillit parmi ses fils et lui confia la charge de sous-sacristain, qui le mettrait à même de veiller sur la précieuse dépouille (2).

Pendant quelque temps le Frère Théodore s'acquitta de ses fonctions avec joie et d'une manière irréprochable ; mais, quand la première ferveur fut passée, il commença à s'ennuyer et à regretter les forêts sombres et sauvages de l'Allemagne. Ce souvenir continuel de la patrie produisit sur son esprit et sur son imagination un effet irrésistible, et il sentit naître en lui le désir violent de partir. Il combattit d'abord ce sentiment comme une tentation ; mais peu à peu il céda et finit par succomber. N'osant dévoiler son projet à personne, il résolut de s'enfuir secrètement et de retourner en Allemagne, emportant avec lui une partie des

1. Ceppi, chap. XIV, pag. 56.
2. Ceppi, chap. V, pag. 22.

reliques de saint Nicolas, qu'il croyait pouvoir facilement soustraire à la vigilance des moines. Une nuit du mois de décembre 1345, il descendit donc dans ce but à l'église, longtemps avant l'heure des Matines. Ayant découvert la précieuse châsse, il écarta la manche de l'habit monastique qui couvrait le Saint, et lui coupa le bras droit à la hauteur du coude. Immédiatement, sous sa coupable main, jaillit un flot de sang tiède et vermeil qui se répandit sur le pavé de l'oratoire. Théodore, épouvanté, laissa tomber soncoute au effilé et tranchant et s'enfuit, pensant abandonner sa téméraire entreprise ; mais, la première émotion passée, il recouvra son sang-froid, et, songeant que ce miracle ne ferait qu'augmenter la foi et la dévotion de ses compatriotes envers Nicolas, il coupa le bras gauche, restant cette fois impassible devant le nouveau flot de sang qui en jaillit.

Pour faire disparaître les traces de son crime, le malheureux Frère recouvrit l'arche, prit deux cuvettes et épongea avec des flocons de ouate le sang qui s'était répandu sur le pavé ; puis, avec les nappes de l'autel, il enveloppa les bras qui saignaient toujours et prit la fuite avec son trésor. Il croyait reprendre le chemin de sa patrie et se diriger de ce côté. Dans cette persuasion, il marcha toute la nuit sans s'arrêter. Quelle ne fut pas sa surprise, lorsqu'aux premières lueurs de l'aurore, il s'aperçut qu'il était encore et toujours enfermé dans le cloître ! Dieu l'avait puni de sa faute en permettant qu'il courût toute la nuit autour du couvent, croyant, dans une complète illusion, reconnaître dans les dépendances fermées du monastère les campagnes de Tolentino (1). Affolé par la terreur et le remords, Théodore vit clairement en cela un châtiment divin, juste et mérité, et il se demanda avec effroi ce qu'il allait devenir dans ce lieu témoin de son crime, lorsqu'il avait encore son sanglant fardeau entre les mains. Après avoir pleuré amèrement, il se rendit dans la chambre de son Prieur et lui raconta ses désirs de revoir sa patrie et de l'enrichir de quelque relique de saint Nicolas, et la manière dont, après avoir succombé à la tentation, il avait été puni par le Ciel et retenu dans le cloître. En terminant ses

---

1. Magno ac nocturno itinere defatigatus, dum procul a Tolentino se esse credit, arte divina deluditur, intra septa monasterii se cernit deprehensum.

Ex perantiqua lapide.

aveux, le pauvre Frère, fondant en larmes, présenta au Père les bras, causes de tant de merveilles.

Celui-ci, profondément ému, ordonna au coupable d'enlever devant lui les nappes qui enveloppaient les reliques. O surprise ! les bras lui apparurent ayant cessé de saigner, et laissant couler de leur veines, devenues fraîches comme celles d'une personne vivante, une liqueur blanche que les contemporains ont appelée manne. En même temps, un parfum céleste se répandait dans la cellule du Prieur qui, tombant à genoux, fut le premier à supplier saint Nicolas de pardonner au coupable. Se tournant vers lui, il lui dit : « Voyez-vous cette manne ?... Ce sont les larmes avec les- » quelles saint Nicolas demande votre pardon. Moi aussi » je vous pardonne, mais je vous ordonne, en vertu de la » sainte obéissance, de ne jamais souffler mot sur tout ce » qui vient de se passer. Vous reprendrez vos fonctions » de sous-sacristain pour que personne ne se doute de » l'attentat que vous avez commis (1). »

Les habits de Théodore étant tout maculés de sang, le Père lui en donna de nouveaux et fit cacher les anciens, afin que cet événement restât complètement secret. De peur qu'une langue indiscrète ne vînt à en publier quelque chose, il descendit ensuite et ferma immédiatement la porte de l'oratoire, faisant annoncer aux fidèles que la chapelle ne serait pas ouverte de la journée, à cause de réparations nécessaires. C'était bien la pure vérité ; car malgré toutes les précautions prises, malgré tous les soins apportés, on ne put faire disparaître entièrement les traces de sang ; il fallut laver tout l'oratoire et, pour n'éveiller aucun soupçon, le Prieur ordonna au Frère coupable de disposer d'une manière différente les ex-voto qui couvraient les murs, ce qui montrerait au public que de véritables changements avaient été opérés dans ce lieu vénéré (2). Le bon Père passa en prière toute cette journée, et, le soir venu, lorsque tous les religieux reposaient dans leurs cellules, il descendit à la chapelle, ouvrit le tombeau et y déposa les bras du

---

1. Seipsum accusans multo cum fletu veniam ab Antistite deprecatur, cui sacrum restituit thesaurum, qui dum aperitur, Brachia ipsa cœlesti manna rorantia visa sunt. — Brev. in Com. S. Nic. lec V. mense Dec. — Ceppi, chap. IX, pag. 34.

2. Ceppi, chap. X, pag. 37.

Thaumaturge de son Ordre. La vue de ce précieux corps mutilé, de la manne qui sortait encore des blessures béantes, l'émut si profondément qu'il ne put retenir ses larmes et pleura longtemps devant les reliques ; il scella ensuite lui-même la châsse et se retira, non sans inquiétude ; car il craignait un nouveau vol. Quelque temps après, ses craintes ne faisant qu'augmenter et ne lui laissant aucun repos, il profita de réparations urgentes faites dans cet oratoire, pour faire cacher le saint corps dans un souterrain dont il se réserva le secret, secret qu'il garda inviolablement jusqu'à sa dernière heure. [A ce moment suprême, il fit appeler près de son lit un des religieux les plus discrets du couvent, il lui indiqua l'endroit précis où se trouvait la précieuse dépouille de Nicolas, mais il lui fit promettre de ne révéler à personne ce qu'il venait de lui confier, à moins que ce ne fût sur son propre lit de mort. Le Prieur voulait ainsi que le secret passât de religieux à religieux, mais de manière qu'il n'y eût jamais qu'un seul moine qui le connût (1).

Malheureusement, le temps, les événements, firent oublier le précieux secret. Il se trouva complètement perdu après quelques siècles. Les fils de saint Augustin, après d'inutiles et minutieuses recherches, ne conservent presque plus l'espoir de retrouver le corps de leur Thaumaturge. C'est ainsi que le désir manifesté par Nicolas pendant sa vie, de reposer dans l'oratoire où il aimait à prier, est forcément et pour toujours accompli.

Dans les œuvres de Dieu, le but qu'elles atteignent et les succès qui les couronnent, ont souvent d'autant plus de grandeur et de solidité, que les commencements ont été plus humbles et plus difficiles, qu'ils ont paru plus contraires à leur fin. Ainsi, lorsque le Frère Théodore accomplissait son attentat sacrilège dans l'ombre de la nuit, il servait, sans s'en douter, les intérêts du Ciel, qui devait plus tard opérer de nombreux prodiges et inviter les peuples à la pénitence, par les bras du Saint de Tolentino, nouveaux prophètes des malheurs de l'Eglise et de la chrétienté (2).

---

1. Ceppi, chap. XI, pag. 42.
2. Futura plorat sanguinis
  Et damna mundi fletibus.   Hymn. in die Canonizationis.

En effet, la divine Providence a daigné accorder à ces membres précieux de Nicolas, le singulier et touchant privilège de verser du sang à l'approche des calamités publiques. On a compté, jusqu'à nos jours, vingt-six effusions principales de ce sang, qui toutes ont été suivies de près par d'épouvantables catastrophes. Benoît XIV, dans son livre sur la canonisation des saints, appelle le sang du Thaumaturge *un sang prophétique* (1). Avant lui, Alexandre VII avait été tellement frappé de l'amour du Saint pour l'Eglise, qu'il le déclara protecteur de l'Eglise universelle, ajoutant à cette déclaration les paroles suivantes : « *Nous croyons fermement que la Sainte Eglise catholique, formée par le sang de Jésus-Christ a été protégée par le sang de saint Nicolas* (2). »

Ce fut en 1452, deux ans seulement après l'ouverture du tombeau vide faite par le Père Julien, que le glorieux Fils d'Augustin prophétisa pour la première fois par ses bras restés seuls dans la châsse. La chair desséchée qui les recouvrait devint tout à coup fraîche comme celle d'une personne vivante, le pouls recommença à battre et le sang sortit en abondance des anciennes blessures. On se demanda d'abord ce que signifiait ce nouveau prodige. Quelques mois plus tard, Constantinople, en tombant sous le cimeterre de Mahomet II, donna la réponse et répandit la lumière sur le but de ce fait merveilleux. Cette catastrophe fut en effet un coup de foudre pour la chrétienté ; car les Turcs, en s'établissant définitivement en Europe, menaçaient l'Eglise et les rois, impuissants à résister à ce courant formidable et dévastateur. Les deux dates de l'effusion du sang de Nicolas et de la prise de la grande cité, étaient trop rapprochées pour qu'on pût refuser de voir dans le premier événement l'avertissement prophétique de l'autre (3).

Les Ermites de Saint-Augustin ne s'y trompèrent pas.

1. De Canonizatione Sanctorum. Tom. IV, I Pars. Liber IV. Cap. 13. Num. VIII.

2. Verbi Dei sanguine prædicamus sanctam esse constructam Ecclesiam, et sanguine S. Nicolai narramus esse protectam.
Instrumentum fidei continens emanationes sanguinis Divi Nicolai Tolentinatis. Alex. VII.

3. Ciaccon. Oldoini in vita Card. Rutheni.

Aussi lorsqu'en 1510, les bras de saint Nicolas recommen-
cèrent à saigner, le Prieur de Tolentino alla immédiatement en prévenir le cardinal Gilles Canisius, alors Général
de l'Ordre, qui se rendit lui-même près du Souverain-
Pontife pour lui annoncer cette nouvelle. Le bruit de ce
prodige, partant du Vatican, se répandit bientôt dans toute
l'Europe et fit prévoir quelque grand et prochain désastre.
C'était vrai. Quelques mois plus tard, la Sainte Eglise du
CHRIST se voyait calomniée et déchirée par ses propres
enfants qui faisaient pénétrer dans son sein le désordre et
la révolte. Le cardinal-évêque de Sabine réussissait à
former un parti contre le Saint-Siège, à y attirer sept
autres cardinaux, et tous se réunissaient dans la ville de
Pise pour citer le pape à comparaître comme un criminel
devant leur odieux et injuste tribunal. Le Souverain-Pontife ayant refusé, ces indignes prélats firent appel au bras
séculier et obligèrent le successeur de Pierre à prendre
personnellement les armes pour soutenir ses droits (1).

Sept ans après, en 1517, les bras de Nicolas annoncèrent,
par une effusion sanglante, l'apostasie d'un de ses frères
dans l'Ordre de St-Augustin.Ce moine indigne et ambitieux
allait allumer la guerre religieuse et entraîner loin de l'autorité légitime de l'Eglise, des nations tout entières. L'histoire de Luther, de Calvin, de Zwingle et d'Henri VIII est
trop connue pour que nous la rappelions ici, autrement qu'en
nommant l'auteur de tous ces maux et de tant de malheurs.

Le Thaumaturge de Tolentino, en sa qualité de protecteur de l'Eglise universelle, devait aussi sauvegarder d'une
façon toute spéciale les intérêts de la grande Rome, capi-
tale du monde chrétien et séjour du Vicaire de JÉSUS-
CHRIST. Aussi, lorsque le connétable de Bourbon, traître à
son roi et à sa religion, vint mettre le siège devant la Ville
Eternelle, le sang sortit encore avec abondance de ses
bras. Clément VII, averti par le Général de l'Ordre,
Gabriel de Volta, y vit l'annonce des maux et des persécutions qui allaient fondre sur lui, et se prépara d'avance
au terrible assaut que l'enfer allait livrer à la nacelle de
Pierre (2). Le connétable entra en effet dans Rome, la
livra à un affreux pillage de deux mois, qui ne cessa que

1. Ceppi, Effusione terza, pag. 82.
2. Torelli, tom. VIII. Anno 1527.

parce que les brigands, devenus ses soldats, épuisés par leurs excès de toutes sortes, périrent en grand nombre, victimes de la peste et des autres maladies qui affligèrent alors la malheureuse cité, si cruellement éprouvée. Les cruautés et les dissolutions de cette bande impie avaient été épouvantables, et le Souverain Pontife, emprisonné dans le château St-Ange, avait pu voir, impuissant, du haut de ses tours, les malheurs et les misères des pauvres, le désespoir des vierges et des matrones tendant vers lui leurs mains suppliantes et réclamant en vain son secours contre leurs persécuteurs, leurs ravisseurs et leurs bourreaux.

En 1610, une cinquième effusion de sang dans la châsse de Nicolas vint annoncer la mort d'Henri IV, et recommença neuf fois de suite en peu de temps, prophétisant ainsi tous les malheurs qui affligèrent alors l'Europe (1).

En 1614, le même phénomène se reproduisit. Comme cette année-là, et à cette époque, les Augustins n'avaient aucune raison d'ouvrir le tombeau et de se douter du prodige, il arriva que leur glorieux Frère leur annonça lui-même le nouveau miracle. Des bruits extraordinaires se firent entendre une nuit dans l'église et attirèrent les religieux qui, accourant en toute hâte, virent les grosses chaînes qui fermaient la châsse se débattre et s'entrechoquer de telle manière qu'on crut qu'elles allaient se briser. Les moines découvrirent alors les saintes reliques et s'aperçurent que le bras gauche de Nicolas saignait abondamment.

Enfin, en 1679, le miracle prit une forme nouvelle et les effusions durèrent des mois entiers de suite. La première effusion, qui commença le 3 août, ne finit que le 27 septembre ; la seconde eut lieu du 14 septembre 1698 au 3 octobre ; la troisième du 29 mai 1699 au 20 septembre suivant. Le pape Innocent XII ordonna alors huit jours de prières publiques et accorda des indulgences plénières à tous ceux qui visiteraient la basilique de Tolentino (2).

La dernière effusion sanglante date de 1830 ; elle précéda et annonça l'effroyable révolution qui s'étendit dans l'Europe entière, et qui dure encore à l'heure où nous écrivons la vie et les miracles de saint Nicolas (3).

1. Ceppi, Effusione undecima, pag. 106.
2. Ceppi, Effusione vigesima seconda, pag. 136.
3. Giorgi, IIᵉ Partie, chap. XIV, pag. 340.

Chapitre Vingt-cinquième.

SAINT NICOLAS TERREUR DES DÉMONS.

Une résurrection d'enfant à Grenoble. — Comment S. Nicolas assiste ceux qui l'invoquent. — Sœur Philippuccia. — Le Frère Raphaël de Rimini. — Un *Te Deum*. — Une maison hantée en Espagne. — Nouveaux miracles.

OMME nous l'avons vu, saint Nicolas n'a pas cessé, depuis sa canonisation, de donner des preuves signalées de son amour pour l'humanité. Ses nombreux et éclatants miracles sont venus apporter au monde secours, guérison, vie et résurrection même. Ils ont annoncé les malheurs de l'Eglise et de la chrétienté, prenant toutes les formes et s'adaptant à tous les temps. Nous voudrions dans ce chapitre revenir encore sur quelques-uns de ces prodiges, trop marquants pour les passer sous silence : une résurrection d'enfant, la plus merveilleuse peut-être de celles que le Saint ait opérées; deux traits de miséricordieuse bonté envers des condamnés à mort ; enfin quelques faits concernant la puissance particulière et extraordinaire de Nicolas sur les démons qui, après sa mort, comme pendant sa vie, craignirent toujours son nom et s'enfuirent à sa voix.

Dans la ville de Grenoble, en France, vivait un gentilhomme très affligé de n'avoir pas d'enfant. Pour en obtenir du Ciel, il priait constamment saint Nicolas et il lui avait fait la double promesse, s'il était exaucé, de donner son nom à ce fils tant désiré et de solenniser chaque année sa fête, en allant à l'église avec sa famille et en donnant un repas aux pauvres de la cité. L'enfant fut obtenu et les pieux parents se montrèrent fidèles à leur vœu. Ils se rendirent dans le lieu saint, avec toute leur famille, aux deux premiers anniversaires de la mort du Thaumaturge et convoquèrent à un repas, généreusement servi, tous les misérables et les mendiants de la ville. Ce fut dans le

troisième anniversaire de la fête de Nicolas qu'arriva
l'accident que nous allons raconter. L'enfant avait trois
ans ; il fut laissé à la maison par ses parents. Mal surveillé
par les domestiques, il s'approcha du foyer de la cuisine et
tomba, sans être vu, dans une grande chaudière d'eau
bouillante. Il en fut retiré trop tard, déjà mort, les chairs
en lambeaux, les membres séparés les uns des autres.
Quand le père et la mère rentrèrent dans leur demeure, et
qu'ils apprirent l'affreux accident arrivé à leur fils, ils
furent en proie à la plus violente douleur et l'on crut que la
malheureuse mère allait en mourir. Le père, atterré par ce
coup inattendu, se retira à l'écart, et, se prosternant devant
l'image de son céleste Protecteur, il lui dit avec des sanglots et des larmes, le cœur rempli d'une entière confiance :
« — Il aurait mieux valu, ô saint Nicolas, que vous ne
m'eussiez pas donné de fils, s'il devait périr si tôt et si
malheureusement. Je suis pourtant bien certain que, si vous
le voulez, vous pouvez me le ressusciter !... »
Pendant qu'il pleurait et priait ainsi, un religieux Augustin frappait à la porte du palais, demandant à parler de
suite au maître de la maison pour une affaire importante.
Les serviteurs refusèrent d'abord, alléguant l'accident et
le deuil de la famille ; mais ils cédèrent enfin à ses pressantes instances et l'introduisirent près du gentilhomme.
— « Ne vous défiez pas de la divine miséricorde, dit alors
le moine inconnu, vous verrez des merveilles... » Puis, il
demanda à être conduit près du cadavre du petit Nicolas,
qui était étendu sur une table, dans un état horrible. Il s'en
approcha, toucha les membres en lambeaux et les remit
les uns près des autres. Après quoi, s'adressant à la famille
réunie autour de lui : — « Mettez-vous à genoux, dit-il, et
prions Dieu !... » Pendant cette muette et instante prière
de toute l'assistance, le mystérieux Ermite, s'étant relevé,
bénit l'enfant mort et lui commanda, au nom de Dieu, de
reprendre vie. A l'heure même, ce fils tant désiré et tant
pleuré se redressa sur ses pieds, sans aucune trace de
brûlure, et fut rendu à la tendresse de ses parents... —
« Rendez grâces à Dieu, dit alors simplement le religieux
qui n'était autre que saint Nicolas, rendez grâces à Dieu et
louez la divine bonté !... » Puis, il disparut (1).

1. Puerique mutilum corpus aptatis suis cuique loco membris mensæ

Un gentilhomme milanais avait été accusé de conspiration contre le gouvernement, et comme il avait refusé de s'avouer coupable, on le condamna aux tortures alors en usage. Le malheureux, après avoir nié longtemps le crime dont il était réellement innocent, n'eut pas la force de résister aux atroces douleurs du supplice de la corde, et finit par se dire, en effet, auteur de la révolte. Il fut condamné à mort, et, la sentence des juges étant sans appel, l'exécution devenait obligatoire dans les vingt-quatre heures. A ce moment suprême, le gentilhomme eut l'heureuse et sainte pensée de se recommander à saint Nicolas de Tolentino pendant que son épouse désolée priait elle-même avec ferveur le Bienheureux, en la protection duquel elle avait une confiance illimitée. A l'heure fatale, le condamné, triste et abattu, fut conduit au lieu du supplice, protestant toujours de son innocence et demandant grâce. Arrivé au pied de l'échafaud, un changement subit s'opéra en lui. Il monta allégrement et en souriant les marches fatales, et ne fit aucune résistance lorsque l'exécuteur voulut s'emparer de sa personne. Le bourreau frappa alors trois coups violents, essayant, mais en vain, de trancher la tête de sa victime. Cette dernière ne semblait rien sentir, rien souffrir! Saint Nicolas lui était apparu et se tenait tout près de lui, amortissant et détournant chaque coup de hache. A ce merveilleux spectacle, le peuple demanda à grands cris la grâce du gentilhomme, dont la parfaite innocence fut reconnue peu de jours après (1).

Un miracle analogue à celui que nous venons de raconter eut lieu à Pérouse, vers la fin du quinzième siècle. Un pauvre homme, qu'on soupçonnait de meurtre, avait été également condamné à mort et conduit à l'échafaud, malgré les protestations les plus vives de son innocence. Se voyant

---

imposuit : deinde cum tota familia aliquamdiu Deum precatus, surgit, et defunctum in Dei nomine ad vitam revocat.

Nec mora, revixit puer sanus et integer... Inde subito disparens totam familiam inspirato gaudio replevit.

Bolland. tom III, pag. 195, num. 197-199.

1. Sanctus igitur Nicolaus tam mulieri, quam captivo nobili sæpius apparuit, eumque ad supplicium comitatus est... Carnifex frustra eum cædere tentavit.... Cognita viri innocentia liber dimissus fuit.

Bolland. tom. III, pag. 723, num. 252.

irrévocablement perdu, lui aussi supplia notre Thaumaturge de lui venir en aide et de l'assister dans ce terrible moment. Après s'être confessé, après avoir recommandé son âme à DIEU, ce malheureux livra sa tête au bourreau, qui lui porta un coup de hache si violent que le billot se fendit et que l'arme tranchante fut émoussée, pendant que le manche volait en éclats. Tous les spectateurs s'attendaient à voir rouler à terre la tête du condamné. Il n'en était rien. Lui seul était resté impassible, sans éprouver le moindre mal. Croyant d'abord que l'exécuteur avait mal dirigé son coup, le magistrat qui, à cette époque, assistait toujours aux exécutions, fit recommencer jusqu'à trois fois la manœuvre du bourreau, sans obtenir d'autre résultat, sans pouvoir atteindre sa victime. Le patient, voyant la foule émue par ce triple miracle, éleva alors la voix avec force en disant : « Sachez que je suis innocent et que saint Nicolas m'a pris sous sa protection et m'a sauvé la vie !... » Tous les assistants demandèrent instamment la grâce de cet homme ; mais le juge, attribuant ce fait à une action diabolique, le fit déshabiller pour assurer la réussite et exigea un nouvel essai : « Permettez-moi, dit-il au peuple, de m'assurer davantage de la vérité du prodige ; s'il résiste encore une fois, je vous promets de le mettre immédiatement en liberté. » Le bourreau revint donc avec de nouveaux et solides instruments ; mais, au premier coup, ils volèrent en éclats comme les précédents. Il ne pouvait donc plus exister de doute sur la protection miraculeuse de Nicolas de Tolentino. Aussi tous les habitants de Pérouse accompagnèrent jusqu'à sa demeure et avec des démonstrations de joie, cet heureux privilégié, qui, profondément reconnaissant envers son céleste sauveur, se rendit le lendemain même à son tombeau (1).

La lutte entre Nicolas et Satan, si terrible et si persistante pendant la vie du Saint, continua après sa mort. L'invocation du nom du serviteur du CHRIST, l'hommage rendu à ses statues, les prières faites devant ses reliques, chassaient bien loin des maisons ou même des corps des possédés, les démons qui les habitaient. Nous voudrions en citer quelques exemples frappants.

1. Giorgi, IIᵉ partie, chap. XXII, pag. 438-440.

Une religieuse de Saint-Genêt, appelée Sœur Philippu-cia, était livrée à l'action diabolique. Dans les accès, son visage prenait un aspect hideux, une expression affreuse, et ses yeux se retournaient d'une façon effrayante. Elle poussait alors des hurlements de loup, mugissait comme le taureau, aboyait comme le chien, offensait gravement la pudeur et la modestie par des paroles obscènes. Elle allait même jusqu'à invoquer souvent l'immonde Bélial, avec d'autres démons, pour la défendre des tyrans qu'elle s'imaginait voir près d'elle pendant ses crises. Durant cinq années, Satan exerça une puissance absolue sur cette malheureuse, qui enfin eut, un jour, dans une de ses rares lueurs d'intelligence, la pensée de se recommander au Thaumaturge de Tolentino et de lui dire : — « O bienheu-reux Nicolas, si vous me délivrez, j'irai à votre tombeau, pieds nus et mains liées. »

Heureuses et consolées en entendant ces paroles, les religieuses du couvent s'unirent à leur sœur pour implorer le secours du glorieux moine Augustin ; puis, avec la per-mission de l'Abbé de Clairvaux, elles confièrent la possé-dée à une personne recommandable, afin qu'elle la condui-sît à Tolentino et veillât sur elle pendant le voyage. Le démon, durant ce temps, n'osa porter Philippucia à aucun excès. Lorsqu'elle fut arrivée devant les précieuses reli-ques et qu'elle y eut prié avec ferveur, il s'éloigna sans bruit et pour toujours, pendant que la possédée dormait d'un sommeil paisible et réparateur. Elle était entièrement délivrée ! (1)

Une des possessions les plus curieuses qu'ait fait cesser le Thamaturge de Tolentino, est, sans contredit, celle d'un religieux de son Ordre, qui habitait, en 1469, le couvent de Saint-Jean l'Évangéliste de Rimini. Cet homme s'appe-lait Raphaël. Il n'était pas encore entré dans les ordres quand le malin esprit s'empara de lui. Il passa les plus belles années de sa vie sous ce joug odieux et cruel, ne goûtant jamais un moment de calme et de repos. Le démon

1. Dicebat monialibus verba vituperosa... Clamabat dæmones sæpe et potis-sime Belial... Ambulabat cum manibus, pedes et tibias in altum levabat... O B. Nicolae, si liberaveris me accedam Tolentinum ad Arcam tuam manibus ligata et pedibus discalceata... Accedens ad Arcam fuit liberata, et exinde fuit sana.   *Procès*, fol. 49, pag. 2.

le transportait de tous côtés avec un bruit infernal, causant ainsi partout de graves dommages et de grands troubles. Le Prieur du monastère, le Père Archange, avait plusieurs fois essayé d'enfermer le malheureux frère dans une chambre bien close, après l'y avoir solidement attaché, pour l'empêcher de se blesser. Tout était inutile. Le possédé brisait ses chaînes et les mettait en morceaux. Souvent aussi, Satan lançait l'infortuné contre les poutres du corridor ; ou bien, après l'avoir cruellement frappé, il le laissait couché à terre demi-mort, faisant sortir de sa bouche de véritables charbons ardents.

Comme le possédé redoublait son bruit, toutes les nuits, à l'heure des matines, le Père Archange jugea opportun et prudent d'avancer le moment de l'office, afin que les religieux en souffrissent moins ; ses ordres furent parfaitement inutiles. Le diable, pour s'en moquer et en empêcher l'exécution, transporta Raphaël sous la cloche, le pressant si fort contre elle, que le frère sonneur eut beau tirer la corde, il ne put imprimer le moindre mouvement au bronze. Effrayé de cette résistance extraordinaire, il courut avertir le Prieur, qui vint avec tous les moines s'assurer de ce fait. Pendant que tous étaient là en observation, l'énergumène dit au frère sonneur : — « Tu as bien raison de ne pas monter ici ; je t'aurais fait faire le saut périlleux. Tu veux sonner, et il n'est pas encore l'heure ! »

Après être resté longtemps maître du malheureux Raphaël, le démon voulut un jour s'en débarrasser et en finir avec lui. Il le transporta sur la pointe du clocher pour le précipiter en bas. Les religieux et un grand nombre d'habitants de Rimini, accourus au bruit des hurlements infernaux, contemplaient avec terreur et stupéfaction le possédé dont le danger était imminent : — « Recommandez-vous à saint Nicolas, lui crièrent-ils tous, par une inspiration céleste, recommandez-vous à saint Nicolas ! »

— « Saint Nicolas, aidez-moi ! » répondit d'une voix forte la pauvre victime de Satan.

A l'instant même le Thaumaturge lui apparut, et lui remit dans les mains un glaive de feu, pour qu'il pût se défendre de ses terribles ennemis. Le prenant par la main, il le fit descendre du clocher et le conduisit devant l'autel du Très-Saint Sacrement. Alors les malins esprits s'enfuirent

avec tant de vacarme et de cris de rage que l'église des
Augustins en parut ébranlée. Pour le frère Raphaël, il en-
tonna le *Te Deum* de l'action de grâces, auquel répondirent alternativement les religieux et le peuple, avec un
véritable enthousiasme ; car toute la ville de Rimini avait
été témoin du miracle et de l'apparition de S. Nicolas (1).

A Cazzala della Siena, en Espagne, une maison inhabi-
tée, proche du couvent des Pères Augustins, était hantée
par les démons. Le samedi, 12 septembre 1693, sur les
neuf heures du soir, un bruit effroyable y fut entendu suivi
d'une grêle de pierres qui tomba durant trois heures con-
sécutives, sur le toit de l'église et sur celui du monastère.
La même chose se renouvela le lendemain dimanche, le
lundi et le mardi. Tout le monde était si effrayé, que le
Prieur du couvent, le Père Gaspard Paez, crut nécessaire
d'employer sans retard les prières des exorcismes contre
ce fait extraordinaire. Il se rendit à la chapelle en face de
la maison hantée, et commença les exorcismes au milieu
des pierres que continuaient à jeter les esprits infernaux,
pierres qui pourtant ne blessaient et n'atteignaient personne. — « Esprit superbe, dit alors le saint moine, tu ne
veux pas te rendre aux exorcismes sacrés ; mais je te ferai
obéir par l'intercession du grand Nicolas !.. » A ce nom
qui leur était odieux, les démons redoublèrent leurs attaques et lancèrent une telle quantité de matériaux sur
l'église que les assistants s'enfuirent épouvantés.

Le Père Gaspard ne voulut pas céder à la crainte. Il fit
annoncer une procession solennelle et publique pour le
jour suivant, procession dans laquelle on porterait la statue
du Thaumaturge de Tolentino. Le lendemain donc, après
la messe chantée, les religieux et le peuple se rendirent à
la demeure hantée par Satan en récitant le Rosaire pour
obtenir la protection de la Vierge, Mère de DIEU. A
l'arrivée de la procession, le bruit se fit entendre, puis
cessa devant les prières et la statue de Nicolas ; enfin deux

---

1. Demum cacodæmones extulerunt illum in verticem turris... Eremitani
omnes et populus... unanimi clamore cohortabantur ut se divo Nicolao com-
mendaret... Repente illi jaculum quoddam intra manus porrectum visibiliter
splenduit... Sanctus Nicolaus de Tolentino manu ipsum apprehendit, et usque
in ecclesiam adduxit... Concinere cœpit, *Te Deum laudamus.*

Bolland. tom. III, pag. 719, num. 376.

cris formidables retentirent comme le signal du départ
définitif des envoyés de l'enfer, qui s'éloignèrent et ne
reparurent jamais.

L'image du Saint, à laquelle on attribua le miracle, fut
reportée à l'église en grande pompe et entourée de cierges
nombreux, témoignages d'une pieuse reconnaissance.
Cette image, suivant l'usage de cette époque, était formée
d'un corps de cire habillé d'étoffe comme une personne
vivante.

Or, il arriva que le sacristain, demeuré seul dans le lieu
saint pour y éteindre les lumières, ne put y réussir malgré
son adresse et sa force ; les cierges restaient malgré lui
allumés ! Dans son étonnement, il s'écria en regardant en
face la statue miraculeuse : — « Qu'est-ce que cela, ô mon
glorieux Saint ? » Puis il s'en approcha et vit avec stupeur
que le visage de Nicolas était couvert de gouttes qui ressemblaient à des gouttes d'eau. Croyant, au premier instant, que l'eau bénite des exorcismes était tombée sur
l'image précieuse, il voulut en effacer les traces avec un
purificatoire ; mais, chose étrange, à mesure qu'il essuyait,
de nouvelles et abondantes gouttelettes apparaissaient
coulant sur le visage, semblables à des gouttes de sueur.

Devant ce prodige, le sacristain courut appeler les
autres religieux. Ceux-ci constatèrent le miracle, ouvrirent
l'église, sonnèrent les cloches pour appeler le peuple qui
arriva en foule. Trois fois la statue fut inondée, et les
médecins qui vinrent examiner de près le fait, dirent hautement que l'effusion de sueur était semblable à celle qui
sort des corps animés et pleins de vie.

Le jeudi suivant, à cinq heures du soir, et le lendemain,
à midi, le prodige se renouvela ; mais il était plus extraordinaire encore et plus complet. La sueur, en effet, coula
de sa main gauche, qui tenait un livre. L'étoffe qui recouvrait la statue, fut entièrement imbibée de cette eau merveilleuse, qui fut pour les malades et les infirmes une
source de guérison et de santé. Chaque linge mouillé obtenait à l'instant le miracle sollicité par ceux qui s'en
servaient.

Le récit que nous venons de donner se lit dans une rela-
tion très intéressante imprimée à Cadix, en 1694. Le
R. P. Richard, mort évêque de Cagliari, la reproduisit

dans une vie de saint Nicolas imprimée à Madrid, par ses soins, en 1701 (1).

Il nous est impossible de raconter les autres miracles de notre Thaumaturge, le nombre en est trop grand. Ce que nous avons pu dire, montre assez combien l'apôtre de Tolentino est puissant au Ciel et compatissant pour la terre. Qu'on nous permette seulement de rappeler ici que l'historien Lauteri compte 107 résurrections de morts, et atteste un nombre presque infini d'autres faits merveilleux qui ont fait de saint Nicolas, selon l'expression du pape Eugène IV, le plus grand Thaumaturge de l'Église catholique (2).

Cependant, avant de terminer l'histoire de ses miracles, nous citerons encore quelques faits surnaturels concernant les petits pains de saint Nicolas, pains que bénissent chaque année, le dix septembre, les Ermites de Saint-Augustin.

---

1. Ghezzi, chap. XXIII, pag. 239.
2. Cornelius Curtius in Vita sancti Nicolai.

Chapitre Vingt=sixième.

LES PAINS BÉNITS DE SAINT NICOLAS.

La ville de Cordoue. — La peste. — Le Sénat de Cordoue ordonne une procession.— La statue de saint Nicolas baise les pieds du Crucifix. — Le Crucifix embrasse la statue de saint Nicolas. — Un incendie à Chinkon. — Saint Nicolas apparaît à une veuve d'Empoli.

ous avons vu comment le Seigneur, pendant la vie de Nicolas, se plaisait à soutenir les forces épuisées de son serviteur par des miracles pleins d'une délicatesse toute divine. En effet, dès le commencement de sa lutte avec le démon, le Bienheureux fut sujet à de nombreuses maladies et commença à s'affaiblir graduellement, consumé par un mal qu'il attribuait aux ruses de Satan mécontent de ses austérités et de ses mortifications. Nous avons vu aussi comment la Sainte Vierge, apparaissant au fils d'Augustin dans une de ses maladies, lui ordonna d'envoyer chercher un pain frais et de le tremper dans l'eau, s'il voulait recouvrer la santé. Or, dans cette vision, la Mère de Dieu avait ajouté ces paroles : « Distribuez ce pain au nom de la Sainte Trinité. Si on l'emploie de la manière que je vous ai prescrite, mon patronage s'étendra à toutes les personnes qui en feront usage. Lorsque votre dernière heure sera proche, vous raconterez cette vision à votre supérieur, afin que les générations futures ne soient pas privées d'un si grand trésor. C'est à eux seuls et à tous leurs successeurs que j'accorde ce pouvoir jusqu'à la fin du monde (1). »

C'était l'institution des pains de saint Nicolas par Marie. D'après les traditions de l'Ordre des Augustins, le Thaumaturge se servait de la bénédiction commune ; mais, après

---

1. Anonyme, IVᵉ partie, chap. Iᵉʳ, pag. 194.

sa mort, les miracles se multiplièrent tellement que le pape, Eugène IV, prescrivit une formule spéciale (1). Dès lors, la dévotion aux pains de Tolentino s'accrut avec une extrême rapidité, et prit une si grande extension qu'un grand nombre de prêtres et de religieux de différents ordres commencèrent à bénir aussi des pains. Le nombre en fut si grand que des doutes s'élevèrent sur la légitimité et la validité de cette bénédiction. La congrégation des Evêques et Réguliers fut consultée et déclara, par un décret du 30 septembre 1622, que les Ermites de Saint-Augustin pouvaient seuls, comme héritiers directs et légitimes de S. Nicolas, jouir du privilège de bénir les pains miraculeux.

Pendant cinq ans, le décret resta lettre morte. Partout furent encore bénits des pains de saint-Nicolas, malgré la défense formelle de l'Eglise. On donnait pour motif et pour excuse à cette désobéissance qu'on agissait par simple dévotion. Mais, le 16 juillet 1627, la Sacrée Congrégation défendit expressément, et sous n'importe quel prétexte, d'agir de cette manière et de transgresser ses ordres (2). Ainsi, les Ermites de Saint-Augustin demeurèrent, dès lors, seuls possesseurs du privilège de bénir et de distribuer le pain miraculeux. C'est bien ainsi qu'on doit l'appeler, car les prodiges dont il fut la cause sont innombrables. Pour porter les fidèles à se le procurer et à le prendre avec piété et confiance, nous citerons quelques-uns de ces faits surnaturels qui furent examinés et approuvés par des médecins, des théologiens, des prêtres et des religieux de divers Ordres.

Parmi toutes les villes que le Thaumaturge protégea particulièrement, Cordoue le fut d'une manière très spéciale et sembla choisie par la Providence pour montrer la puissance de Nicolas dans l'usage des pains bénits.

Dans les années 1601 et 1602, une peste violente sévit

---

1. De Tombeur, in appendice ad vitam S. Nicolai.

2. S. Congregatio Cardinalium negotiis Regularium præposita censuit benedictionem ac distributionem in præinserto decreto enunciatas ad prædicti Ordinis Superiores dumtaxat pertinere, etiamsi easdem, vel aliquam earum fieri contigerit devotionis causa, non autem pro indulgentiis consequendis : ac propterea etiam in hoc casu esse inhibendum confratribus, ne in præmissis quomodolibet se ingerant. Decretum. Romæ, die 16 julii 1627.

sur cette cité. Le Père Christophe de Busto, Ermite de Saint-Augustin, qui l'habitait alors, put recueillir et noter un grand nombre de miracles. Impuissant à les raconter tous, il écrivit ces mots : « Il n'y eut pas une seule maison qui n'obtînt quelque secours de saint Nicolas (1). » Des personnes de tout âge et de toute condition, des jeunes filles et des enfants surtout ˙furent délivrés en grand nombre par l'intercession du Bienheureux, et principalement par la manducation et la simple application des petits pains. On aurait dit qu'entre ces pains légers et l'enfance, le céleste Protecteur de Cordoue faisait un rapprochement naturel, et qu'il aimait à donner à ces êtres purs et innocents la guérison, la vie et le bonheur du Ciel par cette friandise du Paradis.

Un autre fait merveilleux ressort du premier ; c'est la profonde reconnaissance et la filiale confiance de ce peuple envers celui qui semblait s'intéresser à son sort et vouloir lui obtenir aide et secours du Tout-Puissant. Sa dévotion devint encore plus ardente lorsque la terrible épidémie, au bout de treize mois, sembla redoubler, résistant aux supplications multipliées, aux neuvaines et aux processions faites dans toutes les églises. Ce fut alors que Jacques de Vargas y Caravajal, Toparcha del Puerto, gouverneur et grand juge de Cordoue, décréta, d'accord avec le Conseil de la ville, que l'on porterait solennellement la statue de S. Nicolas à l'hôpital Saint-Lazare, où étaient entassés les malheureux pestiférés. Cette procession devait avoir lieu dans le secret et le silence pour éviter une agglomération du peuple qui augmenterait la contagion déjà si violente.

La cérémonie eut lieu le jeudi 7 Juin. Le gouverneur, le Sénat, vingt-quatre jurés, députés pour cette circonstance, vinrent entendre la messe à l'autel de saint Nicolas dans l'église des Ermites, et, quand le Saint-Sacrifice fut achevé, ils suivirent processionnellement, un cierge à la main, la statue portée par le célébrant, et à côté de laquelle on avait placé deux grandes corbeilles de petits pains bénits destinés aux malades. Le Prieur du monastère et les religieux faisaient partie de cet imposant cortège,

---

1. Vix domus fuerit, quæ aliquam Sancti opem non senserit.

Christoph. de Bustis.

qui s'arrêta au couvent de Notre-Dame-du-Carmel, près la
Porte-Neuve, et y fut reçu en grande pompe au milieu des
chants les plus mélodieux. De là, il se remit en marche
par la plaine au bout de laquelle s'élevait l'hôpital. Un
chemin de feuillage et d'herbes odorantes avait été tracé
jusqu'à une chapelle garnie de verdure, magnifiquement
décorée de fleurs, au milieu desquelles on devait déposer
l'image miraculeuse. Le Père Jean de Navas, Franciscain
récollet, confesseur de l'hospice, se tenait là, revêtu de
l'aube et de l'étole et portant un crucifix dans ses mains.
Tous les malades non alités entouraient le reposoir à une
distance raisonnable du peuple, à cause de la contagion,
les femmes et les enfants d'un côté, les hommes de l'autre.
Le cortège s'arrêta au son des fanfares que d'habiles
musiciens faisaient entendre du haut des tours du Carmel.
Le Père qui portait la statue s'agenouilla devant le Franciscain qui tenait le crucifix, pendant que tous les spectateurs tombaient à genoux, implorant le secours de DIEU.
Alors le religieux augustin éleva l'image de saint Nicolas
au-dessus de la foule, comme on élève le calice au Sacrifice de la messe. Au moment où le visage du Bienheureux
atteignit les pieds du CHRIST, un prodige touchant s'opéra
aux yeux de tout le peuple. La statue sembla s'animer et
baisa les pieds du Sauveur, tenant ses lèvres collées sur
les plaies sacrées, au moins le temps de la récitation d'un
Credo. On aurait dit que Nicolas vivant reconnaissait son
divin Maître ! L'assemblée, profondément émue par ce
miracle, se tenait prosternée à terre, pendant que s'éle-
vaient des deux côtés du reposoir les gémissements et les
supplications des pestiférés : « O Père, ô saint Nicolas, ô
notre Saint ! miséricorde, salut, salut! » criaient-ils au
milieu des sanglots. « Tu sauves les enfants dans la ville,
aie pitié des malheureux enfermés dans cet hôpital !...
intéresse JÉSUS-CHRIST à tant de pécheurs affligés et
repentants (1) ! »

La statue fut un instant éloignée du CHRIST, et le plus
profond silence régna alors dans la plaine. Le moine
augustin l'ayant rapprochée une seconde fois et le miracle

---

1. Dum in eo campo omnes ita stabant... Crucifixi pedes gloriosus Sanctus
osculatus est.... omnes conjunctis vocibus exclamarunt : S. Nicolae, misericordiam, etc.   Christoph de Bustis.

du baiser sacré s'étant renouvelé, d'autres cris, d'autres lamentations éclatèrent : « O Père, ô saint Nicolas, aide-nous et ne nous prive pas de toute consolation !... Le salut, le salut !... » Alors on vit, ô nouvelle et touchante merveille ! on vit le divin Sauveur détacher ses bras de la croix et embrasser lui-même avec une tendre effusion le

LA STATUE DE SAINT NICOLAS
AUX PIEDS DU CRUCIFIX. (D'après une fresque du XVIIe siècle conservée dans le cloître des Augustins à Tolentino.)

visage de son glorieux serviteur. A cette vue, les larmes et les clameurs redoublèrent, l'enthousiasme fut à son comble (1).

1. Corruit ad Crucifixi pedes lignea statua S. Nicolai, eosque deosculans.... tandem et ipse Crucifixus e Cruce manibus resolutis Nicolaum dulciter complexus est. Zacconi. — Paulettus. — Leenticer. — Giorgi et alii plurimi.

Mais il fallut séparer les deux images miraculeuses pour les porter à l'hôpital, afin de consoler un grand nombre de femmes atteintes du fléau, qui n'avaient pu se rendre dans la plaine et qui les attendaient avec une pieuse impatience. — « Mes Sœurs en JÉSUS-CHRIST, dit le Franciscain, infirmier de l'hospice, en versant d'abondantes larmes, contemplez le crucifix, regardez le glorieux et aimable saint Nicolas de Tolentino que vous envoie, avec des pains bénits en son nom et pour votre consolation, le couvent des Augustins. »

— « Ah ! Père saint Nicolas, répondirent avec force toutes ces malheureuses, miséricorde, miséricorde !... »

Elles avaient, en effet, bien besoin du secours puissant et miséricordieux du Bienheureux, ces femmes que la peste avait réduites à un état vraiment affreux. Plusieurs, rendues furieuses par la violence de la fièvre, étaient attachées à côté des agonisants. D'autres tombaient vivantes en putréfaction ou étaient horriblement enflées ; leurs boutons charbonneux s'entr'ouvraient et formaient des plaies effrayantes. Toutes savaient que la mort allait les frapper et qu'on se hâterait de les ensevelir sans aucune cérémonie chrétienne !

On leur distribua des pains bénits ainsi qu'à tous les infirmes, et le glorieux Protecteur de Cordoue se hâta d'opérer un miracle, afin de rendre un peu d'espoir à tous ces pauvres affligés. Un d'entr'eux était sur le point de rendre le dernier soupir ; il avait déjà les yeux voilés et les dents serrées. Il entendait cependant encore ceux qui murmuraient près de son lit le nom sacré de JÉSUS et celui de Nicolas. Aussi, reprenant un instant ses sens, il essaya de répéter pieusement ces seules paroles : « Saint Nicolas ! saint Nicolas ! » C'en était assez. Le jour même, il quittait l'hôpital, parfaitement guéri.

A partir de cette imposante et solennelle manifestation en l'honneur de ce grand Saint, la peste commença à diminuer, et, moins de deux mois après, elle disparut tout à fait. Elle avait duré quinze mois. Jusqu'à la complète cessation du fléau, les guérisons miraculeuses continuèrent, par la manucation ou l'application des petits pains. Nombre d'enfants surtout furent délivrés par le Bienheureux, leur Protecteur spécial.

Le 12 août 1602, le Sénat de Cordoue décréta qu'il irait chaque année, le 10 septembre, jour où se célèbre la fête de S. Nicolas, à l'église de Saint-Augustin, remercier son céleste Bienfaiteur de la disparition de la peste ; qu'il y entendrait une messe d'actions de grâces et un sermon. Les chanoines promirent de leur côté que quatre d'entr'eux se rendraient à la même date dans la même chapelle, trois pour y chanter la messe et un pour y prêcher.

Dans la ville de Chinkon, au diocèse de Tolède, un incendie violent se déclara et menaça bientôt de gagner une grande partie de la cité. Plusieurs religieux augustins étant accourus avec la foule sur le lieu du sinistre, un d'eux jeta dans les flammes un petit pain de saint Nicolas. A l'instant même, le feu forma un globe rayonnant autour du pain, qui resta blanc et intact au milieu de cette fournaise ardente. Celle-ci s'éteignit d'elle-même quelques instants après. Ce petit pain miraculeux fut donné plus tard à une des filles de l'empereur Charles-Quint, religieuse augustine au monastère de Sainte-Marie de Madrid. On le conserve encore dans un reliquaire et on le montre au peuple comme un objet miraculeux (1).

Dans la ville d'Ancône, en 1565, deux jeunes filles s'amusaient près de la mer, lorsque, le pied manquant à l'une d'elles, la malheureuse enfant fut précipitée dans les flots qui l'emportèrent. Quand on put la retrouver, elle était morte et un poisson lui avait déjà rongé les cils. En apprenant le terrible accident, la pauvre mère accourut sur le rivage, fondant en larmes et redemandant sa fille aux personnes venues pour la consoler et partager ses regrets. Un des spectateurs de cette scène navrante, dévoué serviteur de saint Nicolas, s'approcha alors du petit cadavre, et, lui ouvrant de force la bouche, introduisit entre les dents serrées un pain bénit. L'enfant se réveilla subitement, regarda sa mère en pleurs et lui sourit. Les témoins de ce fait merveilleux, pleins d'admiration et de reconnaissance, voulurent s'unir à cette heureuse femme pour offrir leurs louanges au Dieu toujours admirable dans ses saints (2).

---

1. A capo di mezz' ora... allevatosi dal letto ando in quella sera tutto allegro a cenar col padre.   Anonyme, IVᵉ partie, chap. XII, pag. 225.

2. Giorgi, IIᵉ partie, chap. XXIII, pag. 450.

Une seconde résurrection d'enfant paraîtra peut-être plus merveilleuse encore.

Dans la ville d'Empoli, en Toscane, pendant une grande disette, une pauvre veuve se trouva sans ressources et sans pain avec ses trois petits enfants. Un homme riche, de mauvaise vie, eut connaissance de sa profonde misère, et lui assura secours et aisance, si elle voulait se livrer au mal. La malheureuse mère eut le courage de refuser, préférant la mort à l'offense de Dieu. Cependant le Seigneur, pour éprouver davantage sa vertu et sa constance dans le bien, permit que son fils le plus cher mourût de faim dans ses bras, pendant que ses deux frères semblaient déjà prêts à rendre l'âme et étaient tombés dans une langueur mortelle. A ce spectacle déchirant pour son cœur, cette femme généreuse, qui avait une grande confiance en saint Nicolas, se prosterna devant son image et le supplia en pleurant de sauver son enfant ; mais de ne jamais permettre que l'excès de sa misère le conduisît au péché.

Elle priait et pleurait encore, quand on frappa à sa porte. Craignant que son séducteur ne vînt de nouveau la solliciter au mal, elle hésita un instant ; puis, implorant le secours de son céleste Protecteur et plaçant son image sur sa poitrine, elle ouvrit en tremblant. O surprise ! un religieux augustin, d'une ravissante et surnaturelle beauté, se présenta devant elle et lui dit doucement : « J'ai appris quelle était votre grande misère, ô ma fille, c'est pourquoi je vous ai apporté quelque subsistance.... » Puis, lui présentant un sac plein de petits pains, il ajouta : « Recevez ce sac, nourrissez-vous avec vos enfants du pain qu'il renferme, ne craignez pas, car Dieu ne vous laissera manquer de rien !... »

Il disparut aussitôt et l'heureuse femme reconnut que saint Nicolas lui-même s'était présenté à elle et avait exaucé sa prière. S'enfermant dans sa chambre, elle apaisa sa faim et celle de ses deux enfants ; ensuite, inspirée par Dieu, elle mit un petit morceau de ce pain miraculeux dans la bouche de celui qui venait de mourir. Ce fils chéri reprit aussitôt la vie et put se rassasier avec ses frères de la nourriture envoyée du Ciel. Le Thaumaturge ne s'était pas contenté de ce double bienfait ; car la mère trouva dans le sac, sous la provision de pain, la somme d'argent nécessaire pour attendre la fin de la famine (1).

Enfin, en 1711, un enfant de deux ans et demi fut ressuscité par le simple contact du pain bénit appuyé sur ses lèvres glacées.

Tous ces miracles augmentèrent prodigieusement la dévotion des peuples aux pains de saint Nicolas, qui continuent encore de nos jours à exercer la puissance merveilleuse que le Ciel leur a donnée, par l'intercession de celui qui en a usé le premier sur l'ordre de la bienheureuse Vierge Marie. Ainsi, par les miracles et les faits surnaturels, Dieu fait concourir la gloire et les vertus des élus au bonheur et au soulagement des hommes, et le bonheur et la reconnaissance des hommes à la plus grande gloire des élus (2) !

1. Ghezzi, pag. 244.

2. Les Pères Ermites de Saint-Augustin établis à Nantes, rue du Quatorze Juillet, bénissent le 10 Septembre, jour de la fête de saint Nicolas, ce pain miraculeux, et le distribuent aux fidèles.

Appendices.

I. — ARCHICONFRÉRIE « PRIMARIA »

Pour le soulagement des saintes âmes qui souffrent en Purgatoire.

L'ARCHICONFRÉRIE est une association de prières et de bonnes œuvres, établie dans la Basilique de saint Nicolas à Tolentino pour le soulagement des âmes délaissées du Purgatoire. Elle a été érigée canoniquement par Sa Grandeur Monseigneur Sébastien Galeati et élevée à la dignité d'Archiconfrérie par Sa Sainteté Léon XIII, le 17 mai 1884. Cette association réunit toutes les bonnes volontés, tous les cœurs, comme la Basilique de Tolentino réunit toutes les prières, précieux témoignage de charité et d'affection envers nos chers défunts.

Pour en faire partie, il faut faire inscrire son nom sur le registre de l'Archiconfrérie de Tolentino (ou à Nantes chez les RR. PP. Augustins, rue du Quatorze Juillet), verser la somme d'un franc à perpétuité, réciter chaque jour un *Gloria Patri* en l'honneur de saint Nicolas et garder chez soi une image ou une médaille du grand Thaumaturge de Tolentino.

Voici la liste des principales indulgences accordées par le Souverain-Pontife à l'Archiconfrérie.

Indulgences plénières.

1° Le jour de l'entrée dans ladite Archiconfrérie.

2° Le 10 septembre, fête de saint Nicolas de Tolentino.

3° Le 5 juin, fête de la canonisation de saint Nicolas.

4° A l'article de la mort, pourvu que les Associés invoquent avec foi, verbalement ou du moins mentalement, le très saint nom de Jésus.

5° Une fois par an (les associés pourront choisir un jour *ad libitum*) pourvu qu'ils se confessent, communient, visitent dévotement une église ou quelque chapelle publique et y prient un instant aux intentions de Sa Sainteté.

Indulgences partielles.

1º Une indulgence de 7 ans, le quatrième dimanche de Carême.

2º Une indulgence de 7 ans, le troisième et le sixième dimanche après Pâques.

3º Une indulgence de 200 jours, une fois par jour, s'ils récitent trois fois *Requiem æternam dona eis, Domine*, etc.

4º Une indulgence de 300 jours pour tous les fidèles qui réciteront le psaume *De Profundis*.

5º Tous les premiers vendredis du mois, on célébrera une messe pour le soulagement des âmes des associés trépassés.

6º On récite tous les jours, devant le tombeau de saint Nicolas, des prières spéciales pour les associés vivants et défunts.

7º Les associés gagneront, par participation, toutes les indulgences accordées à l'Ordre des Augustins.

BREF DE SA SAINTETÉ LÉON XIII
érigeant l'Archiconfrérie de Tolentino en « Primaria. »

LEO PP. XIII

Ad perpetuam rei memoriam. Pias Sodalitates ad pietatis et charitatis opera exercenda institutas, Romanorum Pontificum Prædecessorum Nostrorum vestigiis inhærentes, splendidis honorum titulis augere libenti animo solemus. Iam vero cum supplices Nobis admotæ sint preces, ut Piam Unionem ad suffragia animabus in Purgatorio igne detentis ferenda sub invocatione *S. Nicolai* in Basilica eiusdem Sancti *Tolentin. Civitatis* cononice erectam in *Primariam* evehere de Apostolica Nostra Benignitate dignaremur, Nos votis huiusmodi, suffragiis quoque Tolentin. ac Maceraten. Antistitis suffultis, quantum in Domino possumus obsecundandum censuimus. Quæ cum ita sint, omnes et singulos quibus Nostræ hæ Litteræ favent a quibusvis excommunicationis et interdicti, aliisque ecclesiasticis sententiis censuris et pœniquovis modo vel quavis de causa latis, si quas forte incurrerint, huius tantum rei gratia absolventes et absolutos fore censentes supramemoratam Piam Unionem pro animabus in Purgatorio detentis in *Tolentin. Civitate* institutam, in *Primariam* sive *Archisodalitatem* de Apostolica Nostra Auctoritate per præsentes erigimus atque constituimus, illique omnia et singula jura ac privilegia concedimus, quibus aliæ istiusmodi titulo auctæ Sodalitates utuntur fruuntur, vel uti frui possunt ac poterunt. Piæ Unionis autem præfatæ sic in Archisodalitatem sive *Primariam* per Nos erectæ Officialibus ac Sodalibus de Apostolica similiter Auctoritate Nostra per præsentes concedimus, ut alias eiusdem nominis

atque instituti Sodalitates in Ecclesiastica provincia tantum Picena
existentes, servata forma Constitutionis Clementis PP. VIII Prædecessoris Nostri recol : mem : desuper edita, aliisque Apostolicis Ordinationibus, sibi aggregare, illisque Indulgentias omnes ccmmunicabiles
communicare licite possint ac valeant. Decernentes præsentes Nostras
Litteras firmas, validas et efficaces existere et fore, suosque plenarios
et integros effectus sortiri et obtinere, illisque ad quos spectat, et in
posterum spectabit in omnibus et per omnia plenissime suffragari ;
sicque in præmissis per quoscumque Iudices ordinarios et delegatos
etiam causarum Palatii Apostolici Auditores ac S. Romanæ Ecclesiæ
Cardinales etiam de latere Legatos, ac Sedis Apostolicæ Nuncios, et
alios quoslibet, quacumque præeminentia et potestate fungentes et
functuros, sublata eis et eorum cuilibet quavis aliter iudicandi, et inter-
pretandi facultate et auctoritate, iudicari et definiri debere, ac irritum
et inane, si secus super his a quoquam quavis auctoritate scienter vel
ignoranter contigerit attentari. Non obstantibus Constitutionibus et
Ordinationibus Apostolicis nec non speciali licet atque individua
mentione ac derogatione dignis in contrarium facientibus quibuscumque. Datum Romæ apud Sanctum Petrum sub Annulo Piscatoris
die XVII Maii MDCCCLXXXIV, Pontificatus Nostri Anno Septimo.

Loco ✠ Signi

FL : Card : CHISIUS

DEUXIÈME BREF DE SA SAINTETÉ.

LÉO PP. XIII.

Ad perpetuam rei memoriam. Cum, sicut accepimus, in *Basilica Sancti
Nicolai Tolentini Civitatis* Pia quædam Unio sub eiusdem Sancti
Nicolai patrocinio ad suffragia animabus in Purgatorio igne detentis
ferenda, Canonice erecta existat, Nos quo frugifera hujusmodi Unio
maiora in dies suscipiat incrementa, de Omnipotentis Dei misericordia,
ac BB. Petri et Pauli Apostolorum eius auctoritate confisi, omnibus
et singulis Christifidelibus, qui dictam Piam Unionem in posterum
ingredientur, die primo eorum ingressus, vel Dominica immediate
sequenti, si vere pœnitentes, et confessi SSmum Eucharistiæ Sacra-
mentum sumpserint, *Plenariam :* ac tam adscriptis, quam pro tempore
adscribendis dicta in Pia Unione Sodalibus in cuiuslibet eorum mortis
articulo, si vere quoque pœnitentes, et confessi, ac S. Communione
refecti, vel quatenus id facere nequiverint, saltem contriti nomen JESU
ore, si potuerint, sin minus corde devote invocaverint, etiam *Plenariam :*
nec non iisdem nunc et pro tempore existentibus eiusdem Piæ Unionis
Sodalibus item vere pœnitentibus, et confessis, ac S. Communione refec-
tis, qui supramemoratam Basilicam diebus festis S. Nicolai, et Canonizationis ejusdem Sancti a primis vesperis usque ad occasum solis dierum
hujusmodi singulis annis devote visitaverint, ibique pro Christianorum

Principum concordia, hæresum extirpatione, peccatorum conversione, ac S. Matris Ecclesiæ exaltatione pias ad Deum preces effunderint, quo die præfatorum id egerint, *Plenariam* omnium peccatorum suorum Indulgentiam, et remissionem misericorditer in Domino concedimus. Insuper iisdem nunc, et pro tempore pariter existentibus dictæ Piæ Unionis Sodalibus corde saltem contritis, qui eamdem Basilicam, diebus quibus ibidem S^{ti} Nicolai exuviæ singulis annis exponuntur fidelium venerationi visitaverint, ibique, ut supra, oraverint, *Septem annos:* quoties vero sacro Septennario festum S. Nicolai præcedenti interfuerint, *Tercentum dies* de iniunctis eis, seu alias quomodolibet debitis pœnitentiis in forma Ecclesiæ consueta relaxamus. Quas omnes, et singulas Indulgentias, peccatorum remissiones pœnitentiarumque relaxationes etiam animabus fidelium in Purgatorio detentis per modum suffragii applicari posse elargimur. In contrarium facientibus non obstantibus quibuscumque. Præsentibus perpetuis futuris temporibus valituris.

Datum Romæ apud S. Petrum sub annulo Piscatoris die X Iunii MDCCCLXXXIV, Pontificatus Nostri Anno Septimo.

Loco ✠ Signi   Pro Dno CARD. CHISIO
                                                    A. Trincheri Substitutus.

TROISIÈME BREF DE SA SAINTETÉ.

LÉO PP. XIII.

Ad perpetuam rei memoriam. Relatum est nobis in Sanctuario titulo S. Nicolai Tolentini Civitatis Primariam Unionem pro animabus in Purgatorio igne detentis canonice erectam existere, facultate ex Apostolicæ Sedis concessione auctam, alias ejusdem nominis atque instituti Uniones in provincia tantum Picena aggregandi. Nunc autem cum quamplurimæ extra Picenam provinciam similes Uniones erectæ reperiantur, enixæ Nobis preces a Priore Fratrum Eremitarum Ordinis S. Augustini Primariæ dictæ Unionis Moderatore adhibitæ fuere, ut aggregandi facultatem ad Universæ Italiæ fines extendere de Apostolica Nostra benignitate dignaremur. Nos autem votis huiusmodi obsecundare quantum in Domino possumus volentes, et singulos atque universos, quibus nostræ hæ litteræ favent, a quibusvis excommunicationis et interdicti aliisque ecclesiasticis sententiis, censuris et pœnis quovis modo vel quavis de causa latis, si quas forte incurrerint, huius tantum rei gratia absolventes et absolutos fore censentes, Primariæ dictæ Unionis pro Purgatorii animabus, in Sanctuario S. Nicolai Civitatis Tolentini canonice erectæ, Officialibus et sodalibus præsentibus et futuris, ut ipsi alias quascumque eiusdem nominis atque instituti Uniones intra fines Italiæ tantum canonice institutas, servata forma Constitutionis Clementis PP. VIII. Prædecessoris Nostris recolendæ memoriæ, aliisque Apostolicis Constitutionibus desuper editis, sibi aggregare, illisque omnes et singulas indulgentias, peccatorum remissiones, ac pœnitentiarum relaxationes, ipsi Primariæ Unioni ab hac S. Sede concessas et aliis communicabiles communicare licite servatis servandis possint ac valeant facultatem Apostolica Auctoritate Nostra, harum litterarum vi, perpetuum in modum concedimus atque elargimur. Decernentes præsentes litteras firmas, validas et efficaces existere et fore, suosque plenarios et integros effectus sortiri et obtinere, illisque ad quos spectat et in posterum spectare poterit in omnibus et per omnia plenissime suffragari ; sicque in præmissis per quoscumque Judices ordinarios et delegatos iudicari et definiri debere, atque irritum et inane si secus super his a quoquam quavis auctoritate scienter vel ignoranter contigerit attentari. Non obstantibus Constitutionibus et Ordinationibus Apostolicis, nec non dictæ piæ Unionis aliisve quibusvis etiam iuramento, confirmatione Apostolica vel quavis firmitate alia roboratis statutis et consuetudinibus ceterisque contrariis quibuscumque. Datum Romæ apud S. Petrum sub Annulo Piscatoris die X Februarii MDCCCLXXXV. Pontificatus Nostri Anno septimo.

Pro Domino   Cardinali CHISIO.

Loco ✠ Signi :   L. Card. JACOBINI.

Nota.— Pour de plus amples renseignements, s'adresser aux RR. PP. Ermites de Saint-Augustin.   Nantes.— Rue du Quatorze Juillet.

II. — LA BASILIQUE DE TOLENTINO.

L'INSTITUT monastique, une fois implanté en Occident, se développa avec une grande vigueur. Comme un arbre planté dans une terre fertile et sur le bord des eaux, il jeta de profondes racines et étendit au loin ses branches et ses rameaux touffus. Aussi les ruines des anciens monastères excitent-elles l'étonnement et l'admiration des savants et des archéologues, qui les visitent aujourd'hui, pour y recueillir les anciens souvenirs de l'histoire, les grandes et nobles aspirations du moyen-âge ; pour en dessiner les sévères beautés, s'arrêtant souvent stupéfaits devant les restes de tant de magnificence et de véritables œuvres d'art. Mais comment s'en étonner, quand on pense que, durant les siècles de barbarie, les monastères furent seuls les asiles de la prière, de l'étude, de la science, de la vertu, de tout ce qu'il y eut de recommandable dans la civilisation ancienne !

Or, parmi les grands sanctuaires élevés par la main des moines en Occident, celui de Tolentino tient une place marquée et doit aux vertus héroïques de saint Nicolas son importance et ses rares privilèges. Il résume encore aujourd'hui la vie religieuse des Ermites de St Augustin.

Au XIVe siècle, le couvent de Tolentino ne le cédait en rien aux établissements les plus illustres ; la piété, la régularité et la science y florissaient également. Il devint, pour les Marches, un foyer de vraie civilisation, et son nom, comme ceux du Mont-Cassin et de Cîteaux, resta justement célèbre. Pendant de longs siècles, des saints, des évêques, des missionnaires se formèrent à l'ombre de son cloître béni et embaumé par le souvenir du grand Saint qui y vécut.

L'église primitive, témoin des prières, des visions, des miracles du Saint, subsista deux siècles au moins après sa mort. Elle n'avait que vingt à vingt-cinq mètres de longueur. Aussi, en 1510, les Ermites de Saint-Augustin songèrent à en construire une autre plus vaste et plus belle, avec de nouveaux bâtiments pour les quarante moines qui habitaient ordinairement le monastère de Tolentino. En 1783, Pie VI éleva ce sanctuaire à la dignité de basilique. Consacré, en 1859, par Son Excellence Mgr Marinelli, Sacriste de Pie IX, il fut restauré de nouveau, en 1882, avec beaucoup de talent et de génie par l'architecte Fontana, dont les habiles travaux laissent voir à tout homme instruit qui visite le monument, des peintures et des décorations de l'époque de la Renaissance. Cette église, qui frappe, surtout à l'intérieur, par la pureté de ses lignes, porte l'âme au recueillement, à l'adoration et à la prière. Elle a environ 54 mètres de longueur sur 17 mètres de largeur.

La chapelle de saint Nicolas, placée à droite de l'édifice sacré, possède encore tout ce qui reste de ses précieuses reliques, dans une grande caisse de fer, liée par deux grosses chaînes. Cette arche est placée au-dessus de l'autel, ce qui permet de la tenir constamment exposée à la vénération des fidèles. L'oratoire où le Thaumaturge a passé de si longues heures en prière, est tout décoré de fresques du XIVe siècle, rappelant très bien l'école de Giotto et de Fra Angelico. Le principal ornement de la chapelle est un portrait du Saint, fait d'après nature, et que les auteurs du temps disent très ressemblant. Les murs sont couverts d'ex-voto qui datent presque tous d'un siècle à peine, les anciens ayant été vendus avec beaucoup de pierreries d'une grande valeur, pour aider le Souverain-Pontife à payer le tribut que lui imposa Napoléon dans le traité signé à Tolentino.

La dévotion inspirée par le souvenir de Nicolas, souvenir toujours présent dans ce lieu sacré, est si grande que les pèlerinages ne se sont jamais interrompus depuis la mort de Nicolas : les papes y sont venus, accompagnés d'un nombreux cortège d'évêques et de cardinaux ; les rois s'y sont rendus avec leurs hérauts d'armes et leurs généraux ; on y est accouru de toute l'Italie, de l'Allemagne, de l'Angleterre, et même tout exprès de l'Amérique pour remercier de faveurs obtenues. Côme III, grand-duc de Toscane, accomplit ce pèlerinage en 1695 ; le duc de Modène, deux ans plus tard ; la reine de Pologne vint visiter la basilique en 1699, accompagnée de seigneurs et de dames de sa cour ; le 22 octobre 1722, ce fut le roi d'Angleterre, Georges III, qui s'agenouilla devant les reliques de Nicolas avec son épouse ; puis, le 10 juin 1738, la reine de Naples, fille d'Auguste, roi de Pologne, y donna rendez-vous à l'électeur de Saxe.

En 1594, le pape Clément VIII, après avoir recouvré la ville de Ferrare, fit le voyage de Tolentino et vint prier devant l'autel du Saint. Le 1er mars 1782, ce fut Pie VI qui voulut en personne se recommander au glorieux Ermite de Saint-Augustin et le charger de veiller sur les affaires de l'Eglise qu'il allait traiter à Vienne avec l'empereur. Le 25 juin 1800, Pie VII lui succéda aux pieds de Nicolas. Il venait le remercier de son élection toute miraculeuse et toute providentielle et il accepta l'hospitalité dans le couvent des Augustins. Il revint une deuxième fois, en 1814, près de son céleste protecteur, protecteur aussi de l'Eglise universelle, afin de lui témoigner sa reconnaissance pour la fin de son exil.

En 1815, nous voyons à Tolentino Charles VI, roi d'Espagne, avec toute sa cour ; en 1832 et en 1853, l'ex-reine d'Espagne Marie-Christine.

Dans ces derniers temps, le pape Grégoire XVI demeura trois jours dans le monastère sanctifié par la présence, les vertus et les miracles du Thaumaturge ; et le pape Pie IX, de vénérée mémoire, se rendit, le 9 mai 1857, à Tolentino pour recommander à Nicolas les intérêts de l'Eglise, et il se montra touché jusqu'aux lermes à la vue des bras sanglants du Bienheureux.

Chaque année, le 10 septembre et le 4e dimanche de carême ramènent à la basilique des milliers de pèlerins conduits par leurs pasteurs. Rien n'est plus édifiant que ces pieux voyages, accomplis parfois par la population entière de chaque village. Des Pères Augustins se tiennent au tribunal de la pénitence pour y absoudre les foules, et personne ne quitte Tolentino sans avoir reçu le pain des forts. Les fidèles font aussi ce qu'ils appellent, dans leur langage, des vœux. Cette expression signifie qu'ils accomplissent le pèlerinage au tombeau, soit pour tenir une promesse, soit pour obtenir une grâce spéciale.

Avant de terminer cet ouvrage, qu'on nous permette de dire quelques mots sur la petite cité de Tolentino elle-même. Où se trouve-t-elle ? Qu'est-elle ?

Assise au milieu d'un groupe de collines, tantôt boisées, tantôt tapissées de riantes prairies ou de riches vignobles, Tolentino occupe un des sites les plus gracieux que l'on puisse rencontrer. C'est une petite ville de dix à douze mille habitants, située à trente kilomètres sud-ouest environ de Lorette ; aussi, c'est de cette ville que le plus grand nombre de ses pèlerins lui arrivent. Quatre trains partent chaque jour de Lorette avec quatre autres venant de Fabiano. Ainsi les pieux voyageurs, italiens ou étrangers, qui visitent la Sainte Maison de Nazareth, peuvent partir le matin de la cité privilégiée de Marie pour se rendre au tombeau de notre Thaumaturge, y faire leurs dévotions, et, le soir même, se retrouver de nouveau dans l'humble Maison où le Verbe s'est fait chair, pour continuer ensuite leurs pieuses excursions. Il serait à désirer que tous les dévots pèlerins de Lorette tinssent à honneur de faire une visite au grand Saint auquel la Très-Sainte Vierge a révélé, plusieurs années avant qu'elle ne se fît, la miraculeuse translation. L'union entre Lorette et Tolentino, entre Marie et Nicolas, est trop intime et trop forte pour qu'on puisse l'ignorer ou la négliger.

III. — BULLE DE CANONISATION.

EUGENIUS EPISCOPUS SERVUS SERVORUM DEI.

Universis Christifidelibus praesentes literas inspecturis salutem, et apostolicam benedictionem. Licet militans in terris Ecclesia triumphantem in coelis, filiali, et devoto veneretur affectu, ac virtutes, laudes praeconiaque sanctorum, quantum humana sinit fragilitas, dignissimis attollat titulis, devotis quoque praecibus solemni ritu, sacrificia laudum offerat ad decus, et venerationem civium supernorum, nihil tamen illis accrescit novae perfectionis, et gloriae, nec eorum perfecta felicitas nostris operibus firmari poterit, vel augeri. Misericors tamen miseratorque Dominus, per intercessiones meritaque sanctorum quos in terris celebritate congrua veneramur, mirabili dignatione imperfectum nostrum suppleri providit, ut quod nostris meritis non valemus eorum suffragiis assequamur.

Æternus itaque DEUS, qui fecit mirabilia magna solus, Confessorem suum eximium Nicolaum de Tolentino in approbata Religione fratrum Eremitarum Sancti Augustini ab ejus pueritia educatum, Puritate candidum, Charitate foecundum, electum ex millibus, exemplar praefulgidum, Sapientia ejus infinita produxit, singularis vitae suae excellentissimis signis, et prodigiis probatis ac coruscantibus, crebrisque miraculis manifestatum. Laetentur itaque coeli, exultet terra, jucundeturque pariter totus orbis, quando ei, qui effulsit in templo DEI, cum viveret, spatiosum in coelo præstant hospitium coeli cives, itaque hujus Beati Viri, quando vita est functus, fama summaque ad eum populorum devotione crescentibus, felicis recordationis Joannes Papa XXII Praedecessor noster Avenione cum ejus curia residens cum fratribus suis coepit de illius Canonizatione tractare, quam nisi ejus obitus et horrenda supervenissent schismata procul dubio consummasset. Beatus igitur hic Nicolaus, honestis ex castro Sancti Angeli intra Firmanam dioecesim, parentibus ortus, puerorum consortia vitans, ecclesiasque, divinaque mysteria frequentabat. Et ne per clara opera lucidae vitae suae longo latoque sermone curramus, pauca lubet referre de pluribus ut ex his existentes in via Domini, patrem glorificent sicut de caeteris. Sanctus equidem iste in aetate existens tenera, et humilitate servabat, castigando corpus, jejuniis, vigiliis, orationibus insistebat ; devotus, gratus, humilis, obediens, benignus, suavis, pius, patiens, constans, maturus, compositus, virtutum quidem quibusdam aromatibus plurimos attrahebat ; adeo quoque fidei cultor erat, ut cuncta illius verba, et opera, virtutem fidei redolerent. Tribulatorum, et infirmorum consolator assiduus existebat. Et demum pudicus, castus, modestus, verecundus ac laetus ad vitae

vesperam veniens divinitus audire meruit : *euge serve bone et fidelis,*
intra in gaudium Domini tui. Sic granum frumenti, cadens in terram
et mortuum, uberem consurgit in spicam, sic botrus in torculari calcatus
liquoris redundat in copiam, sic regnum coelorum percipitur, et sancti
per fidem sublimia regna vicerunt. Verum decebat divinae magnitudi-
nem bonitatis, ut quem in terris praeclaris ornarat virtutibus, in coelis
regnare certis testimoniis probaretur.

Multis enim magnisque miraculis, et dum viveret et post obitum
clarum fecit. Quorum quaedam dignissimis probatis testibus onerosae
multitudinis vitandae gratia duximus praesentibus ad notanda. Quidam
adeo in sinistro latere perditus erat ut nec illius manum nec pedem
posset quovis modo movere, aut quicquam ex oculo sinistro videre,
post plurimorum medicorum antidota, atque colliria in vanum experta,
Sanctus hic latus illud crucis signaculo tetigit, viroque ipsi benedixit,
qui statim e grabato surgens, factus est videns, et integre liberatus.
Quaedam vero mulier triennio continuo sanguinis fluxum patiens, ad
Nicolaum veniens, et manum ejus devotissime osculans, praecabatur
eum, ut preces ad Dominum pro illius sanitate recuperanda porrigeret.
Sanctus ipse illam signo crucis signavit, et liberata recessit. Haec ante
obitum.

Post obitum vero, cum puer quidam annorum quatuor in canalem
molendini civitatis Maceratae cecidisset, et intra rotam et aquam, per
spatium temporis, quo communiter bene ambulans, milliario ambu-
lasset, continuo jacuisset, inde tandem laboriose extractus mortuus, et
pro mortuo reputatus, emisso prius per matrem voto, quod si restitueretur
vitae auxilio beati Nicolai, illum supra Sancti tumulum habitum religionis indueret, adjuvante sancto praedicto, vivus apparuit. Vir insuper
quidam inventus in domo sua suspensus et mortuus, precibus et voto
per ejus uxorem ad beatum Nicolaum emissis factus est vivus et ex
tunc diutius supervixit. Quamplurima etiam miracula tam in vita,
quam post ejus mortem fecit, pluresque homines utriusque sexus a
morte suscitavit, caecos illuminavit, et ab oculorum infirmitatibus
liberavit. Contractos et pertractos membris, et claudos erexit, paraly-
ticos a membrorum impotentia sanavit. Et a tremore capitis et
membrorum, daemoniacos, captivos, incarceratos, cum apparitionibus
et revelationibus liberavit. Cadentes et alisos a naufragiis, a capti-
vitate personae, a perditione bonorum, a febribus, ab hetica, ab
hydropisi, a podagra, a doloribus illorum et stomachi ac cordis, aliisque
infirmitatibus liberavit, pristinaeque sanitati restituit, quae omnia tre-
centa et unum miracula, ad quorum probationem examinati fuerunt
trecenti et septuaginta et unus testes in registro annotati, et coram
nobis in publico Consistorio relati fuerunt, his itaque et aliis miris
operibus sancti hujus adstruentibus sanctitatem christianae fidei veri-
tate, miraculorum lingua loquente, concurrit ad nos undique populus.
Crevit de his fama atque devotio, laudatur Dominus de salutiferis
gratiis, salutis auctori gratiae referuntur, invaluit super his vox com-
munis et celebris et plurimorum vox exultationis etiam et praelatorum
nobis intonuit, et nostrâ auctoritate inquisitionem fieri super dictis

obtinuit. Quidem venerabili fratri Joanni Episcopo Praenestino et dilectis filiis nostris Joanni Tituli Sancti Laurentii in Lucina Presbytero, et Prospero Sancti Georgii ad velum aureum Diacono, Cardinalibus, commisimus, ut veritatem praemissorum et de miraculorum continuatione inquirerent diligenter, quorum relatione etiam continuationis miraculorum probata veritas, Nos et venerabiles fratres nostros Sanctae Romanae Ecclesiae Cardinales, de sancti ejusdem vita mirabili, miraculis et meritis gloriosis instruxit. Et quia plura et majora de sancto ipso comperimus, quam insinuata fuissent, de fratrum praedictorum consilio et assensu, plurimis Ecclesiae Praelatis adstantibus, de Omnipotentis DEI virtute et Beatorum Apostolorum Petri et Pauli, ac nostra auctoritate confisi, eumdem Beatum Nicolaum Sanctorum Confessorum cathalogo duximus adscribendum, ideoque universitatem vestram monemus et hortamur attente per Apostolica scripta vobis praecipiendo mandantes, quatenus quarto idus Septembris, quo sanctus ipse migravit ad Dominum, festum ejusdem, devote, et solemniter celebretis et faciatis ab omnibus veneratione congrua celebrari, ut pia ejus intercessione, et hic a noxiis protegi, et in futurum sempiterna consequi gaudia valeatis. Et ad venerabile ejus sepulchrum eo ardentius Christifidelium confluat multitudo, et celebrius ejusdem Confessoris colatur festivitas. Omnibus vere poenitentibus et confessis qui cum devotione et reverentia illuc in eodem festo accesserint, annuatim ipsius suffragia petituris, de Omnipotentis DEI misericordia, et Beatorum Petri et Pauli Apostolorum ejus auctoritate confisi, septem annos et totidem quadragenas, accedentibus vero annis singulis ad dictum ejus sepulchrum infra ejusdem festi octavam, duos annos et duas quadragenas de injunctis eis poenitentiis misericorditer relaxamus. Datum Romae apud S. Petrum anno Incarnationis Dominicae MCCCCXLVI, Kalendis Februarii, Pontificatus nostri anno sextodecimo.

—✼——✼——✼——✼—

IV. — BÉNÉDICTION DES PAINS
DE SAINT NICOLAS.

HYMNE.

Te canunt omnes Nicolae gentes,
Te piæ versu modulantur urbes ;
Voce te laudant pueri canora,
    Votaque solvunt.

Te ferunt cæci, resonantque muti,
Quos tua cunctos ope liberasti,
Crura decantant sibi restituta
    Carmine claudi.

Eruti sævis pelagi procellis,
Quosque tu morbis variis gravatos
Mille sanasti, tua dona cuncti
Magna fatentur.

Quosque vexatos pius expiasti
Dæmonum dira feritate, quosque
Consequi rursum veteris dedisti
Lumina vitæ.

Dive qui cœlo rutilas ut astrum,
Mentium densas tenebras repelle,
Cordium longam glaciem resolve
Luce nitenti.

Laus Patri summo, Genitoque semper,
Quique procedis simul ex utroque,
Spiritus Sanctus, Deus unus idem
Laus tibi semper.

Amen.

Le sous-diacre chante alors l'Epître suivante :

Lectio libri Regum.

3 Reg. 13.

In diebus illis : Factus est sermo Domini ad Eliam Thestiten, dicens :
Surge, et vade in Sarephta Sidoniorum, et manebis ibi : præcepi enim
ibi mulieri viduæ, ut pascat te. Surrexit, et abiit in Sarephta. Cumque
venisset ad portam civitatis, apparuit ei mulier vidua colligens ligna,
et vocavit eam, dixitque ei : Da mihi paululum aquæ in vase, ut bibam.
Cumque illa pergeret ut afferret, clamavit post tergum ejus, dicens :
Affer mihi, obsecro, et buccellam panis in manu tua. Quæ respondit :
Vivit Dominus Deus tuus, quia non habeo panem, nisi quantum pugil-
lus capere potest farinæ in hydria, et paululum olei in lecytho : en
colligo duo ligna ut ingrediar ut faciam illum mihi et filio meo, ut
comedamus et moriamur. Ad quam Elias ait : Noli timere, sed vade, et
fac sicut dixisti : verumtamen mihi primum fac de ipsa farinula subcinericium panem parvulum, et affer ad me : tibi autem et filio tuo facies
postea. Hæc autem dicit Dominus Deus Israël : Hydria farinæ non
deficiet, nec lecythus olei minuetur, usque ad diem in quo Dominus
daturus est pluviam super faciem terræ. Quæ abiit, et fecit juxta
verbum Eliæ : et comedit ipse, et illa, et domus ejus : et ex illa die
hydria farinæ non defecit, et lecythus olei non est imminutus, juxta
verbum Domini, quod locutus fuerat in manu Eliæ.

Puis les chantres entonnent le répons :

Respexit Elias ad caput suum subcinericium panem : qui surgens
comedit, et bibit, et ambulavit in fortitudine cibi illius usque ad montem Dei.

Le Diacre, ayant reçu la bénédiction du célébrant, chante l'Evangile suivant :

℣. Dominus vobiscum.

℟. Et cum spiritu tuo.

Sequentia sancti Evangelii secundum Joannem.

Cap. 5.

Il illo tempore: Abiit JESUS trans mare Galilææ, quod est Tiberiadis : et sequebatur eum multitudo magna, quia videbant signa, quæ faciebat super his, qui infirmabantur. Subiit ergo in montem JESUS : et ibi sedebat cum discipulis suis. Erat autem proximum Pascha dies festus Judæorum. Cum sublevasset ergo oculos JESUS, et vidisset quia multitudo maxima venit ad eum, dixit ad Philippum: Unde ememus panes, ut manducent hi? Hoc autem dicebat tentans eum : Ipse enim sciebat quid esset facturus. Respondit ei Philippus : Ducentorum denariorum panes non sufficiunt eis, ut unusquisque modicum quid accipiat. Dicit ei unus ex discipulis ejus, Andreas frater Simonis Petri : Est puer unus hic, qui habet quinque panes hordeaceos, et duos pisces : sed hæc quid sunt inter tantos? Dixit ergo eis JESUS : Facite homines discumbere. Erat autem fœnum multum in loco. Discubuerunt ergo viri, numero quasi quinque millia. Accepit ergo JESUS panes: et cum gratias egisset, distribuit discumbentibus : similiter et ex piscibus, quantum volebant. Ut autem impleti sunt, dixit discipulis suis : Colligite quæ superaverunt fragmenta, ne pereant. Colligerunt ergo, et impleverunt duodecim cophinos fragmentorum ex quinque panibus hordeaceis, quæ superfuerunt his, qui manducaverant. Illi ergo homines, cum vidissent quod JESUS fecerat signum, dicebant : Quia hic est vere Propheta, qui venturus est in mundum.

Le célébrant procède alors à la bénédiction des pains et chante les oraisons suivantes, se tenant du côté de l'Epître :

Oremus.

Domine JESU CHRISTE, qui benedixisti quinque panes in deserto, multiplica super fideles tuos misericordiam tuæ pietatis, quemadmodum fecisti cum Patribus nostris in tua misericordia sperantibus : et bene ✠ dicere et sancti ✠ ficare digneris hanc creaturam panis, quem ad subsidium tuorum fidelium tribuisti : quatenus a quocumque sumptus fuerit, benedictionis tuæ opulentia repleatur ; et gratiarum actione per te in visceribus ipsorum sanctificetur. Per Christum Dominum nostrum. Amen.

Oremus.

Domine Sancte, Pater omnipotens, sempiterne DEUS, qui per potentiam tuam panem istum in forma visibili tribuisti, et magnitudine largitatis tuæ humanis usibus emanare de segete jussisti, te suppliciter exoramus, ut hunc panem, quem negligentia nostra polluit, sancti Spiritus gratia ad munditiam revocet, et sancti ✠ ficet, mundet ac purificet ; et turpitudo callidi hostis abscedat, ac familiæ tuæ deinceps cum benedictione comestibilis tribuatur, comedentium mundentur corda, et corpora ipsorum per tuam gratiam sanctificentur. Per CHRISTUM Dominum nostrum. Amen.

Oremus.

Precamur, Domine DEUS, tuæ pietatis clementiam, ut panem istum cœlesti benedictione sancti ✠ fices, et ita ex hoc fugare digneris omnem diabolicæ tentationis incursum, ut quicumque ex hoc comederit, totius virtutis et sanitatis dulcedine perfruatur, et tibi sanctificatori, ac salvatori omnium, gratias cum gaudio et lætitia agere mereatur. Per CHRISTUM Dominum nostrum. Amen.

Oremus.

Te igitur supplices deprecamur, ut bene ✠ dicere et sancti ✠ ficare digneris hanc creaturam panis, ut quicumque ex eo gustaverit, per intercessionen dilecti tui Nicolai de Tolentino consequatur vitam æternam ; et extingue ab omnibus digne sumentibus, si quid veneni, si quid mortiferæ operationis fuerit, et clementer eos defende. Per CHRISTUM Dominum nostrum. Amen.

Oremus.

DEUS et Pater Domini nostri JESU CHRISTI, cujus verbo cœli firmati sunt ; cui omnia subdita sunt ; cui omnis creatura deservit, et potestas subjecta est, et metuit, et expavescit, nos te ad auxilium provocamus, cujus audito nomine serpens conquiescit, et drago fugit, silet vipera, et omnia venenata, et adhuc fortia animalia reptantia noxia terrentur, et omnes adversæ salutis humanæ radices arescunt : Te ergo, Domine, suppliciter deprecamur, ut bene ✠ dicere et sancti ✠ ficare digneris hanc creaturam panis, ut quisquis ex hoc comederit, per intercessionem dilecti filii tui Nicolai de Tolentino vitam æternam consequatur. Per Dominum nostrum JESUM CHRISTUM Filium tuum, qui tecum vivit et regnat in sæcula sæculorum. Amen.

(*Les pains sont aspergés d'eau bénite et encensés.*)

Le chœur chante ensuite l'hymne suivante sur le ton, Sanctorum meritis

HYMNUS.

Ad panem medicum currite languidi,
Ad panem celeres quos dolor obruit :
Morborumque gravem passa tyrannidem
Panem corpora quærite.

Munimen domibus, navibus anchora,
Tutor Christicolis, et socius vitæ :
Omnem Nicoleos hoc perhibet cibo
Orbi munificentiam.

Hac esca miseris nulla salubrior :
Hac pestes fugiunt atque pericula :
Iratis pelagi fluctibus imperat,
Ignisque esuriem premit.

Huic vexata malis pectora fidite,
Hac una antidotus nulla potentior :
Quod natura nequit, gratia conferet
    Solamen patientibus.

Divini o pietas provida Numinis !
Quæ tot Nicoleon ditat honoribus,
Hoc ut Christicolis donet egentibus,
    In pane omnibus omnia.

Nobis quos agitant bella, pericula,
Qui mundi insidiis undique cingimur,
Sit Panis clypeus, sitque panoplia,
    Sit spes, auxilium, salus.

Sit sacro assidue gloria Numini,
Hostis tartarei comprimat impetus
Nostrisque imposito fine laboribus,
    Nos ad sidera transferat. Amen.

Aña. Nicolaus verus CHRISTI pauper, virgo a DEO electus, obedien-tiam jugiter servans, Eremitarum Ordinem signis et virtutibus decoravit.

Ⅴ. Ora pro nobis, beate Nicolae.

℞. Ut digni efficiamur promissionibus CHRISTI.

Oremus.

Concede, quæsumus, Omnipotens DEUS, ut Ecclesia tua, quæ beati Nicolai Confessoris tui virtutum et miraculorum gloria coruscat, ejus intercessione et meritis, perpetua pace atque unitate lætetur. Per CHRISTUM Dominum nostrum. Amen.

Manière de prendre le pain bénit de S. Nicolas ou de le donner aux infirmes.

On fait tremper le pain bénit dans un peu d'eau, puis on dit trois fois *Notre Père* et trois fois *Je vous salue,Marie* en l'honneur de la Très Sainte Trinité, un *Salve Regina* en l'honneur de la Bienheureuse Vierge Marie et de saint Nicolas.

Puis l'on récite l'antienne et la prière suivante :

ANTIENNE.

Nicolaus, verus CHRISTI pauper, virgo a DEO electus, obedientiam jugiter servans, Eremitarum Ordinem signis et virtutibus decoravit.

Ⅴ. Ora pro nobis, beate Nicolae.

℞. Ut digni efficiamur promissionibus CHRISTI.

Oremus.

Concede, quæsumus, omnipotens DEUS, ut Ecclesia tua, quæ beati Nicolai, confessoris tui, virtutum et miraculorum gloria coruscat : ejus intercessione et meritis, perpetua pace atque unitate lætetur. Per CHRISTUM Dominum nostrum. Amen.

Les malades ou les personnes qui ne savent pas lire doivent remplacer le Salve Regina, *l'antienne et l'oraison en l'honneur de saint Nicolas, en récitant trois fois* Notre Père *et trois fois* Je vous salue Marie.

TABLE DES MATIÈRES.

TABLE DES GRAVURES.

Imprimé en France
FROC031931130120
23156FR00008B/159/P